Ludovina Angot

La sage-femme de Poitiers

Madeleine Rinfret Lucas

La sage-femme de Poitiers

Tome II

www.quebecloisirs.com

UNE ÉDITION DU CLUB QUÉBEC LOISIRS INC.

Dépôt légal — Bibliothèque nationale du Québec, 2001
ISBN 2-89430-499-4
(publié précédemment sous ISBN 2-89111-934-7)

Imprimé au Canada

À ma famille, à mes amis…

Avant-propos

Charlotte de Poitiers, jeune fille intrépide et indépendante, n'a que vingt ans lorsque, en 1659, elle quitte avec son frère Jean-Baptiste une France ravagée par la guerre pour s'établir à Québec. Sage-femme et soignante à l'Hôtel-Dieu, elle s'intègre à la vie de la colonie et se crée des relations. Justine Chicoine, brave commerçante, et Anne Bourdon, épouse du procureur, la considèrent comme leur fille.

Jean-Baptiste obtient un travail auprès de Jean Bourdon. Il se heurte rapidement à cet homme peu scrupuleux qui n'hésite pas à escroquer la Compagnie des Cent-Associés, qui tient le monopole de la traite des pelleteries. Jean-Baptiste choisit alors d'accepter un poste d'interprète à la Nouvelle-Amsterdam.

À l'inverse, Charlotte se fixe définitivement à Québec lorsqu'elle s'éprend de Joseph Hébert, petit-fils de Louis Hébert, premier colon canadien. Joseph est un jeune homme robuste, rompu à la vie dans les bois, doublé d'un tempérament tendre et sensible. Profondément amoureux, les jeunes gens se marient en 1660. Un fils leur naît bientôt (le petit Joseph). Mais leur bonheur n'est que de courte durée. Un an après leur mariage, Joseph Hébert est chargé d'accompagner le père Le Moyne au pays des Iroquois qui réclament un missionnaire afin de négocier un échange de prisonniers. Alors commence pour Charlotte une période d'attente angoissante.

PREMIÈRE PARTIE

1661

L'attente

1

EN CETTE FIN du mois d'août 1661, la Nouvelle-France vivait dans un état de frayeur quasi permanent. Depuis le printemps, les Iroquois faisaient preuve d'une agressivité qui ne semblait vouloir cesser. De Tadoussac à Ville-Marie, on ne trouvait pas une famille qui n'ait à déplorer soit la mort ou la disparition d'un être cher, soit une maison ou une grange brûlée. On ne sortait plus sans porter un fusil en bandoulière. Abandonnant la culture de ses champs, plus d'un habitant était venu trouver refuge derrière les murs de la ville la plus proche. La terreur et la désolation s'étaient installées tout le long du grand fleuve.

On osait à peine croire à la lueur d'espoir qui s'était allumée au printemps, lorsque Garakontié, un des chefs iroquois, s'était rendu à Ville-Marie afin de négocier une paix partielle. Il prétendait rendre la liberté à une vingtaine d'hommes en échange de huit Iroquois actuellement en captivité. Il s'engageait également à assurer l'arrêt des hostilités de deux des cinq nations de la confédération iroquoise, à condition qu'un missionnaire accepte de s'installer dans son village. Le père Le Moyne avait pris cette charge en main. C'était là une entreprise que beaucoup considéraient comme le sacrifice suprême accepté par un saint homme.

Un mois s'était écoulé depuis son départ de Québec en compagnie de Joseph Hébert et de trois autres colons, qui avaient pour mission d'assurer son transport et sa sécurité. Un mois, sans le moindre signe permettant de savoir s'ils avaient seulement atteint Ville-Marie.

De ces cinq hommes, Joseph était le plus expérimenté. Il connaissait parfaitement la vie dans les bois et, mieux que nul autre, il savait éviter les pièges de cette vie sauvage ainsi que ceux tendus par les Indiens. Tout l'avait désigné pour mener à bien cette entreprise.

Restée seule à Québec, Charlotte Hébert vivait dans l'attente de son retour. Elle connaissait les qualités de son époux, mais elle ne pouvait retenir l'inquiétude qui la gagnait jour après jour.

De toutes ses forces, elle voulait cacher ses appréhensions et se montrer digne d'une femme de colon en Nouvelle-France. Pour cette raison, elle s'efforçait de donner l'exemple en vivant le plus normalement possible.

Il importait de ne rien négliger. Même la confection de confitures de bleuets prenait une importance inhabituelle.

Dans la grande cuisine des Hébert, les femmes de la maisonnée s'étaient réunies afin d'équeuter les fruits. D'un regard circulaire, Charlotte les observa l'une après l'autre. Noémie, la cuisinière, travaillait en silence. Marine Crevier, la femme du fermier, chantonnait à voix basse ou bavardait avec Jeannette, la jeune bonne de quatorze ans. Celle-ci passait le plus clair de son temps à jouer avec le petit Joseph. Charlotte ne put retenir un sourire de fierté en regardant son fils âgé de six mois et qui déjà se montrait vigoureux.

Jeannette allongea le bras et le chatouilla du bout du doigt. Aussitôt, le petit se roula en boule en émettant quelques gloussements, au grand plaisir de l'adolescente. Ce qui lui attira le regard désapprobateur de Noémie.

– Et les bleuets, dit-elle d'un ton bougon, tu pourrais pas t'en occuper aussi! Tu penses peut-être qu'ils vont s'équeuter rien qu'à les regarder?

Après cette remarque, Noémie replongea dans le mutisme obstiné qu'elle avait adopté depuis le départ de son maître. Elle n'approuvait pas cette expédition. Monsieur le gouverneur pouvait bien l'avoir chargé de mission, cela ne diminuait en rien son inquiétude à propos de celui qu'elle considérait comme un fils.

À la dérobée, Charlotte observa la vieille femme. Le visage rond aux joues rouges avait perdu toute expression de bonhomie pour céder la place à une mine soucieuse. Les sourcils froncés, les lèvres pincées ainsi que ses gestes efficaces mais secs indiquaient assez le fond de sa pensée.

Charlotte laissa échapper un soupir. Par son attitude, Noémie l'avait ramenée à une réalité dont la jeune femme avait réussi à s'évader pour un court instant. Car malgré ses efforts, l'angoisse persistait. Tout lui rappelait Joseph : la place vide à la table, le silence à l'heure où il aurait dû revenir des champs, l'espace inoccupé dans le grand lit et jusqu'à la couleur des épis de blé.

« Je serai de retour pour les moissons », avait-il dit. Ces moissons qui ne pourraient attendre longtemps encore. Le blé avait mûri depuis longtemps et prenait désormais un aspect roussi. Mais Charlotte refusait de s'attaquer à cette tâche, qui aurait souligné le retard de son mari. Elle en reculait constamment l'échéance, cherchant à faire taire la voix qui criait son inquiétude.

« Il ne tardera plus, maintenant, songea-t-elle, tentant de se rassurer. Quelques jours… quelques semaines, tout au plus… et nous serons à nouveau réunis. »

À cette pensée, elle sentit une joie vive, tandis que ses joues se teintaient d'une rougeur accentuée par la chaleur ambiante. L'espace d'un instant, elle imagina son époux entrant dans la cuisine qu'il remplirait d'un joyeux éclat de rire tout en la prenant dans ses bras comme il l'avait fait tant de fois auparavant. Combien il serait doux, dès son retour, de se blottir contre lui, de reprendre leur vie de couple là où ils l'avaient interrompue. Ils veilleraient au coin du feu... Joseph, ayant allumé une pipe, laisserait errer un regard rêveur avant de lui adresser l'un de ces sourires émus dont il avait le secret.

Ou encore, tout en partageant le repas en commun dans la cuisine avec Jeannette et Noémie, ils échangeraient un coup d'œil complice qui savait si bien pimenter leur intimité... cette intimité qu'ils retrouveraient entre les murs de leur chambre, alors qu'il prendrait possession d'elle. Elle revoyait ses yeux bleus au regard si tendre... elle croyait sentir sa puissante musculature quand il la serrait dans ses bras... elle le voyait, elle le sentait comme s'il eût été toujours à ses côtés.

Frémissante, elle s'était arrêtée un bleuet à la main, le regard perdu dans ses pensées. Se reprenant, elle saisit les dernières baies qu'elle équeuta prestement avec un sentiment voisin de l'allégresse.

Les quatre femmes versèrent les fruits additionnés de sucre dans un chaudron en cuivre qu'elles suspendirent à la crémaillère. Puis d'un geste expert, Noémie fit pivoter le tout dans l'âtre.

Charlotte s'approcha d'une bassine remplie d'eau, à côté du banc aux seaux. Elle se lava les mains avec soin et s'aspergea le visage. Mais l'eau tiède ne suffit pas à la rafraîchir, car la chaleur dans la cuisine était étouffante.

Le temps de la cuisson lui permettait de prendre l'air à l'extérieur. Mais avant de s'éloigner, elle jeta un dernier regard vers la cuisine.

Noémie, qu'elle voyait de dos, remuait le contenu de la marmite en surveillant la cuisson. Jeannette s'apprêtait à faire boire du lait au petit Joseph qu'elle avait pris sur ses genoux. Le bébé s'était blotti contre elle avec satisfaction et il gloussa d'enthousiasme en voyant la tasse qu'elle portait à ses lèvres.

La petite bonne se pencha sur lui en murmurant quelques paroles accompagnées de gestes maternels qui ne manquaient pas de grâce.

La voyant ainsi, Charlotte dut reconnaître que l'adolescente s'était muée en jeune fille. Elle s'était allongée, sa taille s'amincissait et des formes féminines s'ébauchaient. S'il ne s'agissait pas d'une grande beauté, du moins son visage rempli de fraîcheur ne manquait-il pas d'un charme indéniable.

« Les garçons ne tarderont pas à rôder autour », songea Charlotte en se promettant de la surveiller de près.

Voyant que tout se déroulait normalement, elle se décida à franchir la porte. En quelques pas, elle gagna le côté de la maison où elle avait aménagé un jardin d'agrément niché dans le défaut de la pente, à un endroit où une légère dépression s'appuyait sur un gros rocher en contrebas. C'était là une idée originale dans ce pays où tous les efforts se tendaient vers une simple survie. Mais Charlotte considérait qu'un peu de grâce apporterait de la joie et du courage dans une vie autrement si austère. Elle avait travaillé à ce jardin avec l'idée d'en faire la surprise à Joseph au moment de son retour. Regroupant des plantes sauvages qu'elle avait trouvées çà et là dans les bois avoisinants ou dans les prés, elle avait su créer une oasis plaisante.

De part et d'autre d'une allée coupant le jardin en biais, des cornouillers du Canada[1], rivalisant de couleur avec des épervières[2], exhibaient leurs bouquets de graines écarlates. Un peu plus loin, des épilobes et des asters apportaient une note de douceur sous l'abri de marguerites jaunes ponctuées d'un cœur noir. Tout contre le mur de la maison, une table et un banc trouvaient l'ombre d'un pin aux longues aiguilles

1. Cornouiller du Canada : vulgairement nommé « graines de perdrix ».
2. Épervière : petite fleur ressemblant à un pinceau levé vers le ciel.

veloutées et au pied duquel des fougères, en s'étoffant, ne tarderaient pas à fournir un fond de verdure. À l'opposé, un églantier embaumait de toutes ses fleurs roses.

Charlotte embrassa son jardin du regard et se réjouit en songeant au plaisir de Joseph quand il le découvrirait.

Machinalement, elle cueillit une fleur fanée qu'elle froissa dans sa main. Du bout du doigt, elle caressa une corolle irisée comme s'il s'était agi d'un objet précieux.

« Reviens vite, Joseph, murmura-t-elle en semblant s'adresser à la fleur. Il me tarde tant de te voir. »

Elle leva les yeux sur le champ de blé roux, puis au-delà sur le moutonnement bleu des montagnes à l'horizon. Ce paysage la séduisait chaque jour davantage. Un léger sourire flotta sur ses lèvres, avant qu'elle articule dans le vent :

– Voilà bien le plus beau cadeau que tu pouvais me faire, Joseph : me transmettre ton amour de ce pays.

Que de chemin parcouru depuis son arrivée, deux ans plus tôt, en compagnie de son frère, Jean-Baptiste. Tous deux avaient fui le vieux pays ravagé par les guerres et la famine. Ils étaient venus chargés d'espoir et persuadés de trouver, sur ces terres neuves, le moyen de tirer d'embarras leurs frères et sœurs restés sur le domaine familial.

Autant d'illusions qui s'étaient évanouies. Jean-Baptiste avait rapidement abandonné ses prétentions sur le commerce des fourrures et occupait actuellement un poste d'interprète à la Nouvelle-Amsterdam. Quant à elle, Charlotte, elle avait choisi le mariage et le bonheur auprès de Joseph Hébert.

Combien plus enviable était son sort, comparé à celui des membres de sa famille qu'elle avait laissés derrière elle au manoir du Buisson, héritage des Poitiers. Son visage s'assombrit lorsqu'elle songea à la lettre de sa sœur Antoinette qu'elle avait reçue tout récemment. Elle avait lu les feuillets avec avidité, persuadée d'y trouver des indices d'une amélioration de leur situation, depuis que le mariage royal unissant Louis XIV à l'infante Marie-Thérèse avait mis un terme à la guerre d'Espagne. Mais elle n'avait rien décelé d'autre qu'un accablement voisin du désespoir.

Malgré les efforts de Charles, son frère aîné qui gérait le domaine, une mauvaise récolte et des impôts sans cesse augmentés avaient obligé la famille à se disloquer. Philippe était aux armées. Hortense, après un mariage de raison, était si malheureuse qu'Antoinette s'inquiétait pour sa santé. Rebutée par l'expérience de sa sœur, Catherine avait préféré prendre le voile. Quant à Anne, la benjamine âgée de onze ans, elle était désormais employée chez la comtesse de Montboison où elle jouait un rôle de demoiselle de compagnie et de lectrice auprès de cette personne devenue aveugle.

Cette lettre avait laissé à Charlotte un goût amer mêlé d'un sentiment de culpabilité. Elle qui était venue en Nouvelle-France afin d'y trouver la fortune qui aurait soulagé les siens, ne les avait-elle pas trahis en choisissant de rester dans ce pays?

Elle revoyait le manoir, comme aux plus beaux jours, se dressant fièrement au creux de ses vallons picards. Peu à peu, elle l'avait vu se ternir et son cœur se serrait à l'idée du peu d'éclat qu'il pouvait encore conserver aujourd'hui. Pourquoi tant de malheurs devaient-ils s'abattre sur une même famille?

Tout entière à ses pensées, elle demeurait immobile, face aux montagnes, quand une exclamation la fit sursauter. Se retournant, elle reconnut Jean Guyon. Il venait de s'engager sur l'allée du jardin et commentait avec enthousiasme :

– Que tout cela sent bon et comme c'est joli!

Charlotte aimait ce cousin par alliance et elle lui sourit chaleureusement. Jean, tout en avançant, promenait un regard admiratif sur le parterre fleuri.

– Jamais, observa-t-il, je n'aurais cru que ces plantes sauvages puissent donner un si bel effet.

Amusée par ses réactions, Charlotte glissa sa main sous son bras et le guida vers la table contre la maison.

– Viens t'asseoir ici à l'ombre, tu verras comme on y est bien.

Tandis qu'elle allait chercher un rafraîchissement, Jean s'installa confortablement. Il savoura la fraîcheur sous le grand pin tout en respirant le parfum des églantines. Nul part dans toute l'Habitation il n'avait vu un endroit aussi agréable.

– Mais c'est un petit paradis! s'exclama-t-il en voyant Charlotte revenir avec un pichet et des verres.

– N'est-ce pas? dit-elle avec fierté. Et maintenant, reprit-elle tout en versant du sirop d'orgeat, dis-moi la raison de ta visite.

Son interlocuteur eut un peu de mal à cacher son embarras. Cette entrée en matière si directe l'empêchait d'attaquer le sujet qui l'intéressait avec l'habileté souhaitée.

– Comment? dit-il sur un ton enjoué. Me faut-il une raison précise pour voir ma cousine?

– Allons, Jean, fit-elle en prenant place à ses côtés, je me doute bien que tu n'es pas venu uniquement pour admirer mon jardin!

Son cousin eut un rire bref suivi d'une courte hésitation avant d'énoncer :

– Je ne peux rien te cacher! Mais il n'y a pas de quoi s'alarmer. Je viens simplement te demander si tu as besoin d'aide pendant l'absence de ton époux.

– J'apprécie ta sollicitude. Mais rassure-toi, je ne manque de rien. Béranger s'occupe de la ferme et de tous les travaux. Jeannette est à mes côtés et Noémie me couve comme sa propre fille. Non, crois-moi, rien ne me fait défaut.

Jean but une gorgée puis contempla le liquide doré dans son verre avec application. Après ce préambule, il lui fallait attaquer un sujet qu'il savait délicat. Mais il ne voulait pas négliger l'entente qui s'était établie entre lui et Joseph. Depuis deux ans, les cousins ainsi que deux de leurs voisins avaient convenu d'unir leurs efforts pour accomplir, en commun, les moissons et les labours sur chacune des terres leur appartenant.

– Et le blé? avança-t-il. N'est-il pas bien mûr? Il me semble qu'il serait grand temps d'en faire la récolte.

Charlotte sursauta, touchée au point le plus sensible. Jean venait de souligner le retard de Joseph, un retard qui pouvait se révéler grave.

– Ah ça, mon cousin! s'exclama-t-elle avec une animation qu'elle aurait voulu mieux contenir. Pourquoi tant de hâte? Joseph sera de retour d'un jour à l'autre. Il me semble que c'est à lui qu'il revient de prendre la décision.

– Mais ne crois-tu pas, insista Jean, que ton mari sera heureux de trouver le travail accompli? Sans compter qu'il serait regrettable de perdre cette récolte.

Baissant la tête, Charlotte se mit à tourner méthodiquement son verre entre ses doigts. En son for intérieur, elle savait qu'il avait raison, mais elle se refusait à l'admettre.

Enfin, elle redressa la tête dans un geste volontaire.

– Non, dit-elle avec fermeté. J'attendrai Joseph.

En dépit de son air entêté, Jean avait pu reconnaître une expression d'angoisse qui l'émouvait. Il étendit le bras et posa sa main sur la sienne.

– Je ne veux pas t'importuner, Charlotte. Sache seulement que je suis à ta disposition, ainsi que mon frère Claude. Il en va de même pour tes voisins Abraham Martin et Jacques Maheust. Si tu changes d'avis, laisse-le-moi savoir.

Après le départ de son cousin, Charlotte était retournée à la cuisine où, la confiture étant prête, on l'avait versée dans des pots en grès qu'on avait bouchés avec de la cire avant de les ranger.

Perchée sur un tabouret, elle saisissait les récipients que lui tendaient Jeannette et Noémie. Avec soin, elle les alignait sur une tablette à côté des confitures de fraises et de framboises qui s'y trouvaient déjà. Elle aimait ce travail qui lui donnait l'agréable impression d'être un écureuil laborieux se préparant pour l'hiver. Elle s'abandonnait à ce simple plaisir quand elle aperçut Béranger debout dans l'embrasure de la porte, la mine soucieuse. Le fermier tournait et retournait son bonnet dans ses mains, affichant un air si malheureux que la jeune femme en fut alertée. Un pot à la main, elle s'arrêta.

– Qu'y a-t-il, Béranger? demanda-t-elle.

– Il y a, commença-t-il avec embarras, qu'il faudrait bien voir à la moisson.

Cette simple phrase fit à sa maîtresse l'impression d'une gifle. Luttant contre ses émotions, elle plaça le dernier pot avec précaution. Très lentement, elle descendit du tabouret et s'essuya les mains sur son tablier, cherchant une contenance.

– Cela ne peut-il pas attendre encore quelques jours?

Le fermier hocha la tête.

– Si c'est pas fait à c't'heure, les grains vont éclater sur pied.

Cette fois, elle ne pouvait plus reculer. Il fallait donc se soumettre, admettre que Joseph ne serait pas de retour à temps pour les moissons.

La bouche sèche, elle articula :

– Très bien. Je préviendrai monsieur Guyon qui vient de me proposer son aide. Je vous tiendrai au courant.

– Bon, fit Béranger tout en continuant à tourner son bonnet entre ses grosses mains calleuses.

Charlotte aurait aimé couper court à l'entretien et s'isoler, mais elle comprit que son homme à tout faire désirait encore parler.

– Y a-t-il autre chose?

Le fermier se dandina d'un pied sur l'autre avant de bégayer :

– Il y a que... c'est-à-dire...

Embarrassé, il se gratta la tête, comme si ce geste avait pu mettre bon ordre à ses paroles.

– À vrai dire, il n'y a pas que les moissons. Après, il y aura le défrichage, la coupe des arbres, le dessouchage... et il faut de la force. Marine et mon gars Jérôme me donnent bien un coup de main, mais ça ne remplace pas un homme. Alors je me disais... une idée comme ça... ça serait peut-être bien souhaitable de prendre un engagé[1]. Je pensais... qu'une recrue fraîchement débarquée des derniers navires et qui n'a point de terre à lui... ferait peut-être l'affaire.

Cette dernière requête abasourdit la jeune femme. Elle fit pourtant un effort pour se dominer.

– Est-ce bien nécessaire, Béranger? Que ferons-nous de cet homme après le retour de monsieur Hébert?

– Bien... en attendant...

– En attendant..., répéta-t-elle en écho.

Vaincue, elle murmura :

– Faites selon votre jugement. Je m'en remets à vous.

Béranger promit d'y voir, mais Charlotte entendit à peine ses paroles. Les jambes engourdies, elle sortit sur les talons de son employé et se dirigea vers le jardin où elle s'effondra sur la banquette.

Elle aurait voulu être forte pour plaire à Joseph, mais ce dernier coup avait eu raison de sa résistance. En partant, il lui avait dit : « Courage, ma petite reine, tu es maintenant l'épouse d'un colon en Nouvelle-France. Il faut accepter tous les aspects de cette réalité avec bravoure. »

---

1. Engagé : recrue destinée à séjourner dans la colonie, par opposition aux hommes qui ne faisaient que passer, et que l'on qualifiait d'hivernants.

Du courage… de la bravoure… Où trouver la force nécessaire alors que tout s'effondrait autour d'elle? «Je serai de retour pour les moissons.» Les moissons sans Joseph… Béranger qui voulait engager un homme… Avait-il donc déjà abandonné tout espoir?… Et Jean aussi?

Pour la première fois, elle céda à son désarroi et cacha son visage dans ses mains.

C'est ainsi que Noémie la trouva un court instant plus tard. La brave femme s'apitoya. Tout en tordant un coin de tablier entre ses mains, elle s'approcha de sa maîtresse.

– Mon petit, faut pas vous tourner les sangs comme ça. C'est pas parce qu'on va faire les moissons que ça veut dire qu'il ne va pas revenir.

Charlotte leva la tête tandis que la cuisinière enchaînait :

– Il est fort, notre Joseph, vous le savez bien. Et puis, dans les bois, il n'a pas son pareil. J'en ai vu bien d'autres qu'on croyait perdus et qui ont resurgi quand on ne les attendait plus.

Charlotte s'accrocha à la lueur d'espoir qu'on lui offrait. Joseph était sans doute retenu par un imprévu. Il reviendrait sûrement peu de temps après les moissons.

– Personne ne semble plus croire à son retour. Mais toi, Noémie, tu y crois toujours?

La cuisinière se mordit les lèvres. Le doute s'était installé dans son cœur depuis plusieurs jours. Mais elle savait qu'il était trop tôt pour arriver à une conclusion.

– Pour sûr, dit-elle. Notre Joseph, il n'est pas comme tout le monde. Il est capable de tout! Et les autres, ils le savent bien. Seulement, il faut s'organiser tant qu'il ne sera pas là.

Charlotte hocha la tête sans mot dire.

– Restez donc pas là à vous morfondre, reprit la vieille femme. Je vais vous dire, moi, vous feriez bien mieux de sortir. Je vois bien que vous y pensez tout le temps. Si vous alliez à l'hôpital comme dans le temps, ça vous occuperait les esprits.

Charlotte considéra la suggestion avec intérêt. Reprendre son métier de sage-femme ainsi que les soins à l'Hôtel-Dieu ne ferait pas revenir Joseph, mais elle reconnut que cette activité l'aiderait à attendre tout en lui donnant le courage qui lui manquait.

Voyant sa maîtresse hésiter, Noémie insista :

– Vous vous rongez les sangs. C'est pas comme ça qu'il veut vous voir !

Touchée par les encouragements de sa cuisinière, Charlotte lui sourit.

– Tu as raison, dit-elle, je serai brave. Joseph pourra être fier de moi, quand il sera de retour.

2

On entreprit les moissons dès le lendemain. Il était plus que temps. Certains épis étaient complètement desséchés. Comme promis, Claude Guyon, qui gérait les terres de son frère Jean, ainsi que les voisins immédiats prêtèrent main-forte. Cette forme d'entraide était devenue coutumière, depuis que Joseph avait instauré le travail en commun, dans le but de resserrer les liens entre les habitants.

Le soleil n'avait pas eu le temps de chasser la fraîcheur matinale, lorsqu'ils arrivèrent avec leurs bœufs, leurs charrettes et leurs râteaux.

Le cœur lourd, Charlotte les rejoignit au champ. À son arrivée, les conversations s'arrêtèrent. Gêné par son inquiétude qui se devinait aisément, on l'observait du coin de l'œil, sans oser prononcer une parole. Silencieuse, elle se courba sur les gerbes et s'appliqua à les lier, sans réaliser que son mutisme troublait ses compagnons.

Pour détendre l'atmosphère chargée d'émotion, Catherine Guyon entama un chant populaire en encourageant les autres à se joindre à elle. D'abord hésitantes, les voix s'unirent à la sienne puis se gonflèrent progressivement. On scanda des refrains entraînants tandis que les sourires revenaient sur les lèvres. La bonne humeur ainsi retrouvée donna à chacun du cœur à l'ouvrage, et le travail avança à bonne allure.

Vers le milieu de la matinée, on marqua une pause pour accueillir la recrue que Béranger avait engagée. Antoine Bibaut, âgé d'une vingtaine d'années, de taille moyenne mais bien râblé, joignait l'énergie à un aplomb parfois déconcertant. Originaire de la Sarthe, il roulait les *r* sur le bout de la langue et prononçait des *a* très graves.

Dès son arrivée, Marine lui avait montré le couchage qu'elle avait préparé pour lui dans un coin de la cuisine de la ferme.

– Ce n'est qu'une paillasse, avait-elle précisé, mais, à côté de la cheminée, tu n'auras pas froid.

Le garçon avait hoché la tête et s'était contenté de déposer son balluchon dans un coin, avant de suivre Marine vers le champ de blé.

Les présentations terminées, il s'attela à la tâche avec une vivacité de bon augure. D'un naturel joyeux, il sifflotait sans cesse, ce qui contribua à détendre l'ambiance.

Il ne fut pas long à remarquer Jeannette. Il arrêta son travail le temps de détailler le visage frais et la taille fine. Émoustillé par ces appas, il décida sur-le-champ de tirer parti de cette rencontre. Mine de rien, il fit en sorte de se retrouver à côté de la petite bonne, tout en lui adressant force clins d'œil. Sensible à cette approche, la jeune fille lui répondit par quelques timides sourires. Puis, à la pause de midi, il lui offrit une poignée de mûres cueillies en bordure du champ de blé. Jeannette les accepta en rougissant jusqu'à la racine des cheveux.

Charlotte avait bien remarqué la manœuvre et, tout en souriant devant l'embarras de son employée, elle se dit que le moment était venu de redoubler de vigilance.

Elle n'eut que peu d'efforts à fournir, Noémie s'en chargeant avec énergie. Et lorsque Antoine vint relancer la jeune fille à la porte de la cuisine de la grande maison, il se heurta à la brave femme qui l'accueillit poings aux hanches en lui lançant un retentissant :

– Qu'est-ce que tu fais là, toi?

– Je viens chercher Jeannette, répondit-il avec aplomb.

– Qu'est-ce que tu lui veux, à Jeannette? reprit la cuisinière sans se laisser intimider.

– Bien voyons, Noémie, dit-il avec désinvolture. Tu es donc bien méchante! Je ne vais pas la manger, ta Jeannette!

Un peu déconcertée par l'assurance du jeune homme, elle n'hésita pourtant pas à le gourmander en lui promettant les pires sévices s'il ne se conduisait pas de façon irréprochable.

Témoin de la scène, Charlotte attendit le départ du jeune couple pour s'entretenir avec sa cuisinière.

– Ne sois pas trop sévère, lui dit-elle. C'est de leur âge. Mais je t'accorde qu'il faudra rester attentives.

Noémie se contenta de grommeler quelques paroles inaudibles, tout en remuant ses chaudrons, bien décidée à ne rien changer à son comportement.

Charlotte savait qu'elle pouvait compter sur elle. Ainsi rassurée, elle décida de donner suite à son projet et, dès les moissons terminées, elle reprit ses activités à l'hôpital.

* * *

Charlotte avait interrompu son travail de soignante au début de sa grossesse, environ un an plus tôt, et ce premier jour à l'Hôtel-Dieu l'impressionna plus qu'elle ne l'avait supposé. Elle lissa nerveusement son tablier et aspira profondément avant de pousser la porte ouvrant sur la grande salle. Ayant accompli ce pas décisif, elle s'arrêta à nouveau, parcourant l'endroit des yeux. Rien n'avait changé. Elle sourit en reconnaissant de menus détails : la façon dont la lumière pénétrait dans la pièce, ce broc plus coloré que les autres, ce rideau bleu clair tranchant sur l'harmonie de ses voisins. Non, elle n'avait rien oublié. Elle se sentait ici comme chez elle.

Les malades, quant à eux, avaient toujours cette expression angoissée et un peu égarée de ceux qui viennent de débarquer. Conscients d'avoir échappé à la mort en mer, ils n'en demeuraient non moins apeurés. Tous les lits étaient occupés. Plus encore, des lits de fortune avaient été ajoutés au bout des rangées, comme chaque année au moment des grandes épidémies que les navires transportaient dans leurs flancs. Chaque recoin était occupé par des hommes, des femmes ou des enfants gémissant sous la souffrance.

Charlotte sentit son tourment du début s'envoler tandis qu'un sentiment de pitié s'infiltrait en elle. Il lui tardait désormais de se mettre à l'œuvre. Cherchant du regard, elle reconnut bientôt la silhouette de mère Marie de Saint-Bonaventure et se dirigea vers elle.

– Mère, commença-t-elle.

La religieuse se retourna prestement. Aussitôt, un large sourire éclaira son visage.

– Charlotte Hébert! s'exclama-t-elle. Est-ce Dieu possible? Ainsi, vous nous revenez? Quelle joie de vous avoir à nouveau parmi nous! Vous nous avez tant manqué.

Elle l'embrassa chaleureusement. Puis, se reprenant, elle ajouta :

– Ce n'est pas le travail qui manque. Mais je trouverai bien quelques instants à vous consacrer en tête à tête. Pour l'heure, je n'ai point de conseils à vous donner. Vous connaissez les soins aussi bien que moi. Voilà : cette femme que vous voyez derrière moi a besoin d'une saignée. Je vous la confie.

Charlotte se mit à l'œuvre. La soignante retrouva rapidement le rythme des mouvements qu'elle n'avait pas oubliés. Elle se donna tout entière aux soins, distribuant encouragements et paroles de consolation.

Elle travailla sans répit, ne se permettant qu'un seul instant de distraction lorsqu'elle reconnut parmi les soignantes sa jeune belle-sœur Marie Morin. Un peu étonnée qu'on ait accepté les services d'une adolescente de douze ans, elle l'observa. Marie cherchait à utiliser un clystère, faisant preuve d'une maladresse évidente. Sans hésiter, Charlotte se porta à son secours.

Se penchant à ses côtés, elle lui prit l'appareil des mains, lui indiquant la bonne façon de s'en servir. L'adolescente hocha la tête, montrant qu'elle avait bien compris. Ce n'est qu'à ce moment qu'elle reconnut celle qui l'avait aidée.

– Mais que fais-tu ici?

– C'est plutôt à moi de te poser cette question, fit Charlotte à voix basse.

Reprenant le ton de sa belle-sœur, Marie chuchota :

– Mère me dit que si je désire me joindre aux hospitalières il est souhaitable que je connaisse ce métier avant de m'engager de façon définitive.

Charlotte sourcilla. Cette vocation religieuse chez Marie la tourmentait. Elle n'arrivait pas à se persuader des raisons profondes qui l'animaient.

– Je crois que c'est là une sage précaution, lui dit-elle. La voie vers laquelle tu te diriges est celle d'une vie dure. Il est bon que tu en connaisses tous les aspects.

Elle marqua une pause, puis ajouta en soupirant :

– J'aimerais mieux te voir heureuse avec un mari et des enfants.

– Tu parles comme mes parents, chuchota la jeune Morin. Mais si mon plus grand désir est d'être ici, dans cet hôpital?

– Et tu crois pouvoir y trouver le bonheur?

– Oh oui! fit l'adolescente en lui offrant un sourire dans lequel se lisait une joie sereine. Si j'ai déjà eu quelque hésitation, je n'en ai plus aujourd'hui. Je me sens pleinement heureuse et je n'ai d'autre désir que de consacrer ma vie à ces malades.

L'homme qu'elles venaient de purger ouvrit des yeux étonnés qu'il posa sur les deux soignantes. Charlotte lui rendit son regard, tout en pensant que, malgré les chuchotements, cette conversation aurait dû être plus discrète. Elle fit signe à Marie.

– Nous reprendrons cette conversation plus tard, lui dit-elle.

Elle serra sa main en signe d'amitié et s'éloigna.

Après le service du repas de midi, mère Marie demanda à Charlotte de la suivre au dispensaire. Dès qu'elles s'y furent isolées, la religieuse laissa libre cours à sa bonne humeur.

– Quelle joie! Je ne peux assez vous dire combien je suis heureuse de vous revoir. Pourtant, une religieuse ne devrait s'attacher à aucune personne plus qu'à une autre. J'espère que Dieu ne m'en tiendra pas rigueur, car, je l'avoue, j'ai pour vous la tendresse d'une mère envers un enfant.

Tout en remuant des flacons, elle observait Charlotte à la dérobée.

– Je vous trouve une toute petite mine, lui dit-elle. Connaissant votre situation, j'apprécie votre courage. Ne désespérez pas, mon enfant. Ayez confiance en Dieu. Le fleuve n'est pas encore pris par les glaces, rien n'est encore perdu.

Touchée par cette marque de tendresse, Charlotte laissa échapper, d'une voix tremblante :

– Cette attente est si longue.

– Je sais, fit mère Marie. Mais il faut garder la foi. Songez bien que tout est possible à Dieu.

– Merci, mère, murmura Charlotte.

Malgré ces bonnes paroles, son angoisse n'avait pas disparu, mais la religieuse avait su lui apporter un peu de soulagement et elle lui en fut reconnaissante.

Le reste de la journée se passa en soins multiples, ce qui l'obligea à se concentrer sur les malades. Elle admira le courage de certains d'entre eux, en venant à se reprocher ses propres défaillances.

* * *

Au fil des jours, elle reprit confiance. Joseph devait être retenu à Ville-Marie pour une raison quelconque. Et si un incident était survenu, il saurait s'en tirer. Comme le disait Noémie, tant d'autres étaient revenus alors qu'on les tenait pour morts. Elle se donna pleinement à ses occupations, s'efforçant d'oublier ses tourments.

Elle ne se permit que quelques visites auprès de ses relations. Parmi celles-ci, une autre de ses nombreuses belles-sœurs, Angélique Taschereau, la tracassait depuis qu'elle lui avait annoncé le début d'une nouvelle grossesse. Charlotte ne connaissait que trop bien le mauvais état de santé de cette amie de la première heure, et la perspective d'une deuxième naissance, si peu de temps après celle du petit Louis-Guillaume, la préoccupait.

Charlotte la surveillait de très près, multipliant les auscultations. Si la gestation se déroulait à peu près normalement, elle décelait déjà chez la jeune femme une grande lassitude qu'elle observait d'un mauvais œil.

Elle s'en ouvrit à madame Bourdon qu'elle considérait comme une deuxième mère. Mais la femme du procureur au Conseil de la colonie ne lui accorda qu'une oreille distraite. La santé de la petite Taschereau était assez éloignée de ses préoccupations. Comme chaque année à l'automne, tous ses efforts allaient à trouver un mari convenable pour chacune des filles à marier nouvellement débarquées. Ce rôle l'accaparait à tel point que plus rien d'autre n'avait d'importance à ses yeux.

Cette année pourtant, elle s'inquiétait au sujet de son époux et elle prit le temps de s'en confier à Charlotte.

Il se montrait particulièrement nerveux et le simple fait qu'elle en parle indiquait assez combien cette attitude lui semblait anormale. Anne Bourdon était bien loin de supposer les raisons profondes qui provoquaient cette agitation. Depuis de nombreuses années, Jean Bourdon avait amassé une confortable fortune par des moyens frauduleux. Lui et ses acolytes avaient régulièrement détourné, à leur bénéfice, des fourrures qui auraient dû revenir au magasin de la Compagnie des Cent-Associés. Or ce bel arrangement était menacé depuis que la Compagnie avait envoyé à Québec un enquêteur en la personne de Jean Péronne du Mesnil. Cet envoyé spécial n'était pas mandaté par l'autorité royale, si bien que le procureur avait pu lui interdire l'accès aux greffes du Conseil. Mais le danger persistait et Jean Bourdon tremblait à la perspective qu'une perquisition trop approfondie ne mette au jour un détail compromettant.

Charlotte, mise au courant à la fois par Joseph et par son frère Jean-Baptiste qui avait travaillé au magasin de la Compagnie, devinait aisément les causes de ses alarmes. Mais Anne Bourdon semblait tout ignorer de cette situation, et Charlotte préféra taire la vérité. Elle aimait cette femme et s'en serait voulue d'être la cause d'un chagrin qu'une telle révélation aurait provoqué à coup sûr.

Ses relations avec son autre « deuxième mère » étaient plus simples. Justine Chicoine, associée de François Guyon, le propriétaire du magasin général, s'exprimait sans détour et savait se montrer chaleureuse. Elle avait depuis toujours adopté François dans son cœur et elle en avait fait autant de Charlotte dès son arrivée en Nouvelle-France. Elle considérait les deux jeunes gens comme siens. Et depuis la naissance du petit Joseph, elle ne se tenait plus de joie. Elle qui n'avait pas eu d'enfant se retrouvait « grand-mère » et ne manquait pas une occasion pour aller voir le bébé, qu'elle cajolait en lui attribuant toutes les qualités du monde.

C'est au cours de l'une de ces visites que Justine aborda un sujet brûlant qui animait les conversations. Depuis plusieurs semaines, des phénomènes extraordinaires harcelaient la famille Hallay, résidant à Beauport. Sans raison apparente, les murs tremblaient, des pierres étaient projetées à travers les pièces et l'on entendait une musique insolite. Et lorsque la fille de la maison, Barbe Hallay, se comporta de façon bizarre, on évoqua la présence du diable. On n'eut pas à chercher très loin les causes de ces manifestations. En effet, Barbe était amoureuse d'un certain Daniel Vuil qui se trouvait être protestant. Il n'en fallait pas davantage pour attribuer au jeune homme le rôle de sorcier. La jeune fille fut exorcisée, sans résultat. Monseigneur de Laval lui-même s'émut de la situation. On finit par enfermer Barbe Hallay à l'Hôtel-Dieu dans une chambre particulière et Daniel Vuil fut emprisonné. Mais cet éloignement n'arriva pas à conjurer le harcèlement diabolique infligé à la famille Hallay, ce qui sema l'inquiétude parmi les habitants.

D'une voix basse qui trahissait son émoi, Justine demanda à Charlotte si elle avait vu la possédée. La jeune femme se raidit. Trop de bruits circulaient sur cet événement, des rumeurs qu'elle considérait sans fondement. D'un ton neutre, elle répondit par l'affirmative. Justine frissonna.

– Ça me fait assez peur, cette histoire-là, dit-elle. Quand je pense que le diable rôde par ici!

– Mais qu'est-ce qui te fait croire qu'il s'agit du diable? s'exclama Charlotte.

– Sainte-bénite! lança la vieille femme. Les roches se mettent à voler puis il y a de la musique sans qu'on voie les musiciens, et toi, tu n'y crois pas! Bien qu'est-ce qu'il te faut?

– Je ne crois pas aux sortilèges.

Justine resta sans voix. Qu'on puisse ne pas croire au Malin et à ses maléfices la dépassait. Voyant la consternation dans les yeux de la vieille femme, Charlotte lui demanda si elle connaissait l'histoire de Barbe Hallay.

Justine ayant avoué son ignorance, la jeune femme enchaîna :

– C'est tellement anodin!

En quelques mots, elle expliqua les amours de Barbe et Daniel Vuil.

– Le père Hallay s'opposait à leur mariage, continua-t-elle. Le jeune Vuil s'est fait baptisé, mais le père de Barbe a continué à s'opposer à cette union. Alors, Daniel Vuil a repris la religion protestante.

– Un hérétique, fit Justine en pinçant les lèvres.

Charlotte ne partageait pas ces vues. D'une voix douce, elle demanda :

– Hérétique... simplement parce que sa foi n'est pas la même que la nôtre?

Du coup, Justine faillit s'étrangler.

– Jésus, Marie, Joseph! s'exclama-t-elle. Si les jésuites t'entendaient! C'est pas ce qu'ils nous disent!

– Je sais bien, Justine. Mais crois-tu vraiment que ce soit suffisant pour qu'il soit de mèche avec le diable?

– Bien... je ne sais pas.

Justine se sentait incapable de renier des croyances qu'on lui avait inculquées depuis son plus jeune âge. Déconcertée par le raisonnement de Charlotte, elle avança :

– Elle est quand même bien possédée, cette fille-là.

– Je crois qu'elle serait normale si on ne l'avait pas torturée comme on l'a fait, répondit Charlotte. Elle est amoureuse, et son père la fouettait pour qu'elle cesse de voir Daniel Vuil. Elle en a certainement beaucoup souffert. On l'a crue possédée, on l'a exorcisée et voilà maintenant qu'on l'enferme dans un sac en toile pour la battre afin de faire sortir le Malin qui se serait introduit en elle. Il y a vraiment de quoi perdre la raison. Plus que possédée, je la crois insane. Pourquoi veux-tu que Daniel Vuil, qui en est amoureux, s'en prenne à elle pour la tourmenter?

Justine n'en demeura pas moins sceptique.

– Moi, je ne sais plus quoi penser, répondit-elle.

Elle hésita un instant, puis reprit :

– Mais les roches qui volent à travers la maison de ses parents, qu'est-ce que tu en fais? Je trouve ça bien louche, cette histoire-là. Ne t'approche pas trop d'elle. On ne sait jamais!

3

JUSTINE et Charlotte n'étaient pas les seules à s'intéresser à l'affaire Hallay-Vuil. Monseigneur de Laval en personne avait fait arrêter Daniel Vuil sous l'inculpation d'hérétique relaps, blasphémateur et profanateur des sacrements. Désirant mettre bon ordre dans une colonie qu'il voulait sainte entre toutes, il avait tenté de faire condamner à mort le jeune homme. Mais il s'était heurté à la détermination du gouverneur, monsieur d'Argenson, qui lui avait démontré point par point que cette condamnation était impossible sur le plan légal.

Nullement troublé, le prélat avait choisi d'attendre la venue du nouveau gouverneur, qui n'allait plus tarder.

À son arrivée, les habitants de Québec se massèrent sur les quais afin de bien l'observer. Ils ne furent pas déçus. Pierre du Bois, baron d'Avaugour, en imposait par sa taille et sa prestance. Le bruit courait qu'il s'agissait d'un homme d'une grande piété, doublée d'un tempérament autoritaire et inflexible.

À peine le nouveau gouverneur eut-il le temps de recevoir le congé de son prédécesseur, qu'il se vit assaillir par de nombreuses requêtes. Mal renseigné, il eut à trancher sur des questions qu'il aurait sans doute jugées différemment en d'autres circonstances. Il en fut ainsi pour l'affaire Vuil.

Monseigneur l'évêque se rendit en personne au château Saint-Louis afin de s'entretenir avec monsieur d'Avaugour. Persuadé que toute loi peut être contournée lorsqu'elle s'attaque à Dieu lui-même, il n'hésita pas sur la marche à suivre. Avec adresse, il peignit un sombre tableau décrivant le résultat néfaste de la vente de l'eau-de-vie aux Indiens. Il fit ressortir qu'il s'agissait là d'une faute morale grave, de même qu'un danger réel pour la colonie. Car l'alcool portant les autochtones à des excès terrifiants, ceux-ci, d'un naturel belliqueux, pouvaient mettre la Nouvelle-France en péril.

Le nouveau gouverneur se laissa aisément convaincre et accorda au prélat qu'un tel délit méritait un châtiment exemplaire. Celui-ci s'empressa de lui soumettre sa requête contre deux hommes se trouvant alors aux arrêts. Il s'agissait d'un certain Laviolette et d'un relaps du nom de Daniel Vuil.

Tous deux furent condamnés à mort, et, le 7 octobre 1661, Daniel Vuil fut exécuté à l'arquebuse.

En apprenant cette nouvelle, Charlotte s'indigna et elle se serait sans doute compromise, sans l'intervention de Charles Aubert de La Chesnaye. Cet ami d'enfance, établi à Québec sous le titre d'agent général de la Compagnie de Rouen, avait de fréquents rapports avec le gouverneur et elle savait qu'elle pouvait lui faire confiance.

– Prends garde, Charlotte, lui dit-il. Dans cette affaire, il est préférable de ne pas se faire remarquer. Monseigneur l'évêque a le bras long, malgré sa dernière déconvenue.

– Quelle déconvenue? s'étonna Charlotte.

Il lui apprit alors que monseigneur de Laval avait récemment délégué le père Lalemant auprès du gouverneur afin de l'influencer sur la bonne façon de diriger la colonie. Cependant, monsieur d'Avaugour, dont les convictions religieuses l'avaient conduit à donner son entière confiance au prélat, avait depuis lors pris connaissance de l'affaire Vuil de façon plus approfondie. Son honnêteté naturelle s'était révoltée. Répugnant à se soumettre à une quelconque imposition, c'est avec fraîcheur qu'il avait accueilli le supérieur des jésuites.

– J'étais présent, ajouta Charles, lorsque le père Lalemant lui a demandé de bien obéir en toutes choses à monseigneur de Laval et de ne rien entreprendre sans son entière approbation.

Il enchaîna en décrivant le regard chargé de colère du gouverneur quand il avait répondu : « Que signifie une telle intervention? Sachez, mon père, que je ne suis point homme à me laisser influencer. Dites bien à votre supérieur que je gouvernerai selon ma conscience et sous la seule directive des lois. Personne ici ne me dictera ma conduite, dont je ne rendrai compte à nul autre qu'au roi en personne. Si c'est là votre unique requête, considérez, je vous prie, cet entretien comme terminé. »

– Je n'en croyais pas mes oreilles, continua Charles. Jamais un gouverneur ne s'est permis autant d'audace face à monseigneur. Il semble bien que notre évêque en soit contrarié, car il refuse désormais de participer aux réunions du Conseil, dont il est membre à part entière. Leur discorde ne fait aucun doute.

La plupart des habitants ignoraient ce dernier développement et, avec le temps, ils oublièrent l'affaire Hallay-Vuil. Ils s'intéressèrent davantage au départ du dernier voilier de l'année. Cet appareillage les enveloppait de tristesse. Le départ des grands navires marquait la coupure avec le vieux pays ainsi que le début de l'hiver et de sa vie rude. L'Habitation se repliait sur elle-même. Pendant de longs mois, elle allait orienter tous ses efforts vers une simple survie. Elle allait vivre dans l'attente des premières voiles, symbole d'espoir, de l'assurance de subsister pendant au moins une saison encore.

Pour la première fois, Charlotte ne se laissa pas distraire par cet événement. Son esprit restait ancré en Nouvelle-France, quelque part là-bas, entre Québec et Ville-Marie, en un endroit obscur, ignoré de tous, où Joseph devait se trouver.

Par ailleurs, les malades encore nombreux l'accaparaient, ne lui laissant que peu de liberté. Elle soignait une femme atteinte de scorbut, quand mère Marie de Saint-Bonaventure vint la prévenir qu'on l'attendait au parloir.

Étonnée, la jeune femme s'y rendit, tout en se questionnant sur l'identité de la personne qui avait jugé bon de venir la voir à l'hôpital plutôt que de lui rendre visite à son domicile. Sa surprise fut entière lorsqu'elle reconnut sa belle-sœur Agnès Gaudry, portant sa dernière-née dans les bras. À ses pieds reposait un panier couvert d'où s'échappaient des caquetages évocateurs.

Devant ce tableau insolite, Charlotte eut envie de rire.

– Que diable fais-tu ici? Serais-tu venue vendre des poules aux religieuses?

Agnès éclata de rire.

– Non, non, rassure-toi, je n'ai pas encore perdu la tête.

Elle posa Christine-Charlotte sur le sol. Aussitôt, la petite, prenant un air affairé, se mit à évoluer du pas instable d'un enfant qui vient tout juste de maîtriser l'art de marcher.

– Elle me tuera! s'exclama sa mère. Elle ne tient pas davantage en place qu'un feu follet!

Elle s'arrêta le temps de saisir un vase que Christine-Charlotte allait faire tomber.

– Tu vois, dit-elle en s'asseyant, il n'y a pas un moment de répit.

En guise de réponse, Charlotte lui sourit malicieusement, car il était clair que la petite avait hérité du tempérament de sa mère.

– Bon, fit Agnès en haussant les épaules, elle a de qui tenir, je sais bien. Mais laisse-moi seulement te dire ce qui m'amène. Je voulais être la première à te dire ce que j'ai appris ce matin. Figure-toi qu'on a des nouvelles du père Le Moyne.

Elle s'arrêta dans l'attente d'une réaction qui ne saurait tarder.

Charlotte avait pâli.

– Quelles nouvelles? demanda-t-elle. Je t'en prie, continue.

Ravie de l'effet produit, Agnès reprit son récit.

– On l'a vu à Ville-Marie. Il s'y est rendu avec neuf prisonniers que les Iroquois nous rendent en échange de ceux des leurs que nous avions encore. Voilà! Il est donc bien vivant.

– Enfin, fit Charlotte, soulagée, en voilà au moins un de retrouvé!

Agnès poursuivit d'un ton joyeux :

– Mais c'est qu'il y a mieux! D'après ce que j'ai ouï dire, c'est Joseph qui l'a conduit à Onontagué. Voilà donc la raison de son retard. Tu comprends : Joseph est vivant, il va revenir!

Charlotte laissa échapper un cri de joie et porta les mains à sa bouche.

Agnès jubilait devant l'attitude de sa belle-sœur.

– Allons, va, taquina-t-elle. Avoue-le, tu n'en as jamais douté.

– Je voulais y croire. Je... Oh! Agnès, merci. Tu viens de me procurer un tel bonheur!

Dans un élan, elle l'embrassa.

– Voilà pourquoi je suis venue ici avec mes poules, lança gaiement Agnès, qui s'écria aussitôt :

– Mes poules! Je les oubliais. Il faut que je les porte dans le poulailler avant qu'elles étouffent. Nicolas va encore me dire que j'ai traîné le long de la route.

Ramassant fille et panier, elle disparut dans un tourbillon.

Amusée, Charlotte la suivit des yeux. Lorsqu'elle se retrouva seule, elle se laissa aller à sa joie. Rejetant la tête en arrière, elle serra les mains sur son cœur. « Je suis la plus heureuse des femmes », songea-t-elle. Elle aurait pu danser, sauter, tant son bonheur était grand. Quelques larmes mouillèrent ses yeux avant de céder la place à un rire nerveux. C'est en chantonnant le nom de son mari qu'elle retourna vers les malades.

Elle n'eut cependant guère le temps de savourer ce bonheur. Avant la fin de la journée, le père Lalemant lui fit savoir qu'il désirait s'entretenir avec elle. Intriguée par cette requête, la jeune femme se rendit auprès de lui. Le jésuite la reçut au parloir et très rapidement se lança dans le vif du sujet, lui annonçant l'arrivée du père Le Moyne à Ville-Marie.

– Je sais, fit Charlotte en souriant. Et Joseph l'avait conduit à Onontagué.

Le jésuite lui rendit son sourire.

– Je vois que vous êtes au courant, dit-il.

Cependant, il semblait préoccupé, ce que Charlotte comprit à la façon dont il manipulait la croix sur sa poitrine. Enfin, il reprit :

– Notre père Le Moyne est retourné à Onontagué afin de négocier le retour des derniers prisonniers se trouvant encore entre les mains des Iroquois. Avant son départ, il nous a effectivement laissé savoir que Joseph Hébert l'avait accompagné jusqu'à ce village iroquois. Après quoi, ayant rempli sa mission, il l'a quitté pour revenir à Québec.

Après une pause, il ajouta :

– C'est la dernière fois qu'on l'a vu.

Le jésuite la regarda intensément, attendant une réaction. Ne voyant rien venir, il énonça lentement :

– Votre mari a quitté le père Le Moyne au mois de juillet. Cela fait plus de trois mois.

Charlotte sentit un nœud se former au creux de l'estomac tandis que s'effondrait brutalement la joie de ces dernières heures. Incapable de prononcer une parole, elle porta une main tremblante à ses lèvres.

– Il est inutile de nier les faits, poursuivit le père Lalemant. De toute évidence, votre mari a été victime d'un événement que nous ignorons.

– Vous croyez… qu'il est mort, dit-elle d'une voix tremblante.

– Je ne crois rien du tout. Seul Dieu connaît la vérité. Et nous ne pouvons qu'espérer et prier. C'est précisément un peu d'espoir que je désire vous donner par cette entrevue.

Charlotte ne le quittait plus des yeux, arrivant à peine à respirer tant son attention était intense.

– Dans les circonstances, le moindre mal serait qu'il ait été capturé par les Iroquois. Car dans ce cas il aurait de fortes chances d'être libéré au printemps prochain, grâce à l'intervention du père Le Moyne.

C'est dans un état second qu'elle articula péniblement :

– Au printemps… Prisonnier…

Loin de la rassurer, cette notion la terrifiait.

Le jésuite lui offrit un sourire compatissant.

– Songez, madame Hébert, que si votre époux est aux mains des Iroquois, il est toujours vivant.

– Mais pour combien de temps?

– Je reconnais que cette situation est grave. Nos Indiens, aussi bien les Hurons que les Iroquois, peuvent être cruels et ils font subir à leurs captifs des sévices afin d'éprouver leur courage. À maintes reprises, nos missionnaires en ont été les victimes. Cependant, ce sont des êtres humains et, tout comme nous, ils désirent la paix. Voyez l'action de Garakontié, ce chef iroquois qui a réussi à convaincre deux autres nations de demander la paix et de négocier l'échange de prisonniers. Ils nous ont déjà rendu plusieurs des nôtres. Il faut croire en la miséricorde de Dieu. Priez, madame. C'est là la seule action que l'on puisse entreprendre.

En quittant le père Lalemant, Charlotte, fortement ébranlée, marcha péniblement. Ses jambes se dérobaient sous elle. Chancelante, elle s'appuya contre un arbre.

Joseph prisonnier, n'était-ce pas là le mal le plus redoutable? La torture... la cruauté de ces Indiens... Elle ferma les yeux, luttant contre les larmes qui se pressaient sous ses paupières. Elle tenta désespérément de s'attacher aux paroles du jésuite. Au bout d'un moment, elle murmura :

– Joseph prisonnier mais vivant.

Puis, avec force, elle répéta :

– Vivant!

Elle respira profondément et, tête basse, elle reprit sa marche, se forçant à calmer ses pensées. Elle progressait sans voir ce qui l'entourait ni entendre les sons familiers.

Pourtant une impression montait en elle et s'imposait. Elle sentait au plus profond de son être un frémissement, une vibration puissante, comme si Joseph, se trouvant tout à côté, lui prenait la main pour l'assurer de sa présence.

– Il est vivant, murmura-t-elle avec conviction. Je le sens, j'en suis sûre... il ne peut en être autrement.

Retrouvant enfin l'espérance, elle ajouta, confiante :

– Il est prisonnier des Iroquois, mais il est vivant et il reviendra.

4

CHARLOTTE eut un peu de mal à convaincre son entourage de la probabilité du retour de Joseph. Être prisonnier des Iroquois n'avait rien d'enviable et on pouvait douter du bon déroulement des événements. Seule Justine se montra réceptive.

– Doux Jésus! s'exclama-t-elle. Si tu penses que c'est bien qu'il soit chez les Iroquois... Moi, je veux bien! C'est vrai qu'avec ce que fait le père Le Moyne... Tu as toujours dit qu'il reviendrait. Tu as peut-être raison.

Anne Bourdon préféra la mettre en garde.

– Le printemps est encore loin. Il peut se passer bien des choses entre-temps. Je redoute pour toi une énorme déception.

– Je vous en prie, protesta Charlotte. Ne m'enlevez pas cet espoir. Je veux croire qu'il sera de retour avec le prochain groupe de prisonniers.

Anne se contenta de faire une grimace exprimant l'incertitude.

Les autres choisirent de se taire, mais ce mutisme cachait mal leur scepticisme. Charlotte faisait mine de ne pas s'en apercevoir et cultivait soigneusement sa confiance nouvellement retrouvée.

Elle se consacra au soin des malades et aux accouchements, et s'intéressa à Jeannette et à ses relations avec

Antoine Bibaut. L'amour se devinait aisément chez la jeune fille, à la fois par son attitude un peu rêveuse et son regard lumineux. Elle était plus jolie, ses yeux s'étaient agrandis et son visage prenait de la maturité. Charlotte se réjouissait de ce développement. Antoine était un bon garçon, peut-être un peu frondeur, mais courageux et travailleur. Tout compte fait, ce n'était pas un mauvais parti.

L'automne touchait déjà à sa fin et il fallut entreprendre les «grandes boucheries» au cours desquelles on fabriquait quantité de plats qu'on mettrait à geler dans le grenier, pour la durée de l'hiver. Selon la coutume, les voisins et les amis se regroupèrent, allant de famille en famille pour effectuer ce travail. Quand vint le tour de Charlotte, la maison entière se trouva occupée. Les hommes s'employèrent aux abattages à proximité de la ferme, la cuisine rassembla les femmes et le petit salon fut investi par les enfants que chaque couple avait amenés.

À l'étage dormait le petit Joseph en compagnie de son cousin Zef Fournier, qui était né au mois de juillet précédent. Françoise et Guillaume Fournier avaient accueilli avec joie la naissance de leur Joseph, premier fils venant se joindre à une famille composée jusqu'alors de trois filles.

Charlotte s'était unie à leur bonheur. Néanmoins, elle acceptait mal ce prénom de Joseph. Il est vrai que les Fournier appelaient couramment le bambin Zef. Mais elle ne comprenait pas pourquoi sa belle-sœur avait choisi ce prénom qui risquait de prêter à confusion entre deux cousins du même âge appelés à se côtoyer en tant que voisins. Elle avait fait part de son étonnement à Françoise. Celle-ci lui avait affirmé que c'était en l'honneur du parrain, Denys-Joseph de Ruette d'Auteuil. Mais dans ce cas, «Denys» n'aurait-il pas joué le même rôle?

Ce prénom attribué si peu de temps après le départ de son époux laissait à Charlotte une impression de malaise. Elle arrivait difficilement à séparer ces deux événements, comme si la mère de l'enfant avait cherché à conserver le prénom de son frère… afin qu'il ne se perde point. Sa gorge se nouait à cette pensée et elle devait faire un effort pour la chasser de son esprit.

Oublier, se comporter naturellement… Ce rôle qu'elle s'imposait se révélait parfois à la limite du possible.

Elle se redressa, cherchant une fois encore à se dominer, et se concentra sur son entourage.

La cuisine bourdonnait d'activité. Les unes coupaient ou hachaient la viande tandis que les autres pétrissaient la pâte ou épluchaient des légumes.

Noémie, la coiffe de travers, dirigeait les opérations. Elle activait le feu, agitait une poêle afin que son contenu n'attache pas, surveillait le travail des autres cuisinières, jaugeait les quantités. Revenant à ses chaudrons, elle goûtait ce qui mijotait, puis ajoutait une pincée de sel ou une poignée d'herbes aromatiques pour en relever la saveur. Elle y mettait tant d'ardeur que son visage s'empourprait jusqu'à atteindre une couleur alarmante.

Seule Justine Chicoine osait se poser en rivale, ce que la cuisinière n'appréciait guère.

Au centre de la pièce, Agnès Gaudry, les larmes aux yeux, coupait des oignons tout en reniflant bruyamment, ce qui ne l'empêchait nullement de s'exprimer gaiement selon son habitude.

– Oh! Cesse un peu de jacasser, s'exclama Françoise Fournier. Tu nous étourdis avec ton bavardage!

– Allons bon! fit l'interpellée. Tu voudrais donc que je fasse vœu de silence?

– Ah ça! Je ne te demanderai pas ce qui t'est impossible, rétorqua sa sœur.

Posant soudain son couteau et l'oignon qu'elle tenait à la main, Agnès déclara :

– Je n'en peux plus! Il faut que je sorte.

Les deux yeux fermés, les mains en avant, elle se dirigea à tâtons vers la porte donnant sur le jardin.

– Prends garde, s'écria Anne Maheust en la voyant frôler la table. Tu vas tout renverser sur ton passage.

– Tu vas prendre froid, renchérit Élizabette Guyon.

– J'ai besoin d'air, répondit-elle en atteignant enfin la porte.

La voyant sortir, Françoise haussa les épaules.

– C'est Agnès, fit-elle en riant, laissant entendre par là qu'il était inutile de s'épuiser à modifier le comportement de sa sœur.

Toute à son entreprise, Noémie n'accorda que peu d'attention à cet incident. Se tournant vers Charlotte, elle demanda :

– Est-ce qu'il faut faire des crépinettes, aussi?

– Bien sûr, vint la réponse. Tu sais combien Joseph les apprécie.

Cette remarque fit perdre un peu de couleur à la vieille cuisinière qui ne partageait pas la confiance de sa maîtresse, ce que son regard laissait aisément comprendre. Venant à la rescousse de sa protégée, Justine s'exclama :

– Si elle veut qu'on fasse des crépinettes, je vais les faire moi, les crépinettes.

Piquée au vif, Noémie rétorqua aussitôt :

– Laisse donc faire, Justine Chicoine. Je suis bien capable de les faire toute seule!

Amusée par cette scène, Charlotte entreprit calmement d'éplucher des raves pour un ragoût. Marie Morin vint se joindre à elle. Après une courte hésitation, elle hasarda :

– Rien ne me ferait un plus grand plaisir que le retour de mon frère.

– Il reviendra, affirma Charlotte, j'en suis persuadée. Je veux croire qu'il est captif des Iroquois. Il n'y a aucune raison pour qu'il ne soit pas parmi nous dès le printemps prochain.

– J'admire ton courage, fit l'adolescente.

– Ce n'est pas du courage, rétorqua Charlotte.

Elle arrêta un instant le mouvement de son couteau, puis précisa sa pensée.

– Il y a un an, souviens-toi, Marie, tu me demandais si l'on pouvait parler aux morts. Moi, ce n'est pas avec les morts que je parle, mais avec un vivant. Je sais combien cela peut sembler ridicule. Pourtant, j'ai la profonde certitude que Joseph, quelque part, s'adresse à moi et cherche à me laisser savoir qu'il n'est pas mort. Je le sens si fortement que je ne peux pas m'empêcher d'y croire.

Marie scruta le visage de sa belle-sœur. Elle avait parlé avec tant d'assurance qu'il était inutile de douter de sa conviction.

– Vous vous aimiez tant, tous les deux, avança-t-elle. Dieu dans sa miséricorde peut avoir pitié. Tout lui est possible. Qui sait s'il n'accorderait pas un contact entre deux êtres si proches par la pensée?

Cette conversation fut interrompue par l'entrée intempestive d'Agnès qui se frottait vigoureusement les bras.

– La froidure est décidément installée, déclara-t-elle. Il va assurément geler dur cette nuit.

Elle se dirigea vers le foyer, auquel elle tourna le dos.

– J'ai glissé, annonça-t-elle. Et… je suis tombée dans une flaque d'eau.

Après quoi, elle s'empressa de relever ses jupes dans le but évident d'exposer à la chaleur une partie rebondie de son anatomie. Devant le ridicule de sa position, elle éclata de rire, entraînant à sa suite l'ensemble de l'assistance. Ce qui eut l'heureux effet de détendre l'ambiance.

S'étant bien réchauffée, elle déclara tout de go :

– Moi, les oignons, c'est fini. J'ai fait ma part!

– Tiens, prends ma place, proposa Élizabette Guyon en abandonnant la pâte qu'elle pétrissait.

À la suite de cet intermède, les conversations reprirent sur un ton badin.

Charlotte se pencha vers sa jeune belle-sœur et lui demanda :

– Et toi, Marie, après ton expérience à l'Hôtel-Dieu, où en es-tu? Es-tu arrivée à une conclusion?

– Je suis décidée, répondit celle-ci. Je suis prête à partir dès que possible.

– Partir? fit Charlotte, marquant sa surprise. Mais où ça?

– À Ville-Marie. C'est auprès de mademoiselle Jeanne Mance que je désire exercer le soin aux malades.

– À Ville-Marie? s'étonna Charlotte. Mais pourquoi un pareil éloignement et dans une contrée si dangereuse?

Marie lui fit part de son désir de soigner les Iroquois, aussi bien que les Montréalistes. Elle lui expliqua encore que, lorsque mademoiselle Mance était revenue de France en compagnie de deux religieuses qu'elle amenait avec elle de La Flèche, elles avaient séjourné au couvent des ursulines où elle était encore étudiante. Elle avait été touchée par l'ardeur de ces religieuses, avec lesquelles elle était restée en contact, et maintenant elle désirait se joindre à elles.

– Une seule chose leur fait défaut, dit-elle en conclusion. C'est la connaissance de ce pays. Or moi, je suis née ici et je suis bien au fait de la nature et des coutumes en Nouvelle-France. Je crois donc pouvoir leur être utile.

L'importance de cette vocation prenait une ampleur que Charlotte n'avait pas soupçonnée jusque-là.

– Tu es donc décidée, dit-elle sous forme de constat.

– Tout à fait. Je n'attends plus que l'autorisation exceptionnelle que monseigneur de Laval devra m'accorder. Puisque j'habite Québec, c'est ici que je devrais prononcer mes vœux, et il me faut son assentiment pour partir à Ville-Marie.

– Si c'est là ton bonheur…, soupira Charlotte. Mais j'avoue que cet éloignement me chagrine.

Elle arrêta cet échange en voyant sa petite bonne qui, une cruche à la main, se dirigeait vers l'extérieur.

– Où te rends-tu ainsi, Jeannette?

– Je vais porter à boire aux hommes qui s'occupent des abattages, répondit celle-ci en rougissant si violemment que sa maîtresse n'eut plus aucun doute sur ses intentions; de toute évidence, ce n'était là qu'un prétexte pour rejoindre le bel Antoine dont elle était toujours aussi amoureuse.

Charlotte lui sourit.

– Alors va, mais ne t'attarde point. Il y a encore fort à faire.

En effet, on n'était alors qu'au deuxième jour des grandes boucheries et il en faudrait encore au moins deux autres pour venir à bout de la totalité du travail.

Vers la fin de la journée, les hommes vinrent se réchauffer dans la cuisine tandis que les femmes portaient les plats déjà prêts au grenier. On servit une soupe réconfortante à toute l'assemblée. Parmi les enfants, les aînés, surexcités par une journée d'amusements, gambadaient autour de la table. Quant aux plus jeunes, ils s'endormaient, le nez dans leur assiette.

Il fallut encore nettoyer et ranger. Quand enfin elle put gagner sa chambre, Charlotte se laissa choir sur son lit, et n'eut aucun mal à sombrer dans un sommeil réparateur.

Elle ne dormit pourtant que quelques heures avant d'être réveillée par une étrange sensation qu'elle attribua d'abord au clair de lune qui remplissait la chambre d'une lueur argentée. Charlotte se rendit à la fenêtre où elle se perdit en contemplation. Sous l'action conjuguée de la lune et du gel, le jardin s'habillait de blanc sur lequel s'étiraient des ombres mauves. Les herbes s'étaient revêtues de duvet, qui leur donnait l'aspect d'une frêle végétation.

Charlotte allait tirer ses volets, quand une nouvelle émotion se précisa.

Ce décor pouvait-il suffire à expliquer son émoi? Sans la moindre raison, elle se sentait profondément amoureuse. Mais bien plus encore, ce qu'elle éprouvait s'apparentait à l'impression d'être aimée avec une ardeur qui l'enfiévrait. Un délicieux bien-être s'emparait d'elle. Elle se sentait gagnée par une chaleur rayonnante.

Étrangement, il lui semblait deviner la présence de Joseph. Pour un peu, elle aurait cru qu'il se cachait dans un recoin de la pièce d'où il lui témoignait son amour.

– Mon tendre aimé, murmura-t-elle. Viens vite, je t'attends.

Soudain elle perçut une douleur à la poitrine, un coup violent assené par une personne invisible. L'espace d'un instant, elle crut que son cœur s'était arrêté de battre. Sa passion s'éteignit peu à peu, cédant le pas au froid qui s'étendait jusqu'à atteindre chaque parcelle de son corps. Il s'agissait d'un froid étrange venu de l'intérieur et qui la glaçait prodigieusement.

Charlotte frissonna et chassa ces pensées insolites. Considérant qu'elle s'était laissé emporter par quelque fantasme, elle retrouva ses esprits et se domina. Elle tira rapidement les volets et, tout en grelottant, regagna son lit où elle se pelotonna à la recherche d'un peu de chaleur.

Cependant, malgré son appel à la raison, elle conserva l'impression étrange qu'un événement important venait de se produire.

5

Au fur et à mesure que l'hiver s'installait, Charlotte éprouvait des difficultés à conserver son optimisme. Malgré sa vigilance, elle oscillait constamment entre la conviction et l'incertitude quant au retour de son mari. Et, lorsque survinrent les fêtes de fin d'année, il lui fallut fournir un effort pour faire bonne figure.

Le jour de Noël devait rassembler l'ensemble de sa belle-famille chez les Morin. Charlotte ne se sentait pas le cœur à festoyer sans Joseph, mais elle se prépara néanmoins avec soin. Elle enfila une robe vert jade, ornée de dentelle écrue. Elle en fixa le corsage puis étudia le reflet que lui renvoyait la petite glace de sa chambre. Les traits un peu tirés et les légers cernes sous les yeux la firent grimacer. Elle se tapota vigoureusement les joues et se mordit les lèvres pour leur donner un peu de couleur. Le large sourire qu'elle s'adressa alors ne suffit pourtant pas à masquer la fatigue qui se lisait sur son visage.

Il fallait bien le reconnaître, cette fête se couvrait d'un manteau de tristesse. Non seulement l'éloignement de Joseph pesait-il lourdement sur la famille, mais Guillemette Couillard connaissait également des difficultés. Elle se remettait péniblement après la mort de ses deux enfants et ce jour-là allait être sa première sortie depuis de longs mois.

« Si au moins Jean-Baptiste était là », songea Charlotte. Il saurait la soutenir, lui donner la chaleur qui lui faisait défaut.

La jeune femme prit subitement conscience à quel point il lui manquait. En l'absence de son époux et avec cette incertitude dans laquelle elle se trouvait, la présence de son frère lui aurait été des plus précieuses. Elle aspirait à son retour, à sa compréhension.

Que pouvait-il faire en ce jour de réjouissance? S'était-il créé quelques relations parmi les colons de la Nouvelle-Amsterdam?

Et Joseph... Sa gorge se noua douloureusement. Célébrer une fête, alors qu'il se trouvait sans doute entre les mains des Iroquois... S'agrippant au dossier d'une chaise, elle s'appliqua à chasser cette pensée.

– Non, pas aujourd'hui, murmura-t-elle. Il faut oublier, être gaie, il faut rire.

Elle soupira puis endossa une chaude pelisse, noua un capuchon sur sa tête et glissa les mains dans les gants de peau que Joseph lui avait offerts deux ans plus tôt. Enfin, ayant fait signe à Béranger, elle s'installa dans le traîneau à chiens que ce dernier devait conduire.

– Pas directement chez les Morin, Béranger, précisa-t-elle. Je voudrais d'abord rendre visite à madame Taschereau.

Le fermier donna le signal du départ et la traîne s'engagea sur la Grande Allée en direction de la côte de la Montagne.

Les patins crissaient sur le sol gelé, diffusant une musique agréable. La neige s'étendait en une couche profonde aux contours arrondis. Seul le bleu des ombres nuançait la blancheur éclatante de cette surface veloutée, parsemée de paillettes dorées qui scintillaient sous le soleil. Les arbres, revêtus de glace, prenaient l'allure féerique d'une végétation de verre et de cristal. Les arbustes étaient recouverts d'un givre léger, ce qui leur donnait un aspect vaporeux.

Charlotte se laissa séduire par ce décor irréel qui ressemblait à celui d'un conte fantastique, et dut se ressaisir en arrivant chez Angélique.

Elle la trouva entièrement vêtue, mais allongée sur son lit. La pâleur de son visage marqué de cernes mauves acheva de l'inquiéter.

– Je suis lasse, expliqua la future mère. Ne t'alarme point cependant. Je me porte très bien, si ce n'était cette lassitude qui ne me quitte pas.

À l'avalanche de questions posées par la sage-femme, elle répondit :

– Ne crains rien, le chirurgien, monsieur Madry, me suit de très près. Entre lui et toi, je ne saurais être mieux entourée.

Après un sourire qu'elle voulait rassurant, Angélique posa sur son amie des yeux empreints de fatigue avant d'énoncer :

– Je dois cependant t'avouer... L'une de mes deux tantes Hébert est morte en couches. Cela s'est produit très tôt après leur arrivée à Québec. Elle se nommait Anne. Je ne sais que peu de choses sur cette tante et pourtant je pense souvent à elle en ce moment.

– Chasse loin de toi ces pensées lugubres, intervint vivement Charlotte. Attache-toi à des notions gaies, ton fils, par exemple. Pour le reste, prends grand soin de toi.

La jeune femme prit une mine attristée.

– Ma vie n'est plus rien d'autre que repos et soins, ce qui n'est guère attrayant pour Louis. Si tu permets, j'aimerais te demander de veiller sur lui pendant cette fête. J'aimerais tant qu'il puisse en profiter. Il a si peu l'occasion de se distraire.

Charlotte promit puis quitta son amie non sans une certaine anxiété. La faiblesse et l'abattement dont Angélique faisait preuve n'auguraient rien de bon.

Elle reprit place dans le traîneau et tira la fourrure sur elle, car l'air était vif. L'esprit préoccupé, elle prit la direction du coteau Sainte-Geneviève où habitaient les Morin.

Lorsqu'elle arriva, la fête battait son plein. On chantait, on narrait des histoires. Les enfants, venus nombreux, riaient et couraient allégrement dans toute la maison. Au milieu de ce tumulte, Hélène Morin accueillit chaleureusement sa belle-fille.

– Joyeux Noël, Charlotte! Je suis si heureuse de te voir. Cette fête n'aurait pas été complète sans ta présence.

La jeune femme n'eut guère la possibilité de répondre tant la descendance Morin, dont elle avait su se faire apprécier, se pressait autour d'elle. Tous se ruèrent en criant :

– Ma tante Charlotte! Ma tante Charlotte!

Ne voulant pas être en reste, la dernière-née des Gaudry suivit le mouvement en hurlant un «Lolo! Lolo!» au timbre aigu.

L'interpellée cueillit la petite dans ses bras. L'ayant embrassée, elle lança :

– Toi, tu seras bien à l'image d'Agnès!

– Hélas! s'exclama celle-ci. Je plains ma pauvre mère d'avoir été dans l'obligation de m'endurer! Quand je pense que je vais en avoir quatre!

– Quatre? releva Charlotte.

– Eh bien oui, fit Agnès en éclatant de rire. C'est mon petit cadeau de Noël personnel!

La jeune femme, qui n'envisageait pas autre chose que d'avoir une famille nombreuse, se réjouissait de cette nouvelle grossesse et ne s'en cachait pas.

On procéda bientôt à l'échange de menus cadeaux. Hélène Morin avait confectionné des pâtes de fruits pour les aînés. Les fillettes s'exclamèrent avec enthousiasme en recevant les poupées de chiffon et les petits trousseaux qu'elle avait cousus pour elles. De son côté, Noël Morin avait fabriqué des chariots, des épées en bois ou des tambours, pour la plus grande joie des garçons. Chacun découvrit ces merveilles dans un brouhaha enthousiaste.

L'heure du dîner étant venue, les adultes prirent place autour de la longue table couverte d'une nappe blanche et chargée de vaisselle en étain. Les enfants se regroupèrent dans une pièce adjacente d'où les exclamations joyeuses ponctuèrent toute la durée du repas.

La chère fut abondante comme toujours à Noël. On mangea un potage de légumes et des pâtés chauds suivis de saumon frais du Saint-Laurent accompagné de langues de morue, puis du chevreuil et, pour terminer, un succulent gâteau arrosé d'un sirop de framboises. On but du vin de France, de l'eau fraîche et du cidre.

Les enfants tenaient à peine en place. Ils couraient sans cesse vers leurs nouveaux jouets ou venaient régaler les adultes d'une chansonnette. Ceux-ci les laissaient faire, prenant un air amusé. Charlotte, gagnée par l'ambiance chaleureuse, se joignit à la conversation.

Au moment où l'on servait le rôti de chevreuil, on aborda un sujet qui concernait monseigneur de Laval. En dépit d'une vie personnelle que chacun s'accordait à qualifier de grande sainteté, il n'en restait pas moins qu'on lui reprochait une action par trop intransigeante à la tête du pays. Ainsi, depuis peu, le prélat s'était accordé le droit d'imposer une dîme à tous les colons. Il avait arraché au Conseil le vote d'une ordonnance selon laquelle tout homme bien portant devait verser au clergé la treizième part de son revenu, qu'il provienne de ses activités agraires ou manuelles. Cette imposition revêtait un aspect particulièrement accablant. Alors qu'on passait l'hiver dans l'attente des premiers navires français qui apporteraient les denrées et les matériaux nécessaires à sa survie, et que la colonie se voyait menacée et entravée par les attaques des Iroquois, une telle mesure ne pouvait guère être appréciée. En fait, elle soulevait de vives critiques de la part de tous les habitants de Québec.

Autour de la table Morin, on protesta avec véhémence contre cette nouvelle prescription. On alla même jusqu'à déclarer tout net qu'on n'en verserait pas le premier écu.

– On nous étouffe de tous les côtés à la fois, lança Guillaume Fournier. On nous retire une part importante de notre revenu sans nous permettre de gagner le premier sou, en nous interdisant la vente de l'eau-de-vie aux Indiens.

Cette remarque provoqua un tollé général.

Les autochtones étant les principaux fournisseurs de pelleteries, l'interdiction de leur procurer de l'alcool menaçait un commerce précieux puisqu'il représentait la principale source de revenus en cette colonie. L'eau-de-vie leur étant refusée, les Indiens risquaient de favoriser les Anglais qui ne se privaient pas de leur offrir de larges quantités d'alcool ainsi que des armes à feu à volonté. Dans ces conditions, la menace d'excommunication planant sur ceux qui s'adonnaient à cette traite semblait nettement excessive, sans parler de la double exécution de l'automne.

À ce point de la discussion, Hélène Morin trancha d'une voix calme et sans appel :

– La méthode est peut-être abusive, mais je ne peux pas donner tort à monseigneur de Laval. L'alcool produit sur l'esprit de nos Indiens des effets désastreux. Il importe de mettre complètement fin à la pratique d'échanger de l'alcool contre des fourrures.

Chacun se tut, respectant la parole de la maîtresse de maison. Seul Claude Morin, avec l'impétuosité de ses dix-sept ans, émit un commentaire, lançant sur un ton bouillant :

– Quoi qu'il en soit, l'interdiction sera levée d'ici peu!

– Allons, Claude, intervint Noël Morin. N'affirme pas ce que tu méconnais totalement.

– C'est que vous semblez tous ignorer l'affaire Guertin, rétorqua le jeune homme avec fougue.

– Quelle affaire? s'enquit sa mère.

Se sentant tout d'un coup important, Claude expliqua :

– Pas plus tard que le mois dernier, Julie Guertin a été appréhendée et incarcérée pour cause de vente d'alcool aux

Indiens. Or cette femme est mère de sept enfants en bas âge. Il semble que les jésuites se soient émus de cette situation. Ils sont donc intervenus auprès de notre gouverneur, lui demandant de relaxer Julie et d'annuler sa condamnation. Monsieur d'Avaugour s'est indigné, arguant qu'il était irrecevable qu'une même faute conduise les uns à subir la peine de mort alors qu'on la pardonnait à d'autres. Nos pères ayant insisté, le gouverneur a finalement cédé à leur demande, puis il a déclaré que plus personne ne devrait être condamné pour vente d'alcool aux Indiens.

– Ce qui n'a pas dû plaire à notre évêque, susurra Nicolas Gaudry.

– Et voilà qui porte un coup dur à l'affaire Vuil, ajouta Jean Guyon.

– Cette affaire Vuil m'a toujours semblé louche, énonça Guillaume Fournier.

Il n'en fallut pas davantage pour lancer un débat sur ce cas encore récent. Les uns plaidèrent contre la sorcellerie présumée, tandis que les autres refusèrent d'envisager une autre hypothèse.

Pendant ces échanges de points de vue, Charlotte se tourna vers Germain Morin, son voisin de table, qui connaissait bien ses idées sur le sujet. Elle lui adressa un sourire complice, l'assurant par un hochement de tête du silence qu'elle comptait garder sur ses propres sentiments.

Ayant intercepté ce sourire, Guillemette Couillard en comprit d'emblée le sens profond. Sans hésiter, la doyenne choisit de jeter le fiel qui dormait au fond de son cœur. D'une voix forte, elle prononça :

– J'en connais une qui aurait été bien avisée de ne pas se préoccuper de cette affaire Vuil et davantage de l'absence de son époux.

En dépit d'une hostilité injustifiée envers sa nièce, jamais jusqu'à ce jour Guillemette n'avait porté une attaque aussi précise. Charlotte en resta stupéfaite. La remarque produisit autour de la table un silence épais. Nullement incommodée, Guillemette poursuivit :

– Nous diras-tu enfin, ma nièce, quel tourment a pu conduire mon neveu à accepter une mission aussi périlleuse à peine un an après son mariage?

La jeune femme encaissa durement le coup. Elle happa l'air et se raidit avant de répondre d'une voix blanche :

– Je crois, ma tante, que l'amour que j'ai pour Joseph et le bonheur que j'ai connu à ses côtés n'ont d'égal que les siens.

Guillemette allait émettre une nouvelle opinion quand Hélène Morin, intervenant vivement, lui coupa la parole en se lançant sur un autre sujet. Jean Guyon lui emboîta le pas, ce qui mit un terme à l'épisode.

Chacun soupira d'aise. Mais Charlotte demeura ébranlée. Ses mains tremblaient fortement et elle les serra l'une contre l'autre afin d'en maîtriser l'agitation. Elle n'arrivait cependant pas à contenir son émotion. Les discussions autour d'elle devinrent diffuses et résonnèrent à ses oreilles dans un bourdonnement confus.

Germain, la voyant pâle et haletante, se pencha vers elle.

– Ne te laisse pas atteindre par ces paroles. Tu dois bien savoir que personne ne partage les idées de ma tante Guillemette.

– Je te remercie, répondit-elle dans un souffle. Mais c'est au-delà de mes forces.

Elle se leva, bien décidée à quitter la maison. Sa belle-mère la rejoignit dans l'entrée.

– Charlotte, lui dit-elle, je suis consternée par cet incident fâcheux. Je t'en prie, ne pars pas. Guillemette ne croit certainement pas un seul mot de ce qu'elle a avancé. Elle souffre de la mort de ses deux enfants et de l'absence de Grégoire, dont on n'a pas de nouvelles depuis plus d'un an. Il faut lui pardonner.

– Je vous prie d'excuser ma faiblesse, et d'accepter que je vous quitte. Je veux bien pardonner, mais… Dans l'immédiat, je désire me retrouver seule.

Hélène Morin eut un mouvement de compassion envers sa belle-fille. Elle l'embrassa, lui témoignant sa tendresse tout en l'assurant que chacun, dans la maison, lui portait une affection comparable à la sienne.

Charlotte retrouva Béranger qui l'avait attendue, et regagna son foyer, sans arriver à dominer les sentiments qui l'accablaient.

Elle pénétra dans le petit salon et s'appuya contre le manteau de la cheminée. Ses yeux tombèrent sur un livre, un livre que Joseph avait commencé à lire avant son départ. Elle le saisit, ses doigts se crispant nerveusement sur la couverture. Puis elle s'effondra sur une chaise et laissa échapper le volume qui, en tombant, s'ouvrit à la page où son époux avait arrêté sa lecture.

Bouleversée à la vue de ce simple objet qui avait appartenu à Joseph, elle s'abandonna aux sanglots qui l'étouffaient.

6

PENDANT quelques jours encore, Charlotte demeura abattue. La mélancolie s'était installée et elle n'arrivait pas à s'en défaire. Les soins à l'Hôtel-Dieu ne suffisaient plus à l'occuper pleinement. Les grandes épidémies étaient terminées et les habitants, dans l'ensemble, se portaient bien. Même les accouchements se faisaient rares, et ce peu d'activité ne parvenait pas à détourner son esprit des pensées qui l'obsédaient.

Elle rendit de nombreuses visites à Angélique dont l'état la tourmentait. Son amie s'affaiblissait dangereusement. Elle ne quittait plus guère son lit et ne s'alimentait que difficilement. Jean Madry l'auscultait régulièrement, lui aussi, et ne pouvait que partager l'angoisse de la sage-femme.

Lorsque Louis Taschereau vint demander à Charlotte d'assister son épouse dans sa délivrance, elle eut un mouvement de surprise.

– Mais le compte n'y est pas!

– Je sais, fit son beau-frère. Le moment est pourtant venu.

« Un prématuré », se dit-elle, en estimant toutes les complications possibles. En son for intérieur, elle eût préféré qu'il se soit adressé au chirurgien-chef, car elle redoutait cet accouchement.

– Cette fois, Louis, dit-elle sur un ton pressant, je t'en conjure, va chercher monsieur Madry. Je ne te cacherai pas que le cas est grave.

Louis en bégaya d'étonnement.

– À... à ce point?

Charlotte n'hésita pas à lui faire part de ses inquiétudes.

– Oui, je préfère que tu le saches. La présence du chirurgien pourrait fort bien être indispensable. Va le chercher au plus vite. De mon côté, je vais me rendre immédiatement auprès d'Angélique. Je ferai le nécessaire en attendant votre arrivée. Mais presse-toi.

Après le départ de son beau-frère, elle rassembla hâtivement les instruments nécessaires, et se dirigea à pas rapides vers la maison Taschereau.

En un coup d'œil, Charlotte jugea de la situation. Angélique geignait faiblement. Elle haletait très légèrement, signe d'une respiration déficiente, et le pouls bas acheva d'alarmer la sage-femme.

– Il faudra du courage, Angélique, lui dit-elle d'un ton qui masquait son angoisse.

– Je suis prête, articula péniblement la parturiente.

Comme prévu, le travail s'avéra difficile. Après chaque spasme, le cœur d'Angélique vacillait tandis qu'elle perdait à demi conscience. Charlotte lui fit respirer du vinaigre.

– Aspire, lui répétait-elle sur un ton si convaincant qu'il arrivait à tirer son amie de sa torpeur.

Angélique ouvrit grands les yeux et fixa sa belle-sœur. À son regard, Charlotte réalisa qu'elles partageaient une même pensée : madame Cadieux. C'était au tout début de leur amitié. Angélique avait assisté la sage-femme dans un accouchement particulièrement difficile. Madame Cadieux aussi avait respiré du vinaigre... Elle s'en était tirée de justesse. Charlotte détourna les yeux par crainte que son amie n'arrive à y lire la profondeur de son inquiétude.

– Pousse, Angélique, je t'en prie, lui enjoignit-elle à plusieurs reprises pour ensuite l'encourager encore à respirer le vinaigre.

Lorsque la délivrance se précisa, la sage-femme put constater que l'enfant se présentait par le siège.

« Mon Dieu ! songea-t-elle avec anxiété, que font donc Louis et monsieur Madry ? »

– Tiens bon, dit-elle à haute voix, ce ne sera pas facile.

Elle s'employa à retourner le bébé, ce qui lui prit plus de temps qu'elle ne s'y attendait. Une fois l'opération réussie, elle se redressa. Absorbée par son travail, elle n'avait pas réalisé qu'Angélique avait perdu conscience.

Sans hésiter, Charlotte s'empara des cuillères. À cet instant, la porte s'ouvrit, laissant passer monsieur Madry.

– Dieu soit loué ! dit-elle, soulagée. J'ai cru que vous n'arriveriez jamais.

En quelques mots, elle lui expliqua la situation. Il lui prit les cuillères qu'elle tenait encore à la main et commença l'opération. D'un geste habile, Jean Madry fit paraître la tête puis, rapidement, le corps fut dégagé. Il s'agissait d'une fille.

Le chirurgien coupa le cordon ombilical et confia le bébé à Charlotte.

– Occupez-vous de l'enfant, dit-il tandis qu'il entreprenait de ranimer la mère.

La fillette ne respirait pas. Charlotte lui claqua sur les reins à plusieurs reprises, elle la plongea dans l'eau chaude puis dans l'eau froide, la frictionna à l'alcool. Rien n'y fit. Tout en s'efforçant de donner vie au bébé, elle ne quittait pas Angélique des yeux, et suivait attentivement le travail que Jean Madry effectuait.

Un mouvement imperceptible dans le lit lui glaça le cœur. À la façon dont le chirurgien se redressa, elle comprit.

– Non ! cria-t-elle de toutes ses forces.

Charlotte déposa le petit corps inerte dans le berceau et se rua sur le lit. Saisissant son amie aux épaules, elle la secoua vivement.

– Non, Angélique! Pas toi! Non! cria-t-elle encore.

Sous l'action des secousses, la tête roula sur le côté, entraînant une chevelure blonde qui tomba en cascade.

Jean Madry prit Charlotte par les bras, l'obligeant à se relever.

– Calmez-vous, dit-il. C'est inutile.

– Je ne veux pas, hoqueta la sage-femme.

– Vous n'y êtes pour rien, ajouta-t-il, cherchant à adoucir sa peine. Vous avez fait ce que vous avez pu et moi de même.

Cette phrase eut pour effet de la révolter davantage encore.

– Ce que j'ai pu! Comme sur le *Saint-Louis*, pendant la traversée! Ce qui n'empêche pas les enfants de mourir du scorbut et les femmes de trouver la mort en accouchant. Suis-je donc utile à quelque chose? À quoi servons-nous, à quoi bon cette médecine qui ne sait pas conserver la vie?

– Tout doux, Charlotte, vous savez comme moi le nombre de vies que nous avons sauvées, l'un et l'autre. Il y a des limites à notre science. Angélique était d'une nature maladive. Cela devait arriver tôt ou tard. Elle a vécu heureuse jusqu'à ce jour. Il faut accepter la vie sous tous ses aspects.

– Accepter..., commença-t-elle, mais elle ne put en dire davantage.

Vaincue, elle s'abandonna contre le chirurgien, laissant couler ses larmes.

– Ressaisissez-vous, Charlotte, dit-il au bout d'un instant. Songez qu'il faudra prévenir son époux.

Un long moment plus tard, après avoir achevé la toilette mortuaire, la jeune femme s'agenouilla auprès de son amie. Elle contempla le visage aux traits fins. Elle se remémora la douceur de son regard clair, la légèreté de sa voix au timbre cristallin. Elle se souvint encore d'unc expression, d'un geste qui lui étaient familiers. Elle aurait voulu étendre la main, la toucher et se confier comme par le passé.

Charlotte n'eut pas pleinement conscience du moment où Louis pénétra dans la pièce. Il s'agenouilla de l'autre côté du lit et ne chercha pas à cacher son chagrin. Enfin, il murmura :

– Je ne t'en veux pas, Charlotte. Comment le pourrais-je? Je sais la tendresse que tu lui portais. Nous l'avons perdue… tous les deux.

* * *

Malgré le ton chaleureux que Louis avait employé, cette phrase continua à hanter Charlotte pendant plusieurs jours. Elle se sentait responsable du décès de son amie et ne se le pardonnait pas. À l'apathie de ces derniers temps s'ajoutait le chagrin, et la perte de cette amitié la laissait désemparée. Sa solitude prenait une nouvelle dimension. L'absence de Joseph lui devenait plus pénible et l'accablait chaque jour davantage.

La voyant pâle et défaite, à l'hôpital, mère Louise de la Sainte-Croix crut bien faire en se lançant dans l'une de ces incantations dont elle avait l'habitude.

– Priez, dit-elle en conclusion. Seul Dieu dans sa grande miséricorde connaît notre destinée. Priez, mon enfant, et vous trouverez le réconfort.

Charlotte connaissait depuis longtemps les pieuses ritournelles que la religieuse répétait à la moindre occasion. Elle en était venue à ne pas y prêter attention. Mais ce jour-là, pour la première fois, elle sentit un mouvement de révolte monter dans son cœur.

– Je ne manquerai pas de prier pour le repos de son âme, dit-elle avec calme, mais à quoi bon prier pour mon soulagement personnel? Nulle prière ne saurait redonner vie à Angélique.

La sainte femme sursauta et prit une mine consternée.

– Madame Hébert! dit-elle d'un ton angoissé. Prenez garde de ne point blasphémer. Seul Dieu peut vous procurer l'apaisement que vous recherchez.

Comprenant que toute explication serait inutile, Charlotte fit un effort pour cacher ses sentiments. Elle s'excusa et s'éloigna sans rien dire.

Par la suite, Charlotte chercha à occuper son esprit afin de retrouver son équilibre. En vain. Au premier accouchement, ses mains tremblèrent si fort qu'elle craignit de ne pas pouvoir maîtriser la situation. Elle voyait le visage d'Angélique sur celui de toutes les femmes qu'elle accouchait. Elle ne pouvait effacer de sa mémoire ses yeux grands ouverts par la douleur, sa respiration qui faiblissait peu à peu, le mouvement sans vie de sa tête tombant sur le côté.

Le soir venu, elle rentrait harassée, vidée de tout courage. Elle se laissait gagner par un abattement allant jusqu'à lui faire douter du retour de son époux. Elle se repliait sur elle-même, se désintéressant de tout. Même les veillées en compagnie de ses amis n'arrivaient pas à la distraire.

Justine, qui s'inquiétait de ne plus voir Charlotte, vint lui rendre visite, et jugea rapidement de la situation.

– Oh toi! s'exclama-t-elle, tu ne vas pas me faire une face de carême pour le restant de tes jours! Tu sais, des malheurs, on en a toutes. Moi, mon mari est mort, et on n'avait pas d'enfant. Des enfants..., poursuivit-elle en poussant un profond soupir, j'aurais bien voulu en avoir. Eh bien, j'en ai pas eu! Alors j'en ai pris là où il y en avait. Je vous ai pris, François et puis toi. Mes enfants, c'est vous autres.

Émue par cet aveu, Charlotte lui adressa un sourire.

– Je sais bien, c'est pas facile, continua Justine. Mais une amie, tu peux quand même en trouver une autre. Prends madame Gaudry, par exemple. Ça c'est une brave femme qui n'a pas peur du travail!

Justine se garda bien de dire qu'elle n'avait jamais compris pourquoi Charlotte s'était tant entichée d'Angélique qui ne savait rien faire d'autre que d'être malade tout le temps. Elle allongea une main et la posa sur celle de la jeune femme.

– Le bonheur, il faut le prendre là où il est. Parce que si tu ne le prends pas, le bonheur, il te joue des mauvais tours.

Cette harangue donna à réfléchir à Charlotte, qui s'employa plus énergiquement à surmonter son chagrin. Elle multiplia les visites auprès de Justine, y puisant une force chaque fois renouvelée.

Enfin, suivant le conseil de la vieille femme, elle se rapprocha d'Agnès dont la bonne humeur acheva de la sortir de son abattement.

Elle reprit confiance, se répétant que le printemps approchait désormais. Ce printemps qui devait lui rendre son mari.

7

DANS SON IMPATIENCE à voir arriver le printemps, Charlotte trouvait l'hiver interminable. Aujourd'hui encore, il gelait à pierre fendre. Le froid semblait vouloir lancer un dernier feu d'artifice avant sa retraite. Il avait paré les fenêtres d'un givre épais, dessinant des fougères de glace et des arabesques aux courbes gracieuses. Un soleil étincelant jouait sur les vitres, allumant les cristaux d'indigo, d'or et de pourpre.

Charlotte avait choisi de consacrer cette journée à son fils tout en rattrapant son retard dans ses travaux de couture. Le petit, installé dans un déambulateur, se déplaçait avec adresse et prenait un malin plaisir à indiquer tout ce qui attirait son regard.

– Ça, dit-il en pointant vers le rouleau de fil écarlate que sa mère utilisait.

La jeune femme lui tendit la bobine, dont il s'empara. Maladroitement, il chercha à saisir le fil. Puis, l'objet ayant subitement perdu toute forme d'intérêt, il le laissa tomber sur le sol. À vive allure, il traversa la pièce pour s'arrêter devant la cheminée.

– Ça, répéta-t-il en indiquant le feu qui pétillait dans l'âtre.

– Oh non! C'est chaud, fit Charlotte en mimant le désagrément qu'on pouvait trouver à s'y frotter. Ça brûle, c'est très chaud!

Joseph examina le rouge incandescent, étonné de ce premier refus qu'on lui opposait. Il étendit ses menottes, ouvrant et fermant les doigts comme pour attraper les flammes qui dansaient joyeusement devant lui. Enfin, il agita les mains comme il venait de le voir faire, en s'exclamant :

– So! So!

En riant aux éclats, il revint auprès de sa mère. Celle-ci lui sourit et l'embrassa.

– Petit diable, dit-elle, il faudra bien que tu te décides à parler plus clairement!

Levant alors les yeux, elle vit Jeannette dans l'encadrement de la porte, la mine inquiète, et tordant un coin de son tablier. Charlotte crut d'abord à quelque bévue difficile à avouer, mais en l'interrogeant elle comprit qu'il s'agissait d'autre chose.

– Il y a, balbutia Jeannette, que je suis promise.

– Promise! s'exclama joyeusement Charlotte. Mais en voilà une bonne nouvelle! Et c'est ça que tu avais tant de mal à me dire?

La jeune fille hocha la tête en souriant timidement.

– Je suis heureuse pour toi, lui dit sa maîtresse. C'est si merveilleux d'être aimé. Allons, viens t'asseoir près de moi et parle-moi de ce bonheur.

Lorsque la petite bonne se fut approchée, elle enchaîna :

– Attends, laisse-moi deviner. Est-ce que par hasard il s'agirait d'Antoine Bibaut?

– Bien ça! s'étonna Jeannette. Comment est-ce que vous savez ça?

Charlotte éclata de rire.

– Crois-tu vraiment que je n'avais rien vu à votre manège?

Embarrassée, la jeune fille baissa la tête. Charlotte la félicita sur le choix du jeune homme et l'interrogea sur ses projets d'avenir. Jeannette lui apprit alors qu'elle aimerait se marier au printemps, et quant au logement que le jeune couple occuperait, c'est avec timidité qu'elle avança :

– C'est que… j'aimerais bien rester ici… et puis Antoine aussi.

Charlotte marqua son embarras. Bien qu'elle désirât conserver les deux jeunes gens à son service, elle ne possédait aucun logement à leur proposer. Après une courte réflexion, elle demanda :

– Dis-moi, Jeannette, Béranger et Antoine ne font-ils pas en ce moment la coupe du bois?

– Si, madame.

– Eh bien, il y a sûrement de quoi vous construire une habitation. Je verrai ça avec Béranger.

Jeannette, qui ne s'était pas attendue à tant de générosité, se répandit en remerciements avant d'aller annoncer la bonne nouvelle à son promis.

* * *

On eut tôt fait de retenir le bois nécessaire. Charlotte elle-même veilla au choix des arbres bien droits et de taille suffisante. Quant à la construction, il fallait attendre le printemps quand la terre aurait séché avant d'entreprendre les travaux.

Dès que la neige se mit à fondre, Charlotte traversa fréquemment le terrain de Jacques Maheust pour se rendre au sommet de l'escarpement qui dominait le fleuve. Elle observait le Saint-Laurent, dans l'espoir de trouver un signe indiquant qu'il était sur le point de dégeler, un signe qui lui donnerait la promesse du printemps tant attendu.

Ce jour-là, comme les autres, la jeune femme s'arrêta au bord de la falaise, le visage tourné vers l'occident, scrutant la surface grisâtre qui s'étendait d'une rive à l'autre. Elle aurait voulu pouvoir questionner ce fleuve qui venait de Ville-Marie, mais il se taisait sur les scènes observées le long de ses berges.

Soudain, un grondement se fit entendre, bientôt suivi d'une explosion retentissante. Sous ses yeux émerveillés, la croûte dure qui avait emprisonné ce cours d'eau pendant tout l'hiver éclata. De larges quartiers de glace se dressèrent, comme des monstres prêts à s'affronter. Il se fit un grand remue-ménage tandis que des plaques basculaient et tournaient sur elles-mêmes avant de se heurter à d'autres blocs dans un craquement sonore. En quelques minutes, la surface du fleuve se modela en cahots.

Charlotte demeurait immobile, saisie par la puissance de ce spectacle. Les fragments gelés continuaient à s'entrechoquer sans arriver à trouver un passage. D'autres explosions se firent entendre plus en amont, puis encore le long de la côte de Lauzon.

Charlotte vibra de joie. Bientôt, le fleuve serait dégagé.

– Maintenant, murmura-t-elle, il peut revenir.

Elle regagna son logement, sentant naître en elle une force nouvelle.

Ce qui restait de neige disparut rapidement, laissant une terre bourbeuse. Bientôt, quelques pousses vertes pointèrent çà et là.

La terre ayant suffisamment durci, on commença les travaux de construction. La nouvelle maison, de taille modeste, allait se trouver à côté de la ferme où logeaient Béranger et sa famille.

Après avoir écorcé, équarri et coupé les troncs d'arbre à bonne dimension, les hommes les posèrent les uns sur les autres de façon à former un rectangle. Ayant laissé des ouvertures pour une porte et deux fenêtres, ils remplirent les espaces entre chaque rondin avec de la mousse séchée enduite de gomme de pin. Enfin, le toit pointu fut couvert de bardeaux de cèdre.

À l'intérieur, on construisit une cheminée en pierres des champs. Ces roches, aussi rondes que des boulets, contribuèrent à donner une élégance à l'ensemble. L'habitation ne comprenait qu'une seule pièce, où le jeune ménage devrait vivre.

– C'est bien assez! On pourra toujours agrandir quand les petits arriveront, avait déclaré Antoine à une Jeannette rougissante.

La maison étant terminée, Charlotte aida le jeune couple à la meubler. Une table, des chaises, une grande armoire et un coffre apportèrent bientôt le confort nécessaire à ce nouveau logement. Elle se réjouissait avec eux de chaque nouvelle addition, et se rappela le plaisir d'Anne Bourdon quand elle en avait fait autant pour elle, quelques années plus tôt. Charlotte voulut lui en faire part à l'occasion de l'une de ses visites.

Mais en arrivant au fief Saint-Jean, elle trouva son aînée dans tous ses états.

– Ah! Charlotte, lança-t-elle en la serrant contre elle. Comme je suis heureuse de te voir! Ta présence me fera du bien. Nous avons bien des soucis, mon mari et moi.

Après ce préambule, elle expliqua que monsieur d'Avaugour avait décidé de supprimer l'ancien Conseil pour en former un nouveau et, de ce fait, avait donné son congé à Jean Bourdon. Le gouverneur prétendait régulariser la recette et la distribution des marchandises de traite. Il désirait «empêcher les abus qui causaient une grande dissipation des deniers à cause du détournement des pelleteries au profit d'une coterie».

– Des abus… une coterie, gémit Anne en se tordant les mains. Je n'en crois pas un mot. Mon mari s'est toujours montré d'un grand dévouement envers la colonie. Le remercier de cette façon… C'est inqualifiable!

Charlotte se sentit embarrassée devant ce qu'elle savait être la vérité, mais elle fit de son mieux pour apporter le réconfort désiré.

Les deux femmes étaient encore au salon quand les chiens se mirent à aboyer, laissant supposer une nouvelle visite. Anne jeta un coup d'œil par la fenêtre et s'étonna en reconnaissant monseigneur de Laval qui venait sans s'être fait annoncer.

Lorsque le prélat pénétra dans la pièce, accompagné de Jean Bourdon, Anne s'empressa de baiser son anneau en faisant une profonde révérence. Charlotte l'imita, puis, un peu gênée par cette présence, se retira légèrement à l'écart. Jean Bourdon invita le visiteur à s'asseoir, et lui offrit un verre de marsala. L'évêque accepta, puis se lança dans le vif du sujet.

– Je viens vous consulter en ami afin d'avoir votre avis sur certaines affaires qui me semblent d'une extrême gravité.

Le prélat commença par se plaindre amèrement du comportement du gouverneur. Nul n'ignorait, désormais, les différends qui séparaient les deux hommes, et Charlotte se dit qu'il y avait sans doute un peu d'exagération dans ses propos. Elle écouta avec étonnement le récit des diverses étapes qui jalonnaient le développement de cette brouille.

Monsieur d'Avaugour ayant retiré la peine de mort pour qui se livrait à la traite des fourrures contre de l'eau-de-vie, monseigneur de Laval avait réagi en lui retirant son confesseur. Le gouverneur s'était alors retourné contre les jésuites, dont il se méfiait, en leur interdisant toute assemblée, à son insu, dans leur couvent.

Plus récemment, voulant renflouer les caisses de la colonie qui étaient au plus bas, le gouverneur avait frappé les sulpiciens de Ville-Marie, dont il connaissait la fortune, d'une imposition de deux sous la livre pour toute marchandise ou provision importées.

– Pourquoi une semblable agressivité à l'encontre des hommes d'Église? se lamenta l'évêque. Mon accablement est à son comble et j'ignore par quel procédé mettre un terme à tant de désordre.

L'ancien procureur saisit l'opportunité qu'il attendait depuis plus d'un an.

– Il existe un moyen, le seul à ma connaissance. Retournez en France à la première occasion et soumettez vous-même l'ensemble de ces problèmes au roi.

L'évêque eut un sourire satisfait.

– Je vois que nos vues se rencontrent. J'hésitais cependant, sachant que monsieur Pierre Boucher s'y trouve actuellement en ambassade pour ce pays.

– Mais pour une tout autre cause, précisa Jean Bourdon. Ce n'est assurément pas lui, le gouverneur des Trois-Rivières, qui parlera des agissements de monsieur d'Avaugour qu'il connaît à peine, et pas davantage de ceux de monsieur Péronne du Mesnil. Qui, mieux que vous, pourrait expliquer ces problèmes?

– Je reconnais avoir bonne audience auprès de la reine Anne et que, de ce fait, j'ai quelque chance de convaincre notre roi.

Jean Bourdon jubilait. Il touchait du doigt la possibilité de se défaire enfin de cet enquêteur qui lui causait tant de soucis. D'autant plus que, n'étant plus procureur, il ne pouvait lui interdire l'accès au greffe du Conseil. Et si son successeur lui permettait cette étude, cela pourrait être lourd de conséquences. Il se pencha vers l'évêque, cherchant à se rendre plus persuasif encore.

– Alors, n'hésitez plus. La Nouvelle-France a besoin de votre intervention. Faites bien connaître en haut lieu les égarements de notre gouverneur. Et par la même occasion, je vous serais reconnaissant d'exposer les méfaits de monsieur Péronne du Mesnil.

Charlotte se mordit les lèvres. Elle ne suivait que trop aisément le raisonnement de son hôte, et ne put s'empêcher de penser qu'à son retour Joseph aurait fort à faire pour juguler la malhonnêteté de Jean Bourdon.

8

LE PRINTEMPS fut en grande partie occupé par les préparatifs du mariage de Jeannette et Antoine ainsi que par l'aménagement de la nouvelle maison. Charlotte veilla à ce que rien ne manquât, fournissant draps et couvertures, assiettes et chaudrons. Jeannette se réjouissait à chaque nouvelle addition, et s'exclamait :

– Vous êtes bien bonne avec moi! Jamais j'aurais cru ça possible!

Charlotte prenait du plaisir en constatant le bonheur de la jeune fille. Elle se chargea de faire confectionner la toilette de la mariée et s'assura qu'Antoine serait correctement vêtu pour la circonstance.

Le jour des noces, Béranger, qui jouait le rôle de témoin, accompagna le jeune homme au pied de l'autel et François Guyon en fit autant pour Jeannette. Elle portait une robe de soie bleu roi, ornée d'un col blanc et de manchettes de la même couleur. Un capuchon de mousseline couvrait ses cheveux.

Charlotte se sentit vivement émue en la voyant monter l'allée centrale de l'église au bras de François. Le bonheur se lisait clairement sur le visage de la mariée, et sa maîtresse ne put s'empêcher de penser que cette jeune femme était très éloignée de la petite adolescente maladroite qu'elle avait recueillie deux ans plus tôt.

Le repas de noces eut lieu à la maison Hébert dans une ambiance chaleureuse et simple. Noémie avait cuisiné une tourtière, un délicieux cochon de lait aux pommes et des tartes, des plats auxquels tous les invités firent honneur.

Justine Chicoine, qui était présente, ne manqua pas de prendre Joseph dans ses bras et de le faire sauter sur ses genoux. Le petit riait aux éclats et réclamait « encore », chaque fois qu'elle faisait mine de s'arrêter. Elle prit tout de même le temps de demander à Charlotte si elle connaissait la bonne nouvelle concernant François.

– Ah ! non, fit celle-ci. De quoi s'agit-il ?

Un trémolo dans la voix, Justine annonça :

– Eh bien, notre François, il va bientôt se marier.

Charlotte en demeura bouche bée avant de s'exclamer, en s'adressant à son ami :

– François ! Et tu ne m'en disais rien ! Mais pourquoi n'as-tu pas amené ta fiancée avec toi ? Ne penses-tu pas que j'aimerais faire sa connaissance ? Dis-moi au moins de qui il s'agit.

– Elle se nomme Marie-Madeleine Marsolet, répondit François. C'est une jeune fille charmante qui te plaira sûrement.

– C'est une bonne travailleuse, renchérit Justine, et elle est jolie comme un cœur.

– Et c'est pour quand ce mariage ? demanda Charlotte.

– C'est pour l'automne, lorsque j'aurai aménagé mon nouveau logement.

Le jeune homme lui expliqua que lui et son frère Denys avaient décidé d'échanger leurs résidences. Son magasin de la rue Saint-Pierre, devenu trop petit, convenait à Denys pour y installer son atelier de charpentier. Quant à lui, il ouvrirait une nouvelle boutique, plus importante, rue Notre-Dame, et irait habiter la maison de Denys, dans la rue de la Fontaine-Champlain.

– C'est une maison confortable, acheva François, entourée d'un jardin d'où l'on peut profiter d'un beau point de vue sur le fleuve.

– Que de bonnes nouvelles! fit Charlotte. Mais je t'en prie, ne tarde pas à me présenter ta promise.

* * *

Le jeune homme donna satisfaction à cette requête dans les jours qui suivirent. Marie-Madeleine Marsolet était une jeune fille réservée, un peu timide, mais dont le sourire engageant permettait de deviner une personnalité douce et attachante. Charlotte lui trouva du charme, et n'eut aucun mal à s'en faire une amie.

Le printemps touchait à sa fin et on était toujours sans nouvelles du père Le Moyne. Malgré son impatience, Charlotte cherchait à se convaincre que rien n'était encore perdu. Pourtant, chaque soir en rentrant de l'Hôtel-Dieu, elle pressait le pas, espérant toujours qu'un message encourageant l'attendrait chez elle.

Ce soir-là, en revenant de l'hôpital, elle eut la surprise de trouver assis dans son jardin un homme dont la mine l'étonna. Les cheveux hirsutes, les vêtements en lambeaux, son aspect général n'inspirait pas confiance, ce qui pouvait expliquer pourquoi Noémie lui avait interdit la cuisine.

Dominant un premier mouvement de recul, Charlotte se décida à l'interroger.

– Je me nomme Mathieu Jolicœur, répondit l'homme, et j'aimerais voir Joseph.

– Joseph! Mais il n'est pas là!

Intriguée par cet individu qui ignorait l'absence de son époux, Charlotte lui demanda d'où il venait. Mais plutôt que de répondre, Mathieu soupira profondément avant de quêter un peu de nourriture.

– Il y a bien longtemps que j'ai pu manger, expliqua-t-il.

Elle le fit entrer dans la cuisine malgré les protestations de Noémie, et lui offrit une soupe aux pois, de la viande, du pain et du cidre.

Il mangea avec avidité, sans prononcer une parole, et Charlotte respecta son silence. De toute évidence, cet homme avait vécu une expérience particulièrement éprouvante.

Lorsqu'il eut fini de manger, il regarda Charlotte et se décida à parler.

– Joseph serait-il marié? demanda-t-il.

La jeune femme étouffa une envie de rire. Elle crevait de curiosité, et c'était lui qui posait les premières questions.

– En effet, répondit-elle tandis que Néomie levait les épaules d'un air désabusé. Je suis son épouse et nous avons un fils. Et maintenant que vous savez qui je suis, me direz-vous d'où vous venez et ce que vous désirez?

– J'aurais voulu parler à Joseph. Il y a deux ans, je suis parti dans les bois avec son cousin, Grégoire Couillard.

De surprise, Charlotte se laissa tomber sur une chaise.

– Grégoire! Vous avez donc des nouvelles de Grégoire?

Mathieu hocha la tête.

– Oui, dit-il, de bien mauvaises nouvelles. Grégoire ne reviendra pas, il a été tué par les Iroquois. C'est pour ça que je désirais voir Joseph. Je voulais l'avertir afin qu'il prévienne sa tante.

Saisie par ce qu'elle venait d'apprendre, Charlotte demeura muette. Elle n'avait que très peu connu Grégoire, mais elle pensait au chagrin de Guillemette qui allait se voir endeuillée d'un troisième enfant.

– Comment cela s'est-il passé? demanda-t-elle.

– C'était à la fin de l'hiver dernier, répondit le coureur des bois. Nous revenions du Saguenay avec de belles pelleteries. À l'approche de Tadoussac, nous avons réalisé que le poste était attaqué par des Iroquois. Hommes, femmes et enfants, tous se défendaient courageusement. Nous n'avons pas hésité à leur porter secours. Mais les Iroquois étaient trop nombreux. J'ai vu tomber Jacques Godefroy. Puis Grégoire est tombé à son tour. Tous sont morts. Et moi, je me suis fait prendre par les Indiens.

En entendant ces mots, Charlotte sursauta.

– Vous étiez prisonnier des Iroquois?

Mathieu hocha la tête de nouveau.

Charlotte maîtrisait mal son émotion. Elle avait devant elle un ancien captif de ces mêmes indigènes qui s'étaient emparés de son mari. D'une voix étranglée, elle demanda :

– Comment vous en êtes-vous tiré?

Mathieu Jolicœur s'appuya au dossier de sa chaise, puis il entama un récit fantastique.

– Si je suis libre, cela tient du miracle.

Il expliqua de quelle manière les Iroquois l'avaient capturé et les supplices qu'ils lui avaient fait subir. Dans la journée, il accompagnait les Indiens à la chasse, où il leur servait de bête de somme. Chaque nuit, ils l'immobilisaient en introduisant ses mains et ses pieds dans les fentes d'une large pièce de bois qui comprimait ses membres. Par mesure de sécurité, un homme se couchait sur ses pieds, ce qui augmentait encore la souffrance.

Il savait que s'il devait s'évader il devait le faire avant d'arriver dans leur village. L'occasion s'était présentée un soir de festivités. Les ayant vus manger de l'ours et de la sagamité[1] en abondance et boire de l'alcool en grande quantité, il avait compris que leur sommeil serait plus lourd que d'habitude.

Pendant la nuit, ayant réussi à se défaire de l'homme qui dormait sur ses pieds, il avait pu retirer son carcan de bois. Lorsqu'il était sorti du wigwam, il s'était mis à courir. Rien

1. Sagamité : soupe ou galette à base de farine de maïs.

ne pouvait l'arrêter, ni la neige fondante, ni les cours d'eau glacés. Pour son malheur, à deux reprises il s'était retrouvé à son point de départ. L'aube allait se lever, et les indigènes n'allaient pas tarder à constater son absence. En désespoir de cause, il avait grimpé à un arbre, non pas tant pour s'y dissimuler que pour repousser le moment où il allait retomber entre leurs mains. De cette hauteur, il vit ses ennemis aller et venir à sa recherche. Les traces qu'il avait laissées dans la neige s'entrecroisaient si bien qu'ils n'arrivaient pas à déterminer dans quelle direction il était allé. Puis, abandonnant la partie, ils avaient enroulé leur wigwam et avaient quitté les lieux. Descendant de son arbre, Mathieu avait pris la direction opposée.

Après deux jours de marche, il avait été repris par des Iroquois appartenant à une autre tribu. Cette fois, il n'avait pas eu grand mal à leur fausser compagnie. Mais peu après, il s'était heurté à ses premiers geôliers qui s'étaient emparés de lui en poussant des cris de joie. Ils l'avaient ligoté si serré qu'il en avait perdu connaissance.

C'est à une ruse qu'il avait dû sa troisième évasion. Feignant par moments la démence, il leur avait expliqué qu'il fallait desserrer ses liens afin de laisser s'échapper les mauvais esprits. Les autochtones s'étaient laissés convaincre, ce qui lui avait permis de fuir de nouveau.

– Sainte mère de Dieu, s'exclama Noémie qui avait changé d'attitude du tout au tout.

– J'étais alors près de Beauport, dit-il en conclusion, et j'ai pu arriver jusqu'ici[1].

Lorsque Mathieu Jolicœur se tut, Charlotte demeura sans voix. Elle tremblait en songeant que, à l'heure actuelle, Joseph pouvait subir les mêmes supplices qu'elle venait d'entendre

1. Récit inspiré d'un fait réel tiré des *Relations des Jésuites 1656-1665*, vol. 5, année 1661.

énumérer, et peut-être pire encore. Il lui fallut quelques instants avant de s'exprimer.

– Mon mari est captif des Iroquois depuis près d'un an, émit-elle d'une voix blanche.

Pris de court, Mathieu écarquilla les yeux.

– Pardonnez-moi, je l'ignorais. Mais qu'est-ce qui vous permet de supposer qu'il est entre leurs mains et qu'il est toujours vivant?

En quelques mots, elle expliqua à son visiteur la situation actuelle concernant les rôles conjugués du chef Garakontié et du père Le Moyne.

Le coureur des bois demeura sceptique.

– C'est trop beau pour y croire! Une chose me paraît évidente, la majorité des Cinq-Nations ne se laissera pas convaincre par un missionnaire et pas davantage par votre Garakontié.

Charlotte blêmit.

– Vous ne croyez pas à son retour?

Le jeune homme fit une grimace exprimant le doute.

– Je vous dois la vérité. Cette histoire me semble extravagante. Pourtant, si ces Iroquois désirent réellement récupérer leurs hommes qui sont prisonniers chez nous… après tout, pourquoi pas? Mais je ne crois pas qu'une paix soit possible avec eux.

Après son départ, Charlotte marcha de long en large dans sa cuisine, aux prises avec des sentiments contradictoires. À la peur qui la tenaillait s'opposait un désir intense de croire au retour de son mari.

– Franchement, il aurait pu dire quelque chose de plus encourageant, observa Noémie.

– Il a dit ce qu'il pensait être la vérité, répondit Charlotte.

– Je le reconnais, admit la jeune femme. Mais ce qui me tourmente, c'est que le père le Moyne n'est pas encore revenu d'Onontangué. On ignore tout de lui, comme des prisonniers français.

– C'est trop tôt, s'exclama la cuisinière. L'an dernier, c'est à l'automne qu'il est revenu. Je vais vous dire, moi... Si Mathieu Jolicœur a pu s'évader trois fois, pourquoi pas Joseph?

Charlotte lui offrit un sourire reconnaissant.

Tu es merveilleuse Noémie. J'ai eu tort de douter. Tu as raison, d'une façon ou d'une autre, il reviendra.

9

En apprenant la disparition de Grégoire, Guillemette s'effondra. Elle s'enferma dans son fief et s'abandonna à sa douleur. Hélène Morin, malgré sa compassion pour sa belle-sœur, choisit de respecter ce chagrin. Seuls Charles-Henri et Catherine, qui habitaient encore le Sault-au-Matelot, furent témoins de l'accablement de leur mère.

À Québec, on s'émut de ce troisième deuil qui frappait la famille Couillard. Mais bien plus encore, on s'inquiéta en constatant l'accroissement des raids iroquois dans la région, tout comme à Ville-Marie et aux Trois-Rivières. Chacun se terra, multipliant les précautions. Madame d'Ailleboust, veuve d'un précédent gouverneur, quitta la seigneurie de Coulonges, tant les incursions amérindiennes y étaient fréquentes, et s'installa à l'intérieur de la ville.

On attendait avec impatience le retour de Pierre Boucher accompagné de soldats, tel que l'avaient annoncé les premiers capitaines qui avaient mouillé devant Québec. Sans attendre son retour, Louis de Mazé, secrétaire du gouverneur, avait pris la mer afin d'aller réaffirmer en haut lieu le besoin de soutien militaire contre les Iroquois.

Malgré ces conditions alarmantes, Charlotte continua son travail de sage-femme et de soignante, ne reculant jamais devant l'isolement de certains malades. Le fusil en bandoulière, elle se rendait parfois jusqu'au fond de Sillery.

Sur le chemin du retour, elle ne manquait jamais de s'arrêter chez Agnès qui, aussi ronde qu'un ourson au début de l'hiver, préparait la prochaine naissance. Charlotte aimait ses visites auprès de sa belle-sœur, qui avait le talent de la divertir. Celle-ci lui narrait de menus potins avec un luxe de détails et de mimiques remplies d'humour. Elle savait souligner le côté ridicule de chaque événement qu'elle caricaturait.

Elle imitait la démarche du cul-de-jatte de la ville, qu'elle avait baptisé « Patte de Pin », ou encore la conversation de la mère Blanchon, que le scorbut avait prématurément édentée. N'hésitant pas à rire d'elle-même à l'occasion, elle ne voyait aucun mal à ces parodies. Elle riait, ses yeux pétillant de malice.

Ces visites faisaient du bien à Charlotte qui retournait chez elle ragaillardie.

La saison avançait comme un fruit mûr, égrenant ses corvées de confitures, de récoltes du foin, et même du blé.

Le blé… ce même blé que Joseph devait moissonner un an plus tôt…

Quelques jours après ces derniers travaux, Charlotte se préparait à se rendre à l'Hôtel-Dieu. Tout en buvant son bol de lait, elle gagna la porte de la cuisine et s'appuya contre le chambranle. La journée s'annonçait chaude. Pas un souffle n'agitait l'air malgré l'heure matinale. Ses yeux se portèrent sur le champ dont le chaume continuait à roussir sous le soleil. Cédant à un moment de faiblesse, elle se laissa gagner par la mélancolie.

« Plus d'un an depuis qu'il est parti », songea-t-elle.

Un léger bruit la tira de ses réflexions. Regardant tout autour, elle ne vit rien. Cependant, il lui sembla percevoir une plainte. Quelqu'un pleurait tout près d'elle.

Charlotte déposa son bol vide et se dirigea vers l'endroit d'où venait ce murmure. Elle contourna l'angle de sa maison.

Et là, dans son jardin, assise à même le sol, elle trouva une jeune Indienne. Sous la protection d'une couverture, elle tenait dans ses bras un jeune enfant qu'elle berçait en gémissant doucement.

Charlotte s'approcha d'elle sans que l'Indienne ne semble remarquer sa présence. Elle l'examina de près et crut reconnaître ce visage aux pommettes saillantes et au large front.

Peu après son mariage, Charlotte avait eu l'occasion de rencontrer un jeune Huron que Joseph considérait comme un ami. Il était venu accompagné de son épouse qui lui semblait bien être celle qu'elle voyait en ce moment.

– N'es-tu pas la femme d'Étienne Otsinonannhont? demanda-t-elle.

L'Indienne n'eut aucune réaction. Charlotte la toucha au bras afin d'attirer son attention.

– Tikanoa, c'est bien toi, n'est-ce pas?

L'interpellée leva sur elle ses yeux noirs chargés de détresse.

– Dis-moi, que fais-tu ici? insista Charlotte. Où est Étienne?

Voyant qu'elle n'arrivait à aucun résultat, elle retourna à la cuisine où elle puisa du lait dans une grande jatte et en versa généreusement dans un bol. Revenant alors auprès de l'Indienne, elle le lui offrit.

– Bois. Il faut boire. Songe à ton enfant, il a besoin de toi.

Tikanoa leva des yeux reconnaissants. Elle saisit le bol et prit d'abord soin de nourrir son enfant, après quoi elle but elle-même jusqu'à la dernière goutte.

À son tour, Charlotte s'assit à même le sol à côté de la jeune Huronne.

– Que se passe-t-il? dit-elle avec douceur. Je vous croyais partis dans ta famille près des Trois-Rivières.

Tikanoa hocha la tête, et se décida à parler.

– Nous sommes partis là où vivaient ma mère et mes sœurs. Les miens avaient construit leur maison très loin, là où les Iroquois ne vont pas. Nous dormions tous dans la grande maison. C'était bien. Les hommes chassaient les animaux. Ma mère, mes sœurs et moi, nous faisions pousser les plantes qui nourrissent. Ottahowara est venu, continua-t-elle en montrant l'enfant qu'elle tenait encore dans ses bras. Étienne était heureux de voir son fils.

Elle s'arrêta, cajolant l'enfant qui semblait avoir près de deux ans.

– Et ensuite? encouragea Charlotte.

L'Indienne eut un mouvement de lèvres indiquant l'effort que lui demandait ce récit.

– Je grattais la terre autour des plantes qui nourrissent. Ottahowara était avec moi. Quand je suis revenue près de la grande maison, j'ai vu les Iroquois.

Elle se tut à nouveau, cherchant à contenir son émotion. Puis elle reprit d'une voix tremblante :

– Je me suis cachée avec mon fils au bord de la rivière, dans les herbes qui poussent très haut. J'ai tout vu. Les Iroquois étaient partout. Ils ont tué ma mère. Les hommes de ma tribu se battaient, mais ils n'étaient pas assez nombreux. Étienne est tombé. Il avait une flèche dans le cœur. Les Iroquois ont tué tout le monde. Ensuite ils ont mis le feu à la grande maison et à tout ce qui était là. Puis ils sont partis en passant près de moi. Mais ils ne m'ont pas vue. Il ne restait plus personne… plus rien.

Elle se tut tandis qu'une larme roulait sur sa joue.

Émue par ce récit, Charlotte l'entoura de son bras.

– Et tu es revenue ici, dit-elle.

– Je voulais retrouver la famille de mon père, dit Tikanoa. J'ai marché dans la forêt pendant beaucoup de jours. Je n'ai trouvé personne. Les Hurons ne sont plus où ils étaient quand je suis partie. Je ne sais pas où ils sont. Je n'ai pas reçu l'eau qui purifie, alors je ne peux pas vivre dans les maisons des Robes noires. Je ne sais pas où aller.

– Tu peux rester ici, fit Charlotte spontanément. Ma maison est assez grande, tu peux habiter avec moi si tu le désires.

L'Indienne fit non de la tête.

– Je ne peux pas dormir dans une maison qui ne respire pas.

Il fallut un moment avant que Charlotte comprenne le sens de ces paroles.

– Tu veux dire que tu voudrais dormir dans un wigwam?

Tikanoa répondit par un signe de la tête.

– Dans ce cas, il suffit de t'en construire un. Viens avec moi, nous allons choisir l'emplacement qui te plaira.

Charlotte la guida sur ses terres et bientôt Tikanoa s'arrêta à l'orée du bois, près de La Chevrotière, à un endroit qui dominait la partie du terrain descendant vers la rivière Saint-Charles.

– Ici, fit-elle. C'est un bon endroit.

– N'est-ce pas un peu loin de la maison et de la ferme? s'étonna Charlotte.

L'Indienne hocha la tête.

– Non, près des arbres et de l'eau qui marche, c'est bien.

– Comme tu voudras. Veux-tu que les hommes de la ferme t'aident à construire ta maison?

Tikanoa eut un geste d'impuissance.

– Je pourrais le faire, mais je n'ai pas de couteau.

– Dans ce cas, laisse-toi aider.

La jeune Huronne fixa ses yeux sombres sur sa protectrice et esquissa un sourire.

– Ton cœur est bon, dit-elle. Tu donnes comme une mère.

Lorsque Béranger et Antoine vinrent lui prêter main-forte, Tikanoa avait déjà choisi et regroupé les pièces de bois qui allaient être nécessaires. Sous sa directive, les hommes fichèrent en terre de hautes perches formant un vaste cercle, puis lièrent ensemble l'autre extrémité de ces branches, au sommet de ce qui devenait un cône. Tikanoa coupa des morceaux d'écorce de cèdre, qu'elle noua sur les perches. À la cime, une ouverture était prévue pour laisser passer la fumée. À hauteur d'homme, une tige formait une arcade sur ce qui était appelé à devenir l'entrée, et qui serait fermée par une peau de bête.

À l'intérieur, le coin réservé pour le feu fut marqué par des pierres disposées en rond. Puis l'Indienne rassembla des branches de sapin pour former les couchages, et Charlotte lui offrit une fourrure qu'elle accepta avec reconnaissance.

Charlotte allait regagner sa maison, quand Tikanoa demanda pourquoi elle ne voyait pas «son frère». Comprenant qu'elle voulait parler de Joseph, Charlotte lui expliqua la situation en quelques mots. L'Indienne hocha tristement la tête.

– Il faut que la femme de mon frère sache, dit-elle, que les Iroquois ont sorti la hache de guerre. Ils sont excités par l'eau-de-feu que leur donnent les hommes blancs. Ils vont partout et détruisent tout. Il faut que ma sœur prépare son cœur. Si les Iroquois ont pris mon frère, il ne reverra plus jamais sa femme.

– Non, répondit vivement Charlotte. Il ne faut pas parler ainsi. Joseph peut revenir, je veux le croire.

Tikanoa la considéra avec étonnement, cherchant à comprendre le raisonnement de cette femme blanche qui niait ce qui lui semblait évident, mais elle ne dit plus un mot.

* * *

Charlotte avait agi spontanément, sous l'influence de l'émotion, mais plus d'une personne dans son entourage s'étonna d'une telle largesse.

Noémie s'indigna.

– Mon doux Jésus! s'exclama-t-elle. C'est pas que vous allez loger ici une de ces créatures-là!

– Allons, Noémie, lui répondit Charlotte, elle ne nous fera aucun mal. Entends-moi bien : cette Indienne est une femme comme nous. Elle est en difficulté et je désire lui venir en aide. Tu sais comme moi que Joseph en aurait fait autant.

La vieille cuisinière bougonna son désaccord avant d'articuler clairement :

– En tout cas, elle n'entrera pas dans cette maison, c'est moi qui vous le dis.

Charlotte eut beau la raisonner, elle ne changea pas d'avis.

À la première occasion, Anne Bourdon fit également part de son étonnement.

– Ta générosité m'ébahie, ma fille. Méfie-toi cependant. Tu sais que les indigènes n'ont aucun sens de la propriété, et qu'elle risque de considérer comme sien tout ce qui t'appartient.

Charlotte éclata de rire.

– Il n'y a aucun danger! Noémie la surveille comme une sentinelle, et brandit une louche en cuivre chaque fois qu'elle fait mine de s'approcher de la maison. Je reconnais qu'elle nous a pris quelques raves dans le jardin, mais si peu. Elle préfère cueillir des racines et des baies sauvages. Elle est très débrouillarde et arrive parfaitement à se nourrir par ses propres moyens.

Anne leva les sourcils, mais préféra ne pas s'étendre sur le sujet. Elle se remettait mal de ce qu'elle qualifiait de « l'affront du gouverneur qui avait eu l'audace de congédier son mari de façon si cavalière ».

– Je devrais m'occuper des filles à marier qui viennent d'arriver, fit-elle en soupirant. Mais je n'ai pas le cœur à l'ouvrage. Heureusement que monseigneur vient de s'embarquer pour la France. Il faut espérer qu'il aura gain de cause, et qu'il saura nous débarrasser de monsieur d'Avaugour et de cet enquêteur qui nous fait tant de mal.

10

LE RETOUR de Pierre Boucher se fit encore attendre pendant quelques semaines. L'été tirait à sa fin quand on entendit crier depuis la grève :

– Les voilà! Ils arrivent!

Ces exclamations provoquèrent une grande agitation. Les gens se ruèrent vers la ville basse, s'agglutinant sur le quai. Ceux qui avaient espéré un spectacle grandiose furent déçus puisque c'est en chaloupe que le gouverneur des Trois-Rivières termina son long voyage. Il se tenait debout à l'avant de l'une des quatre embarcations qui avaient péniblement remonté le fleuve depuis Tadoussac.

Dès qu'il eut accosté, il sauta lestement sur le quai et salua le gouverneur d'Avaugour venu l'accueillir.

Parmi les curieux se pressant au bord de l'eau, Charles Aubert de La Chesnaye se trouvait suffisamment près des deux gouverneurs pour entendre leur conversation.

Après les premiers échanges de politesses, Pierre Boucher entreprit de décrire son entrevue avec le roi.

– Je lui ai fait un compte rendu aussi fidèle que possible sur l'état du pays. Sa Majesté m'a écouté avec bonté, et m'a promis d'envoyer un régiment dès l'année prochaine. En attendant, le roi m'a accordé deux vaisseaux pour passer gratis cent soldats et cent hommes de travail. Je regrette cependant que les conditions de ce voyage furent si déplorables que nous avons perdu quarante de ces hommes, et plusieurs autres sont en fort mauvais état. La traversée a duré quatre mois, et nous avions des vivres à peine suffisants pour deux. Quand nous sommes arrivés à Tadoussac, le capitaine a refusé de venir jusqu'à Québec, malgré l'ordre qu'il en avait reçu. Nous avons pu emprunter ces quelques chaloupes, mais il faudra veiller au transport de tous ceux qui sont restés à Tadoussac.

Puis, tout en discutant, les deux hommes s'éloignèrent en direction de la ville haute. Charles Aubert les suivit du regard en songeant que la colonie n'était pas encore tirée d'affaire. Cette promesse d'un régiment pour l'année suivante lui donnait l'impression d'une parole lancée sans conviction, dans le seul but de calmer les attentes. De la poudre jetée aux yeux, qui tendait à mettre en évidence la magnificence royale.

Il porta son regard sur les quelques soldats qui avaient accompagné Pierre Boucher pendant la remontée du Saint-Laurent. Les habits fripés, la mine maladive, ils restaient au bord de l'eau, hébétés après les épreuves du voyage. Une personne à ses côtés s'exclama :

– C'est ça qu'ils nous envoient pour combattre les Iroquois! Ma foi, ils doivent croire que les Indiens sont des merles qui craignent les épouvantails!

Cette remarque s'accordait assez bien avec la pensée du jeune homme qui trouvait à ces militaires fort peu de signes encourageants pour l'avenir.

Tout à ses pensées, il n'eut pas conscience de la présence de Catherine Couillard qui, légèrement à l'écart, l'observait. Elle s'approcha de lui et, glissant une main dans la sienne, lui dit :

– Il y a bien longtemps que nous ne t'avons vu.

Charles se retourna et demeura muet d'étonnement. La transformation qu'il constatait chez la benjamine des

Couillard dépassait tout ce qu'il aurait pu supposer. La taille fine et la poitrine déjà bien dessinée indiquaient clairement que la fillette qu'il avait connue deux ans plus tôt s'était muée en une ravissante jeune fille. Les cheveux bruns qui s'échappaient sous la coiffe encadraient un visage très fin, animé par les yeux d'un bleu profond aux reflets mauves.

– Comme te voilà changée, Trinette! lui dit-il. Quelle jolie jeune fille tu es devenue. Tu plairas assurément à plus d'un garçon.

Catherine lui sourit gentiment.

– Il n'y en a qu'un auquel je désire plaire.

Charles la considéra d'un air amusé.

– Tu as déjà arrêté ton choix? Et qui est donc l'heureux élu?

La jeune fille éclata d'un rire frais.

– Ça, c'est mon secret!

– Alors, ne dis rien, mais je suis sûr que ce sera un homme heureux.

– Charles, dit Catherine soudain sérieuse, je t'en prie, viens rendre visite à ma mère. Elle est si malheureuse depuis la mort de Grégoire. Ta présence lui ferait le plus grand bien.

Le jeune homme serra la main qui se trouvait encore dans la sienne.

– Tu as raison, Trinette, j'aurais dû le faire plus tôt. Je n'y manquerai pas.

– Oh! merci, s'exclama la jeune fille en exhibant un sourire ravissant. Je savais que je pouvais compter sur toi!

Se jetant à son cou, elle l'embrassa avec effusion. Cette attitude juvénile laissait deviner l'âme d'une enfant dans ce corps de femme, ce qui troubla le jeune homme. Mais il n'eut pas le temps de s'attarder sur ses sentiments. Déjà, Catherine s'éloignait d'un pas léger, et se mêlait à la foule. Charles la suivit des yeux, gagné par une émotion qui l'étonna.

Il attendit quelques jours avant de se rendre au Sault-au-Matelot. Catherine l'accueillit joyeusement, ce qui lui fit un plaisir qu'il n'osa pas s'avouer, et il se laissa guider au salon où Guillemette l'attendait. Amaigrie, la mine terreuse, elle lui fit pitié.

– Je te remercie de venir consoler une vieille femme, lui dit-elle.

Charles prononça quelques paroles de circonstance, puis il la complimenta sur les charmes de sa fille.

– C'est vrai qu'elle est plutôt jolie, reconnut Guillemette. Il serait temps que je trouve un époux à cette sauterelle!

La jeune fille ainsi désignée se mordit les lèvres pour ne pas rire.

– Mais je ne suis nullement pressée de me marier, protesta-t-elle.

– Catherine, rétorqua vivement sa mère, je n'ai point demandé ton avis. Tu as l'âge d'avoir des enfants. Je ne tolérerai aucun caprice de ta part. Il suffit de Grégoire et de Nicolas qui n'ont voulu en faire qu'à leur tête. Et vois où cela les a conduits.

Catherine baissa la tête tandis que sa mère conservait une expression courroucée. Puis celle-ci changea brusquement d'attitude, sa lèvre trembla et ses yeux se remplirent de larmes.

– Ah! Charles, fit-elle d'une voix altérée. Quand on a tout fait… tout donné pour le bonheur de ses enfants… La vie semble parfois très injuste.

Elle prit le temps d'essuyer ses yeux avant d'ajouter :

– J'avais tant misé sur Grégoire. Tu comprends? Louis est accaparé par ses propres affaires, il n'a pas la possibilité de se consacrer en plus à celles de cette famille. À vrai dire, je reconnais qu'il est un peu brouillon. Tandis que Grégoire… J'avais espéré… Même lors de son départ je croyais qu'il reviendrait et qu'il choisirait de rester parmi nous.

Elle écrasa un mouchoir sur ses lèvres sans arriver à maîtriser son chagrin. Charles s'approcha d'elle, rempli de compassion.

– La vie ne vous a pas ménagée, dit-il. Si je peux vous être utile en quoi que ce soit, ce sera de grand cœur.

Guillemette lui exprima sa reconnaissance. Elle se calma et se permit même quelques confidences. Charles l'écouta attentivement, alternant conseils et paroles de consolation.

– Ta visite m'a réconfortée, dit-elle en conclusion. Je n'ai plus que mon fils Charles-Henri et Catherine auprès de moi, et la présence de mon époux me manque cruellement. Je te remercie de m'avoir écoutée.

La visite étant terminée, Catherine accompagna le jeune homme jusqu'à l'entrée du domaine. Se trouvant seul avec elle, il commenta les projets de mariage la concernant.

– Puisque tu as un amoureux, lui dit-il, il serait bon que ta mère le sache avant qu'elle te choisisse un mari qui ne te plaît pas.

La jeune fille posa sur lui un regard dans lequel jouaient des ombres mauves.

– Encore faudrait-il que celui que j'aime le sache.

– Comment? Parce qu'il l'ignore? Mais pourquoi ne pas le lui dire?

Catherine eut un rire amusé qui s'égrena dans l'air frais.

– Il en serait sûrement très étonné.

Elle éclata de rire, et se mit à courir, aussi légère qu'une biche, pour s'arrêter les bras écartés, la tête basculée en arrière, dans un état euphorique.

– Ah! Charles, c'est si bon quand tu es là!

Puis, changeant d'attitude, elle ajouta :

– Cette maison est devenue horriblement triste. Mais avec toi, j'ai l'impression d'un chaud soleil par une journée de printemps.

– Ce qui est bien loin d'être le cas, fit le jeune homme en regardant la grisaille qui les entourait.

– Pourquoi s'arrêter au temps qu'il fait? dit Catherine. L'important n'est-il pas ce qu'on sent au fond de soi? N'enlève pas le soleil que j'ai trouvé dans mon cœur, il me donne tant de joie.

Attendri, Charles lui sourit.

– Il me plaît de te voir heureuse.

– Alors reviens nous voir souvent.

– Je te le promets.

Le jeune homme posa un baiser sur le front lisse et s'éloigna, étrangement troublé par cette jeune fille à peine sortie de l'enfance.

* * *

Les habitants de Québec commentèrent longtemps l'arrivée pitoyable de Pierre Boucher, et l'aspect misérable des quelques soldats qu'on leur avait envoyés. Leur nombre était très nettement insuffisant pour inquiéter les Iroquois qui continuaient leurs incursions. On s'interrogea également sur le rôle de Garakontié et sur la mission du père Le Moyne qui tardait à se manifester. On en vint à se demander si le chef iroquois n'avait pas échoué dans son entreprise.

Charlotte cachait difficilement un état de fébrilité. Mais les malades l'accaparaient et les enfants continuaient de naître. Dans son entourage, ce fut d'abord Jeannette qui lui annonça qu'elle allait avoir un enfant. Puis Agnès Gaudry mit au monde une petite Marie-Françoise.

Dès le lendemain de cette naissance, la famille Morin se regroupa à Sillery pour célébrer le baptême.

Au cours du goûter offert par les parents, Noël Morin leva son verre à la santé de sa nouvelle petite-fille. Puis il ajouta :

– Je désire profiter de cette réunion de famille pour célébrer un autre événement. Je dois vous apprendre que le roi vient de m'honorer d'un titre de noblesse, en reconnaissance des nombreux enfants que nous avons eus, votre mère et moi. Je porte désormais l'appellation « de Saint-Luc », du nom de la seigneurie qu'on m'a offerte.

Cette nouvelle fit sensation. Chacun s'empressa de l'entourer et de le féliciter. Nicolas proposa un nouveau toast en son honneur, et Françoise demanda où se trouvait cette seigneurie.

– Elle est sur la rive sud du Saint-Laurent, près de Montmagny. Mais rassurez-vous, je n'ai nulle envie de m'y installer pour l'instant. J'apprécie notre nouvelle maison du coteau Sainte-Geneviève, et nous ne désirons pas nous éloigner de notre nombreuse progéniture qui nous vaut cette distinction.

On salua cette déclaration par des « oh ! » et des « ah ! » approbateurs, et l'on célébra l'événement avec enthousiasme. La fête battait son plein, quand Hélène glissa à Charlotte :

– Je suis heureuse de ces circonstances qui permettent à Marie d'assister à une dernière réunion de famille.

Saisie, Charlotte s'exclama :

– C'est donc décidé? Elle va rejoindre mademoiselle Mance?

Hélène Morin hocha la tête.

– Avant son départ, monseigneur de Laval lui a remis une autorisation particulière. Elle s'embarquera pour Ville-Marie dans quelques jours.

Elle soupira, puis ajouta :

– J'admire son apostolat et j'en comprends les raisons. Mais, j'aurais préféré la conserver auprès de nous à Québec.

Les yeux de Charlotte se portèrent sur l'adolescente. Entourée de ses jeunes neveux et nièces, elle riait tout en les divertissant. La perspective de la séparation imminente attrista Charlotte. Sa jeune belle-sœur avait su se tailler une place importante dans son cœur et cette séparation n'allait pas manquer de l'affecter. Dès lors, elle s'appliqua à lui consacrer cette fin de journée.

La nuit tombait déjà tôt en cette saison et c'est dans l'obscurité que Charlotte rejoignit son domicile en compagnie de Françoise et de Guillaume Fournier, qui veillèrent à sa sécurité jusqu'à l'entrée de ses terres.

Elle allait atteindre la porte de la cuisine lorsqu'elle fut alertée par une lueur étrange. La nuit semblait s'être embrasée. Le potager ainsi que les terres avoisinantes se trouvèrent éclairés comme en plein jour. Levant la tête, elle constata un phénomène extraordinaire. Émerveillée par ce qu'elle voyait, elle appela Noémie, et les deux femmes furent témoins d'un spectacle hallucinant.

Des dragons embrasés traversaient le firmament grâce à des ailes de feu. À chaque ondulation de leur corps, les carapaces s'allumaient de couleurs éclatantes allant du vert à l'indigo.

Tandis que ces animaux fabuleux animaient la nuit, un globe de flammes traversa lentement la voûte céleste tout en dégageant un vrombissement, qui à son point culminant, atteignit la force d'un coup de canon.

Pétrifiées, les deux femmes observèrent cette manifestation hors du commun sans arriver à prononcer une parole. Progressivement, le bruit s'estompa, le disque lumineux disparut, et tout rentra dans l'ordre.

– Mon doux Sauveur! s'exclama la cuisinière. Si c'est Dieu possible une chose pareille! Ça, c'est un signe du ciel. Pour sûr qu'il y aura un bien grand malheur d'ici peu.

De telles anomalies célestes devaient se reproduire à plusieurs reprises tout au long de l'automne. Les jésuites eux-mêmes ne trouvèrent pas d'explication à cet étrange accident de la nature. Pourtant, les missionnaires étaient bien renseignés sur tout ce qui touchait aux sciences de la nature. À l'étonnement général succéda une forme d'admiration. On en vint bientôt à attendre, chaque nuit, le renouvellement de ce spectacle grandiose.

Quelques jours après le baptême de la petite Marie-Françoise, la famille se réunit de nouveau, mais cette fois sur la grève du Saint-Laurent, et dans le but d'assister au départ de Marie Morin vers Ville-Marie.

La jeune fille ne cachait pas sa joie de pouvoir se lancer dans la vie qu'elle s'était choisie. L'heure était grave pourtant, tous étant conscients que plus jamais ils ne la reverraient. Elle embrassa chaque membre de sa famille avec une tendresse chaleureuse.

– Tu me manqueras, lui dit Charlotte.

– Jamais je n'oublierai ta bonté à mon égard, répondit Marie. Je t'écrirai, je te le promets.

Elle embarqua dans une chaloupe qui s'éloigna aussitôt de la rive. La future novice salua longuement de la main. Mais bientôt, elle disparut dans la brume matinale qui flottait à la surface de l'eau froide.

Hélène Morin laissa tomber une main désolée. Noël l'entoura de son bras et, l'entraînant à l'écart, il l'enlaça. Tous deux s'abandonnèrent à leur peine, cherchant un réconfort dans la présence de l'autre.

Charlotte, elle-même très émue, s'éloignait la gorge nouée, quand son beau-frère, Germain Morin, la rejoignit en quelques enjambées et la retint.

– Es-tu au courant de la dernière nouvelle? lui demanda le jeune diacre.

Charlotte n'avait pas le cœur à écouter des potins, aussi ne lui prêta-t-elle qu'une oreille distraite. Malgré sa réticence, il voulut lui annoncer ce qu'il avait appris grâce à son travail à l'évêché.

– Le père Le Moyne est arrivé à Ville-Marie accompagné de vingt Onontagués.

À ces paroles, elle s'arrêta aussitôt, captivée.

– Il a ramené avec lui les dix-huit derniers captifs de la colonie, acheva-t-il.

Le cœur battant, Charlotte le sonda du regard, incapable de prononcer un mot. Comprenant le sens de ses paroles muettes, Germain ajouta :

– Nous ne connaissons pas encore l'identité de ces captifs. Il faut espérer. Joseph peut très bien être l'un d'entre eux.

– Puisses-tu dire vrai! Oh! Germain!… Joseph libéré… Il va revenir, il est libre!

Elle courut jusqu'à ses beaux-parents qu'elle mit au courant. Après quoi, légère et fébrile, elle vola plus qu'elle ne marcha jusqu'à sa maison où elle allait préparer le retour de son mari.

11

DEBOUT sur la grève, Noël suivit Charlotte des yeux.

– J'espère qu'elle ne se trompe pas, dit-il à sa femme. S'il fallait qu'il ne revienne pas…

– Ne parle pas de malheur, l'interrompit Hélène. Elle a beaucoup enduré depuis un an, et je la sens au bout de sa résistance.

Mais Charlotte ne doutait plus. Chaque matin, elle se levait le cœur en fête, travaillait dans la bonne humeur et revenait chez elle d'un pas allègre.

Ce soir-là, en rentrant de l'hôpital, elle trouva le père Le Moyne dans le petit salon. Elle n'eut aucun mal à l'identifier, et elle l'accueillit chaleureusement.

– Il y a si longtemps que j'attends votre visite, mon père.

– Bien des personnes étaient remplies d'espoir, dit le missionnaire d'une voix grave.

Il était accompagné d'un jeune homme au teint cuivré qu'il présenta sous le nom de François Hertel. Il fallut quelques instants avant que Charlotte se rappelle qu'il avait été l'un des compagnons de Joseph, ce qui la remplit d'une joie fébrile. Toute à son bonheur, elle lança :

– Vous pouvez donc enfin me dire où se trouve Joseph?

Mais contrairement à ce qu'elle s'attendait, François Hertel baissa la tête et articula avec difficulté :

– Hélas…

Charlotte observa le jeune homme, cherchant à comprendre son attitude. D'abord perplexe, elle dut bien se rendre à l'évidence. L'accablement dont il faisait preuve ne pouvait pas être porteur d'une bonne nouvelle. Ses épaules s'affaissant, elle murmura :

– Il n'a donc pas été libéré?

François Hertel leva sur elle des yeux si misérables que son sang se glaça.

– J'aimerais vous dire qu'il est libre. Mais la nouvelle que j'ai à vous apprendre n'est pas heureuse.

– Soyez courageuse, ma fille, dit le père Le Moyne à son tour.

Incrédule, la jeune femme porta son regard de l'un à l'autre. L'expression de leurs yeux ne laissait pas de place au doute. Joseph était donc toujours captif.

– Que s'est-il passé au juste? demanda-t-elle. Dites-moi tout, je veux savoir jusqu'au moindre détail.

– Nous avons été pris par les Iroquois aux environs des Trois-Rivières, commença François Hertel. Nous avons bien tenté de nous défendre, mais nous n'étions pas assez nombreux, et Joseph a été blessé au bras ainsi qu'à l'épaule. Ils nous ont embarqués dans leurs canots et nous ont conduits à leur village.

Tendue, Charlotte ne manquait pas une parole. Elle désirait ardemment trouver dans ce récit un détail, si infime fût-il, qui lui permettrait de reprendre espoir.

François Hertel continua sa narration en décrivant les différents supplices qu'on leur avait fait subir.

– Pour ma part, ils m'ont coupé un doigt de la main droite et brûlé le pouce de l'autre. Quant à Joseph, à cause de ses blessures, il était l'objet de leurs railleries. Il faiblissait et nous ne pouvions que peu de chose pour lui. Il parlait fréquemment de vous, madame, et de l'amour qu'il vous portait. Puis, au bout de quelques semaines, j'ai eu la bonne fortune de me faire adopter.

– C'est la coutume chez ces peuplades, expliqua le père Le Moyne. Il faut savoir que les Iroquois sont actuellement en guerre contre les Andastes. Beaucoup des leurs sont tués ou capturés. Il arrive alors que les femmes choisissent un homme parmi leurs prisonniers afin de remplacer celui qui a disparu.

– Je travaillais comme un esclave, reprit François, mais je mangeais mieux et j'avais un abri, si bien que mon sort était enviable comparé à celui des autres. Malheureusement, Joseph n'a pas eu cette chance, bien au contraire. Un soir, il y a de ça un an, au moment où les gelées commencent à tenir, les ivrognes du village ont bu de l'eau-de-vie d'une façon excessive. Dans leur ivresse, ils s'en sont pris à Joseph… et l'ont abattu à coups de couteau.

– Non! hurla Charlotte, dans un cri qui n'avait plus rien d'humain.

Jusqu'à cette dernière phrase, elle avait cru qu'il était toujours captif, et ces mots la terrassaient. Sous l'emprise de la douleur, elle se cassa en deux.

– Sachez, reprit François Hertel, qu'il s'est montré courageux jusqu'à la fin.

– Il est mort en chrétien, ajouta le missionnaire.

– Sa dernière parole fut à votre adresse, dit le jeune homme.

– Priez, madame, recommanda le jésuite d'une voix remplie de compassion. Priez, pour le repos de votre époux et aussi afin que Dieu vous aide à surmonter cette épreuve.

Charlotte les entendit de façon diffuse. Les paroles résonnaient péniblement à ses oreilles. Ces phrases destinées à la réconforter ne faisaient qu'ajouter à sa détresse. Lentement, elle se redressa.

– Je vous en prie, murmura-t-elle d'une voix si basse que ses visiteurs eurent du mal à la saisir, laissez-moi seule.

Le jésuite et le jeune homme échangèrent un regard consterné, après quoi ils se levèrent silencieusement et quittèrent les lieux.

Charlotte demeura immobile, les yeux rivés sur un point inexistant, son visage figé dans une expression d'horreur. Sa respiration était si faible qu'on aurait pu la croire inerte, et ses mains restaient crispées sur les accoudoirs de sa chaise à bras. Ses sens l'ayant quittée, elle ne percevait ni chaleur ni froid. Seule une douleur intense l'habitait.

Elle demeura dans cette position un long moment tandis que l'obscurité envahissait la pièce.

Lorsque Noémie la trouva, Charlotte lui tendit les bras. Nulle parole n'était nécessaire. La vieille femme l'enlaça comme un enfant qu'on veut consoler et unit ses larmes à celles de sa maîtresse.

Charlotte s'enferma dans sa chambre et y demeura jour après jour sans parler à quiconque. Le plus souvent elle restait prostrée, insensible à ce qui l'entourait. Puis brusquement elle revoyait Joseph dans ses pensées. La douleur de l'avoir perdu la faisait souffrir jusqu'à sentir un mal physique. Par moments, elle refusait de croire à ce qu'on lui avait dit, pour ensuite s'effondrer de nouveau.

Hélène Morin, sévèrement éprouvée elle-même, s'inquiétait néanmoins de l'état de sa belle-fille, et se rendit chez elle.

En ouvrant la porte sur son ancienne maîtresse, Noémie lui saisit les mains avec effusion.

– Madame Morin! Je suis bien contente que vous soyez venue. Elle est dans un état épouvantable. Il y a des fois qu'elle me fait peur. Il faut la sortir de là.

La mère de Joseph adressa quelques paroles réconfortantes à la cuisinière, puis gagna la chambre de sa bru. Elle frappa légèrement et poussa la porte sans attendre de réponse. Charlotte était assise devant la fenêtre, dont les volets mi-clos filtraient un mince rayon de lumière. Dans la pénombre, Hélène avança jusqu'à elle et frôla sa main. Elle aurait voulu la soulager en lui disant les paroles qu'elle avait préparées avant de venir, mais son propre chagrin se posait en obstacle. En la voyant, Charlotte ne put retenir ses larmes. Prise de pitié, Hélène l'entoura de ses bras, la serrant contre elle.

– J'aimerais avoir le pouvoir de te retirer ce chagrin, dit-elle.

La jeune femme hocha tristement la tête.

– Il faudrait un miracle. Mais plus que tout, c'est à lui que je pense. Je suis obsédée par tant de questions. Qu'ont-ils fait de son corps? L'ont-ils jeté aux loups? Est-il mort sur le coup? Ou a-t-il eu une lente agonie? Et aussi, j'imagine sans cesse les supplices qu'il a dû subir.

– Nous ne l'apprenons que maintenant, fit Hélène, mais dis-toi bien que tout cela est du passé. N'oublie pas que ses souffrances sont terminées depuis longtemps.

– Ce qui n'enlève rien à ce qu'il a enduré.

Hélène dut faire un effort pour se dominer et taire son amour maternel. Elle le savait, les larmes en commun n'étaient pas de nature à secourir sa belle-fille.

– Charlotte, ne te laisse pas aller, dit-elle d'une voix qu'elle voulait rendre ferme. Je sais combien c'est pénible, pourtant, il faut réagir.

– Je ne peux pas, c'est trop me demander. Nous avons eu un an. Une seule année d'un si grand bonheur. Pourquoi?... Alors que nous étions si heureux!

– Je sais... Je connais cette douleur, puisque je l'ai vécue avant toi. Moi aussi, j'ai perdu celui que j'aimais. Je ne me suis ouverte à personne sur ce sujet jusqu'à maintenant. Mais aujourd'hui, je veux que toi, tu le saches. J'adorais Guillaume, le père de Joseph. Déjà tout enfant je l'aimais, et dès cette époque je n'envisageais pas la vie sans lui. Lorsqu'il est parti, emporté par la maladie, j'ai cru, comme toi, mourir de chagrin. Il était tout pour moi : ma joie, mon bonheur, ma raison de vivre.

Elle se tut un court instant, cherchant à maîtriser son émotion.

– Mais voilà, reprit-elle, j'avais trois enfants... Il fallait penser à l'avenir. Et il y avait les exigences de cette colonie. Je me suis remariée quatre mois seulement après son décès. Mais jamais je n'ai oublié Guillaume, à aucun moment.

Dans la pause qui suivit, Charlotte put lire dans les yeux de sa belle-mère un désarroi qu'elle cherchait à cacher.

– Noël n'ignore rien de mes sentiments, poursuivit Hélène. Il est bon, et compréhensif. Peu à peu, j'ai trouvé le bonheur avec lui. Oui, le bonheur. C'est possible, ma fille, ne l'oublie pas. Je te dis ces choses afin que tu saches que le courage est toujours récompensé. Au début, il semble hors de portée. Puis, avec le temps, la douleur s'estompe, et on en vient de nouveau à être heureux de vivre.

Charlotte fut vivement touchée par ces confidences. Après le départ d'Hélène, elle réfléchit à ce qu'elle venait d'entendre. Les paroles de sa belle-mère avaient su allumer quelques pâles lumières. Elle se sentait moins seule, même si le courage lui faisait encore défaut.

Un léger bruit la tira de ses réflexions. On marchait à côté d'elle. Se retournant, elle eut la surprise de voir Tikanoa qui la fixait de ses yeux noirs. D'une voix claire, celle-ci prononça :

– La mère de mon frère dit des paroles de sagesse. Quand Tikanoa était seule et perdue sur la grande plaine, sa sœur a guidé ses pas. Il faut maintenant que Tikanoa aide sa sœur.

Charlotte l'écouta, perplexe.

– Étienne et son frère se sont retrouvés, poursuivit-elle. Ils marchent la main dans la main sur l'île flottante aux grandes fleurs, là où le soleil ne brûle jamais. Ma sœur ne pleure pas leur bonheur. Elle pleure pour elle-même.

D'abord surprise par cet énoncé, Charlotte dut reconnaître qu'il y avait là une part de vérité.

– Vois ton fils, dit-elle encore, son cœur est triste. Il appelle sa mère, et sa mère ne vient pas à lui. Va vers ton fils. Le bonheur de ma sœur est avec lui.

Charlotte demeura muette. La force lui manquait et elle se demandait si une Indienne pourrait comprendre cette défaillance.

– Viens, insista Tikanoa. Le premier pas est difficile, comme l'enfant qui apprend à marcher. Après, les autres sont naturels.

Elle prit la main de la jeune femme et la tira doucement.

– Viens, répéta-t-elle.

Subjuguée, Charlotte se laissa guider jusqu'à la chambre où le petit Joseph jouait sous la surveillance de Jeannette.

En la voyant, le petit s'arrêta dans ses jeux.

– Maman, lança-t-il joyeusement.

Il courut jusqu'à elle et se jeta dans ses bras. Charlotte le prit et le serra contre elle. Au contact de ce petit corps, elle sentit l'ébauche d'un premier réconfort.

12

TIKANOA avait vu juste. La présence de son fils soulagea Charlotte et la ramena progressivement vers un équilibre encore précaire. Interrompant pour un temps les soins à l'Hôtel-Dieu, elle lui consacra la plus grande partie de son temps.

Joseph était un bel enfant blond aux yeux bleus, robuste et fort. D'un naturel heureux, il savait décrocher des sourires complices qui gagnaient la tendresse de chacun.

Sa mère le divertissait fréquemment à l'extérieur de la maison, alternant marches et jeux dans la neige, ce dont le petit raffolait. Chaque jour, dès la première heure, il réclamait « mener » pour « se promener », et bondissait de joie quand sa mère acceptait. Bien botté et couvert d'une chaude pelisse, il pataugeait dans la neige avec délice.

La suprême récompense était une visite à la ferme, où il aurait volontiers passé des heures en contemplation devant les poules et les canards, et il n'aimait rien tant que de leur lancer des morceaux de pain rassis.

De son côté, Béranger avait sorti la traîne sauvage de son père, ce qui avait pris figure d'un cadeau somptueux. Charlotte le conduisait sur le sommet de la pente raide descendant vers la rivière Saint-Charles et s'installait avec lui sur la traîne qu'elle dirigeait de l'arrière à l'aide d'un pied qui jouait le rôle de gouvernail, et ils glissaient jusqu'au bas de la côte. Le petit battait des mains et demandait : « Encore sauvage, encore! »

Ottahowara venait fréquemment se joindre à eux. Les deux enfants jouaient ensemble, roulant dans la neige comme deux jeunes chiots, tout en faisant vibrer l'air de leurs cris joyeux.

Par moments, la pensée de la jeune veuve s'évadait. Elle se voyait elle-même avec le père du petit, emportée par la pente du coteau Sainte-Geneviève. Elle revivait cette chute qui s'était terminée par un premier baiser. Sa gorge se serrait à ce souvenir, et ses yeux se noyaient de larmes. Mais le plus souvent, ces moments d'égarement étaient interrompus par les enfants qui réclamaient son attention.

Par les jours de trop grand froid, toute sortie lui étant interdite, Joseph manifestait d'abord sa déception, puis il trouvait d'autres jeux. Noémie, qui lui témoignait une grande tendresse, le régalait avec une cuillerée de confiture ou avec de la crème gelée prélevée sur le dessus d'une jatte de lait dans la réserve. Jeannette, quant à elle, savait le divertir avec des cubes de bois ou des livres d'images.

Le soir venu, le moment du coucher s'enveloppait de douceur. Charlotte le prenait sur ses genoux et, tout en le berçant, lui disait les contes picards qui avaient charmé sa propre enfance. Elle lui chantait la complainte de dame Isabeau et une berceuse sur un thème marin que le petit aimait particulièrement. Si d'aventure sa mère oubliait cette chanson, il réclamait : « Batelot, batelot! », et dès les premières notes il se blottissait contre elle, jusqu'au moment où, ses paupières s'alourdissant, il partait vers le pays des rêves.

Elle l'allongeait dans son lit, prenant soin de bien le couvrir. Trop souvent, une vague d'amertume l'envahissait en songeant que jamais Joseph ne verrait le bel enfant que son fils était devenu. Elle allait ensuite s'enfermer dans sa chambre, et cédait à son chagrin qui ne l'avait jamais complètement abandonnée.

Malgré ces moments de tristesse, elle remontait lentement la pente. Une pente savonneuse, où de trop nombreux souvenirs trouvaient le chemin de son cœur, ouvrant une plaie encore vive.

Sa belle-famille et ses amis l'entouraient. Jean Guyon ou Élizabette, ainsi que Justine et Anne Bourdon la visitaient régulièrement, et Agnès ne manquait pas une occasion pour s'arrêter chez elle en revenant de la place publique. Ces marques d'amitié la soulageaient, mais n'arrivaient pas à combler le vide qui persistait.

Charles Aubert n'oubliait pas le lien très ancien qui les unissait. Comme un frère, il veillait sur elle, tout en cherchant à la réconforter. Il l'écoutait avec bienveillance et se taisait sur ses propres sentiments qui l'obsédaient, car il ne pouvait plus nier la fascination que Catherine exerçait sur lui. Pourtant, il se reprochait cette attirance qui paraissait sans espoir.

À l'occasion de l'une de ses visites au Sault-au-Matelot, où il se rendait régulièrement, Guillemette l'accueillit avec animation. Elle désirait s'entretenir avec lui comme avec un fils, lui confia-t-elle avant de lui annoncer que Françoise Fournier lui réclamait encore une fois le fief Saint-Joseph.

– Que penses-tu de son attitude? demanda-t-elle. Quand je pense que j'ai permis aux Morin d'habiter cette terre pendant de longues années, je me trouve bien mal récompensée.

– Je ne saurais dire, ne connaissant pas suffisamment vos affaires, répondit évasivement le jeune homme.

– Ah! Charles, lança-t-elle d'un ton emphatique. Toi qui as déjà fait l'acquisition d'un bon nombre de terrains, sache que plus on est riche, plus on veut pourvoir ses enfants, et plus on vous en réclame. Chacun convoite la part de l'autre. Il me vient parfois l'envie de me défaire de la totalité de mes possessions et de leur laisser la peine de se procurer ce qu'ils désirent. Mais, pour ce qui en est de cette petite pimbêche, je crois avoir trouvé le moyen de la détourner de ses intentions en l'intéressant ailleurs.

Guillemette n'alla pas jusqu'à développer ce dernier point et se lança sur d'autres sujets.

Tout en l'écoutant d'une oreille distraite, Charles posa les yeux sur Catherine qui, contrairement à son habitude, s'était assise du côté opposé de la pièce. Silencieuse, elle semblait absorbée par un travail d'aiguille. Ayant suivi son regard, Guillemette lui confia :

– Sais-tu, mon ami, que je viens de trouver un époux pour Catherine?

Le jeune homme sursauta comme si on venait de le mordre. Sans remarquer sa réaction, elle enchaîna fièrement :

– Il s'agit de Michel Leneuf, sieur de La Vallière. Que dis-tu de cette union?

Guillemette avait pris l'habitude de consulter Charles sur ses différentes entreprises. Mais cette fois, il se sentit fort embarrassé.

– C'est sans doute un bon parti..., commença-t-il à contrecœur.

– N'est-ce pas? fit Guillemette en l'interrompant.

– Cependant, osa le jeune homme, avez-vous demandé son avis à Catherine? Peut-être éprouve-t-elle un penchant pour un autre.

– Et qu'elle me ramène un jeune blanc-bec sans avenir! s'indigna la doyenne. Lui demander son avis... Sûrement pas! Ces affaires ne doivent concerner que les parents. C'est moi-même qui ai choisi les époux de mes autres filles. Et elles ne s'en repentent pas. Quant à Michel Leneuf, on ne peut guère trouver mieux. Il est d'une lignée prestigieuse et son avenir s'annonce prometteur.

Mais le jeune homme ne l'écoutait plus, étant entièrement accaparé par la présence de Catherine et la peine que lui causait cette nouvelle. La jeune fille s'était approchée de la cheminée. Évitant le regard de son ami, elle s'était penchée sur l'âtre et avait saisi le tisonnier. D'un geste lent, elle remuait les braises, semblant plongée dans une méditation profonde.

Une bûche roula à l'avant du foyer, et la jeune fille essaya de la replacer avec maladresse.

– Tu ne sembles pas être douée pour ce travail, Trinette, dit Charles en venant à son secours. Laisse, je vais le faire.

Il prit le tisonnier, et sa main frôla celle de Catherine. Était-ce une illusion? Il lui semblait que cette main avait tremblé. L'espace d'un instant, il eut le désir de retenir la jeune fille et de lui avouer son amour. Mais il n'en fit rien.

Plus tard, alors que Catherine l'accompagnait vers la sortie selon son habitude, il lui demanda :

– Trinette, qu'attends-tu pour parler, si tu as un amoureux?

– Je n'ai point d'amoureux, puisqu'il ignore tout de mes sentiments.

– Alors parle. Il faut le lui dire. Comment pourrais-tu être heureuse avec ce Leneuf quand tu es amoureuse d'un autre?

La jeune fille leva les yeux sur lui.

– Charles…, commença-t-elle.

Mais elle n'en dit pas davantage. Son regard se troubla, et elle partit en courant. Il sembla au jeune homme qu'elle pleurait, mais il chassa cette idée.

« Je deviens fou, se dit-il. Voilà que j'imagine ce que j'aimerais voir. »

Encore une fois, il se reprocha cette passion pour une femme-enfant amoureuse d'un autre et promise à un troisième. Et lorsque, plus tard, Charlotte fit allusion à la mort de Madeleine Couillard, qu'il avait eu l'intention d'épouser, il n'osa pas avouer que le vide laissé par cette disparition était à nouveau comblé.

Plus expéditive que Charles, Guillemette Couillard décida de mettre à exécution les projets qu'elle nourrissait à l'endroit de Françoise Fournier. Et par une froide journée de janvier, elle se couvrit, prit sa canne et gagna le terrain de sa nièce.

Celle-ci l'accueillit fraîchement, s'attendant à des reproches, et fut surprise de n'en point trouver trace.

– Je comprends, lui dit sa tante, ton attachement au fief Saint-Joseph où tu as vécu ton enfance. Mais ce terrain fait partie de ma succession. À ma mort, vous vous partagerez toutes ces terres. En attendant, je ne veux pas qu'on y touche.

– Mais ce fief…

Guillemette lui coupa vertement la parole.

– Pour une fois dans ta vie, cesse de parler et écoute-moi.

Étonnée, la jeune femme obtempéra tandis que la doyenne enchaînait :

– Il est un autre héritage qui te revient de droit, et directement celui-là. L'intérêt en est bien supérieur à celui du fief Saint-Joseph.

– Je ne vois pas, dit Françoise. De quoi veux-tu parler?

– De la terre de ton frère.

– Celle de Joseph?

– Tu m'as bien comprise.

– Mais il laisse une veuve!

– Ma pauvre nièce! Tu veux te lancer dans un procès et tu ignores tout des lois. Apprends qu'en cas de décès l'épouse n'hérite que des deux tiers de l'avoir de son mari. Le tiers restant revient à la famille du défunt. Je suis bien sûre que ta mère ne cherchera pas à se l'approprier… surtout depuis qu'elle et Noël sont maîtres d'une seigneurie. Cet héritage te revient donc de droit.

Guillemette laissa à sa nièce le temps de bien enregistrer ces données, puis reprit sur un ton douceâtre :

– Un tiers de ce terrain ajouté au tien… te ferait un fief intéressant. Sans compter que cette terre est une terre Hébert. Il me déplairait fort qu'elle reste entre les mains d'une étrangère. Songes-y bien, ma nièce.

Après le départ de sa tante, Françoise demeura songeuse. L'idée de joindre une partie de la concession voisine à la sienne ne manquait pas d'attrait. Cela ne remplacerait pas le fief Saint-Joseph auquel elle restait attachée, mais à défaut… Et sans la dépense d'un procès…

Pourtant, elle se sentait gênée. Mis à part quelques désaccords avec sa belle-sœur, elle n'avait aucune raison de s'en prendre à elle. Bien plus, elle avait pitié d'elle. Elle hésita, puis décida de laisser à Charlotte le temps de se remettre de son veuvage encore si récent. Il serait encore temps dans quelques mois.

13

EN CETTE SOIRÉE du 5 février 1663, le petit Joseph venait de s'endormir. Selon son habitude, Charlotte avait pris quelques minutes attendries pour contempler son fils qui dormait paisiblement, après une journée active.

Après avoir soufflé la bougie à son chevet, elle en avait conservé une autre pour atteindre la cuisine où allait commencer une veillée en compagnie de Noémie. La jeune femme s'était installée au coin du feu, un travail de couture à la main. Utilisant un ancien vêtement de Joseph, elle confectionnait un habit pour le petit, qui avait beaucoup grandi. Noémie, de son côté, tricotait un bonnet pour le bébé que Jeannette allait bientôt avoir.

– Jeannette, maman, commenta Charlotte en souriant. Je ne me fais pas à l'idée.

– À vrai dire, je la trouve bien jeune. Je me demande bien…

Charlotte ne sut jamais la suite de la phrase. Toutes deux venaient d'être alertées par un bruit étrange, un roulement sourd, semblable à une horde de chevaux lancés au galop sur une route de terre. Le bruit se rapprocha comme si les chevaux se dirigeaient sur elles et prit une grande amplitude. Elles suspendirent le mouvement de leurs aiguilles, se demandant ce qui se passait.

Bientôt, la terre se mit à trembler. Les deux femmes échangèrent un regard inquiet. Les vibrations augmentèrent jusqu'à devenir violentes. La maison était secouée de haut en bas, et les meubles, devenus fous, dansaient sur un rythme endiablé.

La peur s'empara alors des deux femmes.

– Ça va nous tomber dessus! cria Noémie en regardant le plafond.

– Il faut sortir, cria Charlotte à son tour pour couvrir le vacarme. Je vais chercher Joseph.

Aussi rapidement qu'elle le put au milieu des trépidations, elle courut jusqu'à son fils qu'elle enroula dans une couverture avant de repartir en sens inverse.

En atteignant la porte de la cuisine, elle s'arrêta. L'obscurité l'empêchait de voir où se trouvait la cuisinière. Une secousse plus brutale encore lui fit perdre l'équilibre, et elle dut se rattraper au chambranle. Au même instant, un craquement sonore se fit entendre, suivi d'un souffle froid, tandis qu'une masse s'écrasait sur le sol. Charlotte écarquilla les yeux. Elle distingua la forme de deux arbres qui s'étaient écroulés près de la maison, sans toutefois y toucher. Prise de panique, elle hurla :

– Noémie, Noémie!

– Je suis là, répondit une voix tremblante à ses côtés.

– Viens vite, il ne faut pas rester ici.

La prenant par la main, elle l'entraîna vers la clairière. La terre bondissait sous leurs pieds, rendant cette progression difficile en leur faisant perdre l'équilibre à tout moment. De petites pierres sautaient, leur blessant les mollets.

Elles dépassèrent enfin la ligne dangereuse des arbres. En atteignant le champ de blé, elles furent accueillies par un grondement. Devant leurs yeux effarés, la terre s'ouvrit, zébrant le terrain d'une crevasse inquiétante. Elles s'arrêtèrent, pétrifiées.

La première, Charlotte se ressaisit.

– Il est inutile d'aller plus loin, dit-elle en se laissant tomber sur la neige. Il n'y a aucune sécurité où que ce soit.

Elle se retourna vers la maison qui était tout agitée. La cheminée sautait curieusement sur le toit comme si elle en était détachée.

Joseph hurlait sa terreur tout en grelottant de froid malgré la couverture. Charlotte l'abrita sous la cape qu'elle avait hâtivement jetée sur ses épaules, et chercha à le rassurer malgré la peur qui l'étreignait elle-même.

Noémie, les yeux clos, priait en silence. Il semblait que ce tremblement n'aurait pas de fin. Puis la terre s'assagit et le bruit s'éloigna comme il était venu.

Les deux femmes se regardèrent, abasourdies, n'arrivant pas à croire à ce qu'elles venaient de subir.

– Doux Sauveur, soupira la cuisinière.

– Noémie! s'exclama Charlotte, nous sommes vivantes, et la maison est encore debout!

Cependant, Joseph continuait à pleurer et à trembler de froid.

– Vite, à la maison, fit sa mère.

Elles marchèrent dans une terre meuble, qu'on aurait dit fraîchement labourée.

Enfin, elles gagnèrent la cuisine. Les quelques braises qui rougeoyaient encore dans l'âtre éclairaient une scène chaotique. Des objets jonchaient le sol, et des meubles étaient renversés. Il fallut pourtant parer au plus pressé. Il importait de réchauffer Joseph qui grelottait et claquait des dents. Noémie réactiva le feu et Charlotte s'installa au bord du foyer, exposant le petit à la chaleur tout en lui frictionnant les bras et les jambes. La cuisinière fit également chauffer de l'eau pour préparer une bouillotte. Il fallut une bonne demi-heure avant que Joseph retrouve une température confortable et s'assoupisse dans les bras de sa mère.

Dès le lendemain, on constata les dégâts, chacun allant chez ses voisins pour prendre des nouvelles. À la maison Hébert, la cheminée fendillée laissait échapper la fumée entre ses pierres. Fait plus évocateur, la petite rivière La Chevrotière, choisissant un nouveau lit, coulait désormais à côté de la passerelle qui l'avait enjambée.

On ne tarda pas à entendre les anecdotes les plus diverses, allant du cocasse au dramatique. Madame d'Ailleboust serait sortie de chez elle en petite chemise. Se ruant chez les jésuites, elle aurait crié : « Confession, mon père, confession », tandis que sa domestique la poursuivait avec un vêtement pour la couvrir.

Aux environs de La Malbaie, une petite montagne aurait glissé dans l'eau où elle se serait transformée en île.

Dans l'après-midi du 6 février, un nouveau tremblement secoua le pays, quoique moins fortement que le précédent. La frayeur se généralisa. Prenant exemple sur madame d'Ailleboust, on prit d'assaut les confessionnaux et beaucoup firent pénitence. Des séismes allaient encore se produire chaque jour jusqu'à la fin de l'été.

La conséquence la plus aggravante fut la maladie de Joseph qui avait pris froid pendant ce grand tremble-terre. Le mal se fixa sur les poumons. Il toussait abondamment tandis qu'une forte fièvre le consumait. À plusieurs reprises il délira. Les yeux luisants, il parlait de neige, de feu, et d'autres choses qu'on ne pouvait pas comprendre. Il se débattait contre des monstres invisibles et, l'instant d'après, sombrait dans une profonde apathie.

Grandement inquiète, Charlotte ne voulait plus le quitter. Assise à son chevet, elle le veillait jour et nuit. Elle humectait ses lèvres avec de l'alcool, et plaçait sur son front des compresses froides, qui n'arrivaient cependant pas à faire tomber la fièvre.

Monsieur Madry, lui-même alarmé par l'état du petit malade, l'auscultait matin et soir. Il lui fit des saignées qui n'eurent pas l'effet espéré. Il appliqua des sangsues, en vain.

Charlotte priait, puis, se penchant sur son fils, elle murmurait :

– Mon petit, mon tout petit... Je t'en prie, ne m'abandonne pas.

À ce régime, la jeune femme s'épuisait. Plusieurs fois, en lui portant un bol de bouillon, Noémie proposa :

– Allez donc vous reposer. Je vais rester avec lui, moi.

Charlotte hochait la tête négativement. Elle avalait le bouillon en hâte, et reprenait sa veille anxieuse.

Cette nuit-là, comme les précédentes, la jeune femme demeura auprès de son fils. Un peu avant l'aube, elle remplaça la bougie qui allait s'éteindre, puis elle se pencha sur le petit malade. Pour la première fois, Joseph reposait calmement. Elle plaça la main sur son front et constata que la chaleur avait disparu.

Soupirant profondément, elle murmura :

– Dieu soit loué!

Soulagée, elle se détendit, et aussitôt elle sentit pleinement la fatigue de ces derniers jours. S'assoyant dans la berceuse, elle appuya sa tête contre le haut dossier et s'endormit.

Lorsqu'elle se réveilla, il faisait jour. Il lui semblait pourtant n'avoir dormi que quelques minutes. Son premier soin fut de se rendre auprès de son fils. Ce qu'elle vit alors la remplit d'effroi.

Le petit grelottait fortement, et ses lèvres prenaient une couleur bleutée.

– Mon Dieu, murmura-t-elle dans un souffle.

« Des bouillottes, songea-t-elle, vite, des bouillottes. »

Elle se rua hors de la pièce et se serait heurtée à monsieur Madry s'il ne l'avait pas retenue.

– Je vais chercher des bouillottes, lui dit-elle nerveusement. Le mal-chaud est tombé. Joseph grelotte.

Après quoi elle descendit l'escalier à toute vitesse. Si elle avait pris le temps de regarder l'expression du chirurgien-chef, son inquiétude aurait été plus grande encore. Car celui-ci savait que le moment fatidique de cette maladie se situait précisément à la chute de la température. Sans perdre un instant, il entra dans la chambre du malade.

À la cuisine, Noémie avait déjà allumé le feu et il ne fallut que peu de temps pour obtenir de l'eau chaude, dont Charlotte remplit deux bouteilles plates en céramique. Sans s'attarder, elle retourna auprès de son fils.

Lorsqu'elle atteignit la porte, monsieur Madry l'arrêta.

– Charlotte, lui dit-il. Courage… Il est trop tard.

La jeune femme laissa tomber les cruches qui se fracassèrent sur le sol, laissant échapper leur contenu. Comme dans un rêve, elle s'approcha du lit. Se penchant sur son fils, elle caressa les cheveux blonds et les joues lisses.

– Joseph, fit-elle dans un sanglot. Non. Oh non!

Le chirurgien posa une main réconfortante sur son épaule. Sans se retourner, la jeune femme lui dit :

– Monsieur Madry… Je veux être seule avec lui.

Respectant son chagrin, le chirurgien s'éloigna.

Avec un soin infini, la mère prit son enfant dans ses bras et le serra tout contre elle. Pendant un long moment, elle le berça en chantonnant doucement, tandis que le petit corps se raidissait entre ses bras.

Dès le lendemain, Joseph Hébert reposa dans le cimetière face au grand fleuve, aux côtés de son grand-père et de son aïeul Louis Hébert.

Jamais ce dernier n'aurait de descendance mâle portant son nom.

14

Les glaces avaient disparu depuis peu et le fleuve encore gros de ses eaux printanières coulait avec force, charriant les débris qu'il avait arrachés à ses rives. À cette période encore prématurée, il était peu engageant de s'y aventurer. Pourtant, bravant les difficultés, un canot se dirigeait vers Québec. À bord se trouvaient trois hommes : deux Indiens et un Français. Silencieux, ils glissaient le long de la berge, l'œil aux aguets.

Malgré l'attention soutenue qui figeait les traits des voyageurs, un observateur avisé aurait facilement décelé l'expression de joie qui éclairait les yeux du Français. Jean-Baptiste de Poitiers, car c'était lui, contenait mal son excitation. Après un long et périlleux voyage, il touchait enfin au but.

Il était parti de la Nouvelle-Amsterdam quelque trois semaines plus tôt en compagnie de deux Hurons iroquoisés. Par prudence, il avait tu son identité et s'était adressé à eux en anglais. Cette précaution avait cependant ajouté à la confusion des Indiens, déjà intrigués par cet homme qui désirait quitter la colonie hollandaise pour se rendre à Québec.

Jean-Baptiste se méfiait d'eux, et, à l'évidence, ce sentiment était réciproque. Les Hurons avaient discuté entre eux en sourdine, ne s'adressant que rarement au Français. En une occasion, Jean-Baptiste avait surpris l'un d'entre eux fouillant dans son sac. Peu après, ce même Indien avait disparu dans les bois et n'était revenu que plusieurs heures plus tard, sans fournir d'explication. Du coup, il avait jugé bon de conserver son pistolet sans cesse auprès de lui.

Ils avaient d'abord remonté la rivière Hudson avant de s'engager sur le lac Champlain qu'ils avaient parcouru sur toute sa longueur. Cette partie du voyage avait particulièrement éprouvé le jeune homme, peu rompu à la vie en pleine nature. Un vent glacial avait librement soufflé sur la surface de l'eau, soulevant des vagues parfois aussi menaçantes que celles de la mer. Se cramponnant à la frêle embarcation, il avait sans cesse redouté qu'une lame plus grosse que les autres ne les engloutisse corps et biens.

La descente de la rivière aux Iroquois[1] s'était révélée moins éprouvante sur le plan physique. Mais se trouvant au cœur du pays de leurs ennemis d'hier, les Hurons, bien qu'iroquoisés, n'en étaient pas moins demeurés craintifs.

Enfin arrivés sans encombre à l'embouchure de cette rivière, les deux Indiens avaient fait comprendre à Jean-Baptiste qu'ils n'iraient pas plus loin. Il lui avait fallu user de persuasion pour obtenir d'être déposé de l'autre côté du fleuve.

Il était arrivé aux Trois-Rivières épuisé, mais heureux de se trouver parmi des Français. Cependant, il n'était resté dans cette Habitation que le temps d'organiser la suite du voyage avec deux Algonquins. Et quelques jours plus tôt, les trois hommes avaient pris un canot en direction de Québec. La force du courant les avait rapidement entraînés, si bien qu'il ne leur avait fallu que peu de temps pour couvrir la distance entre les deux bourgades.

L'expédition touchait à sa fin. Les Indiens lui avaient affirmé qu'ils atteindraient l'Habitation le jour même.

1. Rivière aux Iroquois : actuelle rivière Richelieu.

Confirmant leur prévision, Jean-Baptiste reconnut le Cap-aux-Diamants dominant fièrement le lit du fleuve. L'embarcation avançait régulièrement, et ils approchaient du coude qui leur permettrait de voir… Jean-Baptiste se redressa subitement. Il venait de reconnaître les premières maisons.

– Québec! s'écria-t-il, enthousiaste.

Étonné, l'Indien qui avironnait à la tête du canot se retourna, l'examinant avec curiosité. Au sourire que lui adressa le Français, il répondit par un ricanement. Jean-Baptiste ne se donna pas la peine d'analyser ce comportement. Il était tout à la joie de retrouver la capitale de la Nouvelle-France.

Bientôt, le canot accosta et il mit pied à terre. Le cœur battant, il regarda autour de lui. Rien n'avait changé. Il reconnaissait les bâtisses aux toits pointus, la rue étroite montant au fort et au loin le magasin où il avait travaillé à la traite des fourrures. Il porta ses yeux sur la partie de la ville se trouvant au bord de l'eau et reconnut le logis qui avait abrité ses débuts dans la colonie; le pauvre logement qu'il avait partagé avec sa sœur. Ému, il ébaucha un sourire, qui s'épanouit lorsqu'il songea à la surprise de Charlotte quand elle le verrait.

Revenant alors vers les Indiens qui attendaient, il leur offrit la couverture de laine qu'il leur avait promise avant leur départ des Trois-Rivières. Il prit son sac et s'éloigna d'un pas léger.

Il se trouva bientôt sur la place publique qui était animée par un marché. Dominant les cris de leurs animaux, des fermiers braillaient pour attirer l'attention, des enfants couraient en se bousculant. Plus loin, des femmes et des hommes discutaient avec vivacité. « Rien à voir avec les Hollandais », songea-t-il. Ici, on gesticulait, on parlait à haute voix et on riait. On riait… C'était peut-être là, la plus grande différence. En dépit de conditions difficiles, les colons de la Nouvelle-France étaient des gens gais, et tout compte fait plus libres que ceux de la Nouvelle-Amsterdam. Il se mêla à la foule, se régalant de ce milieu chaleureux et remuant.

Séduit par l'ambiance qu'il retrouvait, Jean-Baptiste s'offrit le luxe de s'arrêter dans une taverne, dont le patron, d'après l'enseigne sur la façade, portait le nom prédestiné de Jacques Boisdon.

Les quelques hommes qui s'y trouvaient accordèrent un regard inquisiteur à cet étranger. Puis, s'en désintéressant, ils reprirent leurs conversations.

Jean-Baptiste s'installa à la seule table inoccupée et demanda du cidre, boisson qu'il n'avait pas bue depuis son départ trois ans plus tôt. Il trempa ses lèvres dans le liquide doré et prit une gorgée qu'il savoura longuement. Soupirant d'aise, il s'abandonna contre le dossier de sa chaise, et commença à prêter attention aux conversations qui l'entouraient. Il fut intrigué en entendant parler d'une milice implantée dans un lieu appelé Montréal. Mais il n'eut pas l'occasion de s'interroger plus en profondeur sur ces événements.

Ce jour-là, dans la taverne de Jacques Boisdon, le tremble-terre s'annonça par un tintement des verres s'entrechoquant sur le comptoir, bientôt couvert par un grondement sonore. Le sol s'agita et les meubles trépidèrent dans l'auberge. Les hommes arrêtèrent leur conversation, dans une attitude résignée.

Pris d'épouvante, Jean-Baptiste était sur le point de bondir à l'extérieur, quand il réalisa que personne ne semblait s'inquiéter. Prenant exemple sur les autres, il demeura à sa place.

Après quelques instants, les vibrations cessèrent et la conversation reprit le plus naturellement du monde, laissant le jeune homme stupéfait. À la table voisine, un homme se pencha vers lui en souriant.

– Je vois à votre réaction que vous n'êtes pas d'ici, dit-il.

– Non, avoua Jean-Baptiste. Ou plutôt si, mais j'ai dû m'absenter pendant près de trois ans.

– Ces tremble-terre, continua l'autre, nous en avons l'habitude. Depuis près de quatre mois, il s'en produit chaque jour, et celui d'aujourd'hui est peu de chose comparé à ceux de l'hiver passé.

– Chaque jour? s'étonna Jean-Baptiste.

Son voisin l'examina avec intérêt.

– Mais d'où venez-vous donc puisque ces vibrations sont perceptibles jusqu'à Montréal?

– J'étais en mission à l'étranger, répondit Jean-Baptiste, préférant ne pas préciser davantage. Je reviens au pays afin de rendre compte à monseigneur de Laval.

Son interlocuteur eut un sourire amusé.

– Il vous faudra attendre un certain temps. Notre évêque se trouve actuellement en France, d'où il ne reviendra sûrement pas avant l'été.

– Dans ce cas, je ferai rapport à monsieur d'Argenson.

Son compagnon sourit de plus belle.

– Vous ne le trouverez pas davantage. Notre ancien gouverneur a été remplacé par monsieur d'Avaugour.

Un peu embarrassé, Jean-Baptiste remercia son interlocuteur de l'avoir mis au courant et en profita pour se renseigner sur ce « Montréal » dont on parlait à son arrivée dans la taverne.

– Aurait-on créé un nouveau poste? demanda-t-il.

– Pas du tout, répondit son vis-à-vis. C'est ainsi que l'on désigne Ville-Marie, depuis que monsieur d'Avaugour a décidé d'y établir un magasin public. Désormais, une foire à la fourrure s'y tiendra chaque année. Du coup, cette Habitation prend une grande importance.

– Mais pourquoi en avoir changé le nom?

– Ça, c'est une décision de nos dirigeants. Sans doute trouvaient-ils qu'un nom pieux ne convenait pas à une bourgade devenue commerciale.

– Je vois, fit Jean-Baptiste. Et on y a créé une milice?

– Dame! Il faut bien se protéger. Depuis longtemps déjà, nos gouverneurs réclament de la métropole l'aide nécessaire pour nous défaire des Iroquois. On nous a bien promis un régiment qui arrivera dans un an… ou deux, allez donc savoir! En attendant, le roi nous a envoyé une poignée de soldats en nombre bien insuffisant. C'est ce qui a conduit monsieur de Maisonneuve à établir la milice de la Sainte-Famille. Cette initiative a déjà donné de si bons résultats que les Habitations de Québec et des Trois-Rivières envisagent de créer de semblables milices pour leur propre défense.

Jean-Baptiste écouta avec intérêt. Mais ayant terminé sa consommation, il lui tardait désormais de retrouver sa sœur. Il remercia son informateur et prit congé, tout en songeant que bien des choses avaient changé en peu de temps.

Il gagna la côte de la Montagne qu'il gravit avant d'atteindre la place du Fort-Saint-Louis. Le cœur en fête, il enfila la rue Saint-Louis puis emprunta le chemin de la Grande Allée.

C'est avec un profond plaisir qu'il reconnaissait chaque endroit. Marchant la tête haute, il humait l'air avec délectation. Enfin, il aperçut la maison Hébert, blottie au milieu de ses champs. D'un pas léger, il traversa le terrain, déjà heureux à la perspective des retrouvailles.

Au moment où il allait frapper, il s'arrêta, le poing levé. Devant lui, la porte se drapait de deux morceaux de crêpe, l'un noir et l'autre blanc. Hébété, il fixa avec effroi les étoffes qui indiquaient un double deuil. Avec inquiétude, il se demanda quelles disparitions on pouvait pleurer… Un crêpe noir, un crêpe blanc… Une mort en couches?… Charlotte? Cherchant à dominer son anxiété, il frappa d'une main tremblante.

La porte s'ouvrit devant une toute jeune femme que Jean-Baptiste ne connaissait pas et dont la rondeur du ventre ne pouvait pas cacher son état prometteur. Il crut d'abord à une erreur puis, se ravisant, il se décida à demander s'il se trouvait bien à la maison de madame Hébert.

Jeannette ayant confirmé que c'était le cas, il exprima le désir de rencontrer sa maîtresse. La jeune femme ne marqua aucune surprise, ce qui le tranquillisa. Elle l'introduisit dans le petit salon en le priant d'attendre quelques instants. Ainsi rassuré, Jean-Baptiste ferma les yeux d'émotion. Charlotte était donc bien vivante. Il marqua son soulagement par un profond soupir, et s'en voulut aussitôt. S'il n'était pas frappé de deuil lui-même, sa sœur l'était assurément. De qui pouvait-il s'agir? Une inquiétude d'un nouveau genre s'empara de lui.

En entendant les pas qui approchaient, il se retourna. Charlotte s'était arrêtée dans l'encadrement de la porte. C'était bien elle, amaigrie, les traits émaciés, mais toujours vivante. Il lui ouvrit les bras.

Charlotte poussa un cri et se rua contre lui, le serrant de toutes ses forces.

– Baptiste! C'est toi, c'est vraiment toi!

15

CHARLOTTE mit son frère au courant des derniers événements la concernant, et ne chercha pas à cacher sa douleur. Vivement ému, Jean-Baptiste la serra contre lui. Quelle parole pouvait consoler d'un tel drame? Désemparé, il s'employa pourtant à l'assurer de son soutien moral, un soutien qu'il savait bien insuffisant pour vaincre l'accablement de sa sœur.

Pendant les jours qui suivirent, il demeura à ses côtés, l'écoutant tout en cherchant à la réconforter. Il tenta de la divertir en lui parlant de ses expériences à la Nouvelle-Amsterdam. Mais trop souvent, les yeux de la jeune femme se voilaient, et Jean-Baptiste réalisait qu'elle ne l'écoutait plus.

Il s'inquiéta tout à fait quand elle lui confia :

– À quoi suis-je utile? Plus aucune personne n'a besoin de moi. Je ne sers plus à rien. Je me sens comme une feuille morte partant à la dérive… au fil de l'eau.

L'état de sa sœur le préoccupait, et il en fit part à Justine qui venait la voir régulièrement.

– Laisse-la faire, lui dit la vieille femme. Il faut le temps. L'hiver dernier, j'ai bien cru qu'elle allait perdre la tête. Mais ça va mieux à présent, surtout depuis que tu es là. Tu ne peux pas t'en rendre compte, mais moi, je le vois bien.

Profitant de l'une des visites de Justine, Jean-Baptiste sollicita une entrevue auprès du gouverneur afin de lui rendre compte de la situation chez leurs voisins du sud. Monsieur d'Avaugour le reçut sans délai et, entrant dans le vif du sujet, l'interrogea sur la colonie hollandaise.

– Avant de vous en parler, dit Jean-Baptiste, j'aimerais attirer votre attention sur la colonie anglaise. À en juger par certains mouvements ainsi que par les rumeurs que j'ai pu saisir, je m'attends à une attaque de la Nouvelle-Amsterdam par les Anglais.

Mettant ces paroles en doute, monsieur d'Avaugour plissa les lèvres.

– Vous m'étonnez, puisque ces deux États ne sont pas en guerre.

– Croyez-vous vraiment que ce soit un obstacle? Leurs intérêts constituent une motivation bien suffisante. Depuis longtemps, les Anglais désirent occuper la totalité des côtes atlantiques, et la colonie hollandaise coupe la leur en deux. La Nouvelle-Amsterdam serait une prise de choix.

Monsieur d'Avaugour hocha la tête d'un air dubitatif.

– Vous oubliez, mon ami, la puissance de la Hollande et l'importance de sa flotte. Cette conquête ne me semble pas encore assurée.

– Ce qui est vrai en Europe, reprit vivement Jean-Baptiste, ne l'est pas en Amérique. Je ne dirais pas que leur colonie est florissante. Bien au contraire. La plupart de ses habitants ne sont pas des Hollandais, mais des Flamands et des Wallons originaires des Flandres. Les habitants de cette colonie ne se sentent aucun penchant pour une mère patrie qu'ils refusent de reconnaître. Si vous voulez mon avis, malgré les efforts de leur gouverneur qui, lui, est hollandais, les colons ne la défendront pas. Pour eux, ce ne sera qu'une question de changer de maîtres, ce qui à leurs yeux ne mérite pas de se battre.

L'air songeur, le gouverneur tapota du doigt le dessus de son bureau.

– Vous envisagez donc cette colonie comme perdue?

– Je le crains, répondit le jeune homme. Ce qui représente un grand danger pour nous. Car lorsque leur drapeau flottera sur la côte atlantique, depuis l'Acadie jusqu'à la Floride, les Anglais tourneront leurs yeux vers nous, et ils feront de la Nouvelle-France leur prochaine cible. Or la Nouvelle-Angleterre se développe rapidement. Les habitants y sont dix fois plus nombreux qu'ici, et je crains que nous soyons écrasés par leur nombre. Déjà, sans avoir recours à la guerre, ils ont trouvé un moyen redoutable pour nous éliminer sans combattre eux-mêmes. Je veux parler des Iroquois. Car je suis en mesure de vous affirmer que ce sont les Anglais qui les excitent contre nous. Ils les ont convaincus non seulement de détruire l'Huronie tout entière, mais aussi les Algonquins et les Français. Dites-vous bien que ce sont de mousquets anglais que sont armés les Iroquois, des hachettes et des couteaux anglais qu'ils utilisent pour scalper les nôtres.

– Je reconnais que la situation est grave. À Montréal, bien que cinq cents colons s'y soient fixés et que de nombreux enfants y soient nés, on ne compte plus que deux cents habitants, ce qui en dit long sur les assauts qu'a subis cette habitation. Mais depuis que nous avons établi la paix avec deux tribus membres des Cinq-Nations, les raids meurtriers ont diminué.

– Je crains que la raison ne soit pas celle que vous croyez. Les Iroquois sont actuellement en guerre avec d'autres nations, et une importante épidémie de variole a considérablement éclairci leurs rangs. Le moment serait fort opportun de les attaquer. Ils se trouveraient ainsi pris entre deux feux à un moment où ils sont affaiblis.

– J'en conviens. Mais tant que je n'aurai pas reçu le renfort promis, il m'est impossible d'entreprendre une telle expédition. Cependant, j'espère être bientôt en mesure de le faire.

Monsieur d'Avaugour mit un terme à l'entrevue en demandant à Jean-Baptiste de regagner la Nouvelle-Amsterdam et de le tenir informé par tous les moyens.

Mais avant de donner suite à ce projet, Jean-Baptiste retourna auprès de sa sœur. Il l'encouragea de son mieux, et après quelques jours il remarqua un léger progrès. Si elle n'avait pas encore repris son rythme de vie habituel, au moins retrouvait-elle le courage de faire quelques pas sur ses terres. Elle parcourait les prés et les bois, et revenait chaque fois un peu moins abattue.

Ce jour-là, elle se laissa gagner par le printemps qui s'annonçait. Un chaud soleil réveillait la nature engourdie. La campagne vibrait, et changeait ses mornes couleurs contre une robe aux reflets brillants. Le blé pointait ses pousses vertes, tandis que les arbres se revêtaient d'un fin duvet. Déjà, les oiseaux construisaient leurs nids. Aux piaillements joyeux répondaient les bruits indéfinissables d'un monde animal qui reprenait vie.

Pour la première fois depuis des mois, Charlotte observa la nature et y trouva du plaisir. Elle se laissa distraire par un écureuil, l'un de ces jolis écureuils au pelage gris. Dressé sur son arrière-train, les pattes avant serrées sur son cœur, sa large queue formant un élégant panache, il l'examinait. Elle se pencha, la main en avant, et l'appela. D'un geste nerveux, il se mit sur ses quatre pattes, agitant sa queue de mouvements saccadés. Il fit quelques pas craintifs, puis, cédant à sa peur instinctive, il sauta sur le tronc d'un arbre qu'il escalada lestement et du haut duquel il l'invectiva.

Charlotte eut un léger rire.

– Petit impertinent! lui lança-t-elle. Je ne te voulais aucun mal!

Laissant l'écureuil à ses occupations, elle contourna un champ et se dirigeait vers la ferme quand la vue d'un objet appuyé contre la remise la cloua sur place. Un objet qui représentait pour elle tout un aspect de sa vie. Il s'agissait de la traîne sauvage, oubliée là depuis l'hiver. La traîne sauvage qui avait procuré un tel plaisir à son fils. Elle serra les poings, sentant monter un sanglot.

S'approchant, elle caressa le bois léger tout en évoquant des souvenirs qui appartenaient à une autre époque. Brusquement, elle retira sa main. Se retournant, elle s'éloigna vivement. Elle marcha avec précipitation, en trébuchant. Ne plus voir... Ne plus savoir... Oublier, il fallait oublier jusqu'au moindre détail.

Puis elle s'arrêta net.

– Je ne peux pas oublier, dit-elle à voix haute. Tout me ramène à eux. Comment vivre avec ces souvenirs qui me poursuivent?

En proie à ses pensées, elle errait sans but quand une succession de cris attira son attention. Se retournant, elle reconnut Antoine Bibaut qui courait vers elle en appelant son nom à pleins poumons. Un peu étonnée de s'entendre interpellée de la sorte, elle marcha à sa rencontre.

Antoine s'arrêta devant elle, visiblement en proie à une grande agitation.

– Ah! madame Hébert, dit-il, je croyais bien que je ne vous trouverais point. C'est ma Jeannette qui a bien besoin de vous. Notre bébé est tout prêt à venir. Elle souffre que c'est pas disable! Il faut que vous veniez vite.

Jeannette... Bien sûr, le terme était arrivé. À cet instant, la sage-femme qu'elle était domina les sentiments de la mère meurtrie, et elle s'appliqua à rassurer Antoine.

– Allons, calme-toi, dit-elle. Jeannette se porte bien, et il n'y a aucune raison de t'alarmer. Tu ne l'as pas laissée seule?

– Non, fit-il d'un air épouvanté. J'avais bien trop peur! Marine est auprès d'elle et fait chauffer de l'eau.

– Tu as bien fait, dit la sage-femme sur un ton réconfortant. J'y vais directement. Et toi, pendant ce temps, va jusqu'à la maison. Tu demanderas ma trousse à Noémie, et apporte-la-moi immédiatement.

Lorsque la jeune femme pénétra dans la maison de son employée, elle fut accueillie par une Marine soulagée.

– Ah! madame Hébert, je suis bien aise de vous voir.

Charlotte lui adressa un rapide sourire. Elle retira sa pèlerine qu'elle laissa tomber sur une chaise et s'approcha de Jeannette. L'accouchement se présentait normalement, et les différentes étapes s'enchaînèrent sans difficulté, bien que lentement, comme toujours avec un premier-né.

Enfin, le sommet d'une petite tête aux cheveux noirs apparut. Charlotte la saisit avec dextérité et, tandis que Jeannette rugissait sous l'effort, elle en facilita le passage.

Au moment où la tête se trouva dégagée, Marine, qui se tenait prête à intervenir, eut un geste de surprise.

– Mais qu'est-ce qu'il a au cou? s'exclama-t-elle.

Charlotte se mordit les lèvres. Ce que la fermière venait de remarquer n'était autre que le cordon ombilical qui s'était enroulé. Bien qu'il fût encore lâche, il risquait de se resserrer pendant la délivrance et d'étouffer l'enfant. Il fallait agir rapidement.

Retenant le bébé d'une main, elle tira doucement sur la partie postérieure du cordon, afin d'en libérer la plus grande partie. Cette opération étant réussie, elle s'appliqua à desserrer le lien qui entourait le cou. Ses gestes étaient vifs et précis, mais sans heurts pour éviter une maladresse. Par la boucle ainsi obtenue, elle fit passer une épaule et ensuite l'autre. Le reste du corps suivit facilement tandis que le nœud se refermait derrière les pieds.

Avec un sentiment de victoire, Charlotte souleva le bébé et lui claqua sur les reins.

– Tu as une fille, Jeannette. Et elle se porte bien!

Ces simples paroles lui procurèrent un bonheur sans pareil. Car si elle pouvait annoncer à la mère que son enfant se portait bien, c'était grâce à son action.

Quand le travail fut terminé, la sage-femme déposa le nouveau-né à côté de sa mère. Jeannette se souleva sur un coude et toucha délicatement le bébé, en prenant possession. Elle contempla sa fille avec un amour mêlé d'émerveillement.

Charlotte assistait à la scène, partageant l'émotion de sa bonne.

– C'est un beau bébé, lui dit-elle. Tu peux en être fière. Comment la nommeras-tu?

– Marianne, répondit Jeannette sans quitter son enfant des yeux.

Lorsqu'Antoine pénétra dans la pièce, Charlotte les laissa à leur intimité. Elle s'éloigna d'un pas léger, un sourire s'ébauchant sur ses lèvres. « Il s'en est fallu de peu, songea-t-elle. Sans mon intervention, Marianne n'existerait pas. »

L'image du bébé s'abandonnant dans ses bras lui revint en mémoire et l'émut. « Voilà à quoi je sers, se dit-elle. Je peux être utile auprès des autres. Pour permettre aux enfants de naître. »

Un sentiment oublié depuis longtemps s'infiltra tout doucement en elle, et s'enfla jusqu'à prendre des proportions d'allégresse. « Permettre aux enfants de venir au monde, n'est-ce pas la plus belle des vocations? »

Elle sentit à nouveau la vie battre en son cœur. Respirant profondément, elle se mit à marcher d'un pas décidé. Marianne venait de lui ouvrir les yeux en fournissant une réponse aux questions qui l'avaient obsédée.

16

LORSQUE Charlotte déclara à Jean-Baptiste, d'un ton décidé, qu'elle avait l'intention de retourner à l'Hôtel-Dieu, il se demanda ce qui avait pu provoquer un tel revirement. Il se garda cependant de faire le moindre commentaire et attendit la suite des événements.

Dès le lendemain du baptême de la petite Marianne, Charlotte reprit son travail à l'hôpital. À cette époque de l'année qui précédait l'arrivée des grands navires, on y trouvait relativement peu de malades. La jeune femme n'ignorait pas que, en un premier temps, son rôle se bornerait essentiellement à mettre des enfants au monde, et c'est précisément ce qu'elle désirait faire. Cela répondait à un besoin : celui de ressentir l'impression de donner la vie, ce qui lui avait toujours procuré de la joie.

En pénétrant dans le grand bâtiment, elle sentit renaître sa vitalité, comme par le passé. Elle circula entre les lits et s'arrêta auprès d'un homme que l'on venait d'amputer d'une main à la suite d'un accident de labour. Elle se pencha sur lui avec compassion.

– C'est la main droite, fit l'homme d'un ton navré.

– Ne vous découragez pas, dit-elle. J'en connais plus d'un qui, en pareille circonstance, a développé une grande dextérité de la main gauche.

C'est à ce moment que mère Louise de la Sainte-Croix s'approcha d'elle.

– Madame Hébert! s'exclama-t-elle. Je rends grâce à Dieu qui a choisi de vous ramener à nous.

Charlotte serra les mâchoires. Entre toutes les personnes se trouvant à l'Hôtel-Dieu, mère Louise était bien la dernière qu'elle désirait rencontrer. Elle dut fournir un effort pour lui faire bonne figure.

La religieuse, dont la ferveur apostolique ne faisait aucun doute, n'allait pas manquer une si belle occasion de l'encourager à la prière. Elle se lança dans une longue harangue, l'exhortant à se soumettre, et à s'en remettre à Dieu « qui connaît notre destinée ».

La jeune femme baissa la tête en serrant les dents. Il était inutile d'interrompre la religieuse et encore moins de lui faire remarquer que si elle se trouvait actuellement entre ces murs, c'était bien le signe d'une soumission devant la volonté de Dieu. Une telle interruption lui aurait sans doute semblé sacrilège.

Bien loin de lui procurer la paix que la sainte femme croyait inspirer, ses oraisons irritèrent Charlotte. Celle-ci attendit patiemment la fin du discours, et trouva même le courage de remercier l'oratrice pour l'intérêt qu'elle lui témoignait. Puis, très rapidement, elle s'éloigna vers un autre malade.

Jean Madry, qui se trouvait non loin de là, s'étonna en la voyant. En homme avisé, il étudia son comportement avant de la rejoindre, et comprit aisément l'équilibre fragile de la jeune femme, ainsi que son courage et sa détermination à reprendre pied. Traversant l'espace qui les séparait, il la saisit par les épaules et lui donna l'accolade.

– Bravo! Je n'en attendais pas moins de mon valeureux petit soldat, dit-il d'un ton amical. Vous tombez bien, ajouta-t-il, il y a là justement une femme grosse qui aura assurément besoin de vos soins.

Charlotte se rendit au chevet de la malade et l'examina soigneusement. Elle terminait l'auscultation lorsqu'elle reconnut, à quelques pas d'elle, mère Marie de Saint-Bonaventure, qui discutait avec une novice. Elle s'approcha d'elle et la salua. La religieuse eut un geste de surprise avant de s'exclamer :

– Madame Hébert! Quelle joie!

Elle lui marqua sa sympathie en l'embrassant tendrement.

– Pourquoi ne pas être venue me voir? Je ne pouvais pas me rendre jusqu'à vous et j'aurais tant voulu vous venir en aide. J'ai beaucoup prié, et Dieu, j'en suis certaine, a pu avoir pitié. Mais j'aurais aimé vous soutenir personnellement.

Émue par ce témoignage d'amitié, Charlotte la remercia avant d'ajouter :

– Je vous prie de ne pas m'en vouloir. La moindre action me demandait un courage… que je n'avais pas.

La religieuse hocha la tête avec compassion.

– Ce que je comprends fort bien, dit-elle en douceur. Et aujourd'hui vous vous sentez en mesure de reprendre votre métier?

– C'est précisément au moment d'un accouchement que j'ai retrouvé la force qui m'avait abandonnée. J'ai redécouvert un monde que je connaissais déjà, sans toutefois l'avoir pleinement compris. Je sais maintenant qu'en donnant de soi on peut recevoir au centuple. Mon désir le plus profond est de m'occuper des naissances, et de sauver les malades.

À ces paroles, mère Marie comprit la motivation de la jeune femme.

– Je reconnais bien la richesse de votre tempérament, dit-elle avec conviction, et je vous en félicite. Dieu veillera sur vous et vous secondera. Mais surtout, quoi qu'il arrive, n'hésitez pas à me parler. Ma porte vous sera ouverte en toutes circonstances.

Les autres religieuses l'accueillirent avec empressement, et Charlotte se sentit réconfortée par leur cordialité. Auprès des malades et des plus défavorisés, elle puisa l'énergie qui l'avait abandonnée depuis l'hiver.

Elle se rendit chez Agnès Gaudry, et aussi chez François et Marie-Madeleine Guyon. Elle en vint à reprendre les veillées chez ses amis, d'abord en s'y obligeant, puis progressivement avec un certain bonheur.

Mieux que quiconque, Jean-Baptiste savait que la blessure restait profonde et que l'équilibre nouvellement retrouvé demeurait précaire. Mais la voyant s'activer et apparemment reprendre goût à la vie, il se laissa convaincre qu'elle avait franchi un cap difficile.

Fort de cette conviction, il envisagea de reprendre son poste à la Nouvelle-Amsterdam. Et après s'être assuré que Charlotte n'y voyait pas d'objection, il profita d'un navire en partance pour les Antilles qui pouvait le déposer sur les côtes de la Nouvelle-Hollande.

À la suite de ce départ, Charlotte dut prendre sur elle-même pour ne pas perdre pied à nouveau. En la voyant, Justine n'eut pas besoin d'explications. La pâleur du visage, les traits tirés lui en disaient bien assez. Elle attaqua d'emblée :

– Alors, il est parti?

Charlotte hocha la tête.

Justine reprit avec tendresse :

– Je sais bien ce que c'est. J'ai senti la même chose quand mon Pierre est mort. Je vais te dire, moi : dans ce pays, il en faut, du courage, énormément de courage. C'est pas ton Joseph qui aurait voulu te voir pleurnicher. C'est toi qui me l'as dit. Je sais bien, ce n'est pas facile. Mais tu es en Nouvelle-France maintenant. Qu'est-ce que tu ferais si tu n'étais pas ici? Penses-tu que tu serais plus heureuse? Regarde autour de toi. Et dis-moi bien franchement si tu n'aimes pas tout ce que tu vois.

Charlotte lui sourit.

– C'est tout à fait ce que j'avais besoin d'entendre. Qu'est-ce que je ferais sans toi?

– Oh! moi...

Justine laissa sa phrase en suspens, avant de reprendre :

– Je ne suis rien qu'une vieille femme. Je ne serai pas toujours là.

– Justine! Qu'est-ce qui te fait dire une chose pareille?

– Il y a des fois que je me sens bien fatiguée.

Charlotte scruta le vieux visage mais n'y décela aucun signe alarmant. Aussi, attribuant cette fatigue à l'âge, elle s'empressa de chasser un début d'appréhension.

Avant de quitter la ville basse, Charlotte se remémora les paroles de Justine. Elle regarda autour d'elle, cette côte devenue si familière, les montagnes au loin, ce fleuve majestueux.

– J'appartiens à ce pays, murmura-t-elle. Justine a raison. J'y ai planté mes racines et j'en aime tous les aspects. La rudesse de son hiver, mais aussi sa blancheur et sa beauté. La vie dure, mais aussi la récompense de la moisson. L'amitié et la gaieté des habitants qui réchauffent le cœur. Je connais désormais ma raison d'être. Je désire participer à l'éclosion de cette colonie. Je veux réconforter ceux qui souffrent et, tout aussi bien, développer mes terres auxquelles je suis si fortement attachée.

Ayant retrouvé sa sérénité, Charlotte décida de rendre visite à Charles Aubert qu'elle n'avait pas vu depuis un certain temps. Elle lui trouva une mauvaise mine qui l'inquiéta, et elle l'interrogea sur sa santé.

– Je vais très bien, marmonna-t-il.

– Ah non! s'exclama-t-elle. Je te connais depuis trop longtemps. On n'a pas une tête comme la tienne sans raison. Et maintenant, dis-moi, que se passe-t-il au juste?

Charles hésita à peine avant de lui confier son amour pour Catherine, et les différents aspects de cette situation.

– Es-tu sûr que c'est sans espoir? demanda-t-elle après l'avoir écouté. Lui as-tu seulement déclaré ta passion?

Devant la réponse négative, elle poursuivit :

– Mais qu'est-ce que tu attends?

Charles baissa la tête.

– Je ne veux pas l'importuner, elle est déjà si malheureuse de ce mariage qui lui déplaît. Et puis, je te l'avoue, je crains le ridicule. Je ne pourrais pas souffrir qu'elle se gausse de moi.

– Catherine? Je la connais bien, et crois-moi, elle ne se moquerait pas. Tu dois lui parler, Charles.

Lorsqu'il se retrouva seul, le jeune homme dut convenir que son amie avait raison. Pourtant, il n'arrivait pas à se décider. Loin de se déclarer, il choisit de conserver une certaine distance, car il ne supportait pas de voir Catherine au bras de Michel Leneuf, qu'il méprisait.

À sa grande surprise, à peine quelques jours après la visite de Charlotte, Catherine se présenta à sa porte en lui demandant de lui accorder quelques instants. La simple vue de la jeune fille suffit à le troubler profondément.

À la dérobée, il la regarda amoureusement. Elle lui parut plus belle que jamais. Dans le visage aux traits délicats, les yeux mauves tenaient une place considérable. Le regard ingénu et le cou gracile sous la masse de cheveux noirs lui conféraient un air si juvénile qu'il en était bouleversé. La pèlerine gonflée par les seins fermes mettait en évidence une taille élégante et mince.

Maîtrisant mal son émotion, il l'introduisit dans son cabinet. La jeune fille prit place sur une chaise, adoptant une attitude qui ajouta au désarroi de son hôte. Le moindre de ses gestes était empreint de grâce. Cherchant à cacher son émotion, Charles s'installa à ses côtés.

Elle posa sur lui des yeux remplis d'hésitation, ce qui le rendit plus vulnérable encore, avant d'énoncer :

– Il y a bien longtemps que tu es venu au Sault-au-Matelot, Charles. T'aurions-nous déplu par quelque propos fâcheux?

– Non, Trinette, répondit-il vivement. Oh non, bien au contraire! Ta visite me fait un plaisir que tu ne saurais imaginer.

– Me voilà rassurée, dit-elle, sans arriver à cacher la confusion qui démentait ses paroles.

Le mince prétexte de cette visite se trouvait dépassé plus rapidement qu'elle ne s'y attendait. Mal à l'aise, elle se mit à tordre un coin de sa pèlerine. Voyant son embarras, Charles crut comprendre qu'elle s'apprêtait à lui faire de nouvelles confidences.

– Parle-moi de toi, l'encouragea-t-il avec tendresse. Que fais-tu en ce moment? Les préparatifs de tes épousailles doivent t'accaparer.

Tête baissée, la jeune fille lui répondit sur un ton monotone, tout en continuant à malmener sa pèlerine.

– Oui, bien sûr... Michel envisage de rester sur les terres de son père où une maison se trouve être disponible. Il faudra la rafraîchir, la meubler. Nous y serons assurément très bien.

Elle parlait sans conviction, camouflant mal son ennui. Subitement, elle s'arrêta et, levant sur son ami des yeux éplorés, elle déclara :

– Oh! Charles, j'ai si peu de goût pour ce mariage!

Le jeune homme hocha la tête. Il aurait voulu lui dire... Tout avouer. Mais un sentiment de pudeur le retint.

– Je le comprends très bien, dit-il en se dominant. Fort des révélations que tu m'as faites, je m'étonne que tu acceptes la situation.

– S'il n'en tenait qu'à moi... Mère a tout décidé, tu le sais bien. Nous connaissons tous son tempérament autoritaire.

Comment espérer lui faire entendre quoi que ce soit? Par ailleurs, celui que j'aime s'est éloigné de moi.

Sa gorge se noua, tandis qu'elle baissait les paupières sur ses larmes. Charles la voyant ainsi éprouvée, son cœur se serra.

– Ne désespère pas, Trinette. Rien n'est encore perdu. Au moins, dis-moi le nom de ton amoureux. Je pourrais sonder son âme, sans te compromettre, connaître ses vues. Et si j'allais ensuite plaider la cause auprès de ta mère, peut-être accepterait-elle de m'écouter. Mais il me faut d'abord connaître l'identité de celui que tu aimes.

La jeune fille hésita.

– Dois-je te dire la vérité?

Il posa une main protectrice sur la sienne.

– Je n'attends rien d'autre de ta part.

Catherine leva sur lui des yeux au regard profond. Lentement, elle énonça :

– Celui que j'aime... je lui parle en ce moment.

Saisi, il retira sa main, qu'il porta à son front. Une émotion forte l'étreignit au point de lui couper la respiration. La tête lui tournait. Il lui fallut ce qui sembla une éternité avant de retrouver son équilibre. Se tournant vers la jeune fille, il s'exclama :

– Que ne m'as-tu pas parlé plus tôt?

– Hélas! répondit-elle, ce que je craignais s'avère exact. Je vois bien à ton comportement que tu ne partages pas mes sentiments.

– Tu crois que je ne t'aime point! s'écria-t-il.

Se penchant sur la jeune fille, il lui prit les mains, les serrant fortement dans les siennes, puis posa les yeux sur elle, l'obligeant à le regarder. Pour la première fois, il laissa percer la passion qui l'habitait.

– N'avais-tu rien compris, rien senti? Si je n'allais plus au Sault-au-Matelot, c'est que je ne tolérais plus de te voir au bras d'un autre. Catherine, cela fait près d'un an que je meurs d'amour pour toi. Je te croyais éprise d'un autre… Et c'est moi que tu aimes? J'en suis étourdi.

Se levant, il l'obligea à en faire autant. Il l'entoura de ses bras et la serra tendrement contre lui.

– Crois-moi, ce mariage Leneuf ne se fera pas. J'y veillerai jalousement. C'est ensemble que nous vivrons jusqu'à la fin de nos jours. Je te le promets.

17

LE PREMIER NAVIRE en provenance de France vint mouiller devant Québec le 5 juillet, en pleine récolte des foins. Beaucoup parmi les habitants abandonnèrent faux et râteaux pour se masser sur le débarcadère et aller à la rencontre de ceux qui arrivaient. Car la venue de l'*Aigle blanc* avait été signalée, d'abord par les coureurs des bois, puis en chaire par les prêtres qui avaient annoncé la présence de femmes à son bord. Forts de cette information, les célibataires se poussaient joyeusement du coude en échangeant des commentaires qui auraient pu faire rougir les demoiselles qu'ils espéraient séduire.

Le vaisseau affaissa ses voiles et se berça doucement au bout de son ancre. Bientôt, encouragée par les vivats lancés par les hommes à marier, une barque se détacha, amenant les premiers immigrants de l'année. Parmi ceux-ci se trouvait Louis de Mazé, l'air soucieux. Il fut le premier à mettre pied à terre. La foule qui se pressait sur le quai eut tôt fait de reconnaître en lui le secrétaire du gouverneur. On s'écarta pour le laisser passer, tout en le dévisageant avec curiosité. De toute évidence, monseigneur de Laval n'était pas du voyage. À défaut, on aurait voulu interroger le jeune homme, mais une sorte de respect pour le rôle qu'il jouait liait les langues. Profitant du passage qu'on lui ouvrait, il traversa le quai sans accorder un regard ni d'un côté ni de l'autre. Il n'avait qu'un objectif : se rendre chez le gouverneur pour lui faire part des dernières décisions royales.

Les nouveaux décrets qu'il communiqua à son supérieur allaient transformer la vie des habitants de la Nouvelle-France. Dans les jours qui suivirent, ces arrêtés se propagèrent par petites bribes, qu'on se transmettait de bouche à oreille.

Charlotte reçut la première information par Anne Bourdon. Elle la trouva très affairée, en train d'écrire des listes de noms : d'un côté, les nouvelles immigrantes et, de l'autre, les célibataires.

– Toutes ces femmes! dit Anne. C'est un joli groupe que nous avons cette année. Mais comme toujours, j'hésite sur ceux de nos célibataires que je dois favoriser en leur trouvant une épouse.

Elle remua quelques papiers avant de dévisager sa compagne.

– Et toi, Charlotte, il faudra bien penser à te remarier.

La jeune veuve sursauta.

– Non, opposa-t-elle avec véhémence. Ce n'est pas possible, je m'y refuse.

Anne claqua de la langue.

– Il faudra pourtant bien y venir. Tu ne pourras pas toujours continuer à vivre seule sur tes terres.

Mais voyant le regard obstiné de son interlocutrice, elle n'insista pas. Elle savait la mort de Joseph encore trop récente pour espérer un succès de ce côté. Il était inutile de chercher à la raisonner.

Après une courte pause, elle se redressa, soudain animée par un autre sujet.

– Sais-tu que notre gouverneur nous quitte? lâcha-t-elle sans préambule.

– Monsieur d'Avaugour? Et pourquoi?

Anne exultait.

– Il est rappelé par le roi. Nous serons donc débarrassés de cet homme qui a fait tant de mal à mon mari, et sans la moindre preuve.

Charlotte ne répondit pas, mais en quittant le fief Saint-Jean elle se rendit directement chez Charles Aubert. Celui-ci étant agent général de la Compagnie de Rouen, elle savait qu'il était toujours bien renseigné, et elle désirait en savoir davantage sur cette affaire.

Charles l'accueillit avec allégresse, en lui faisant part de son mariage prochain.

– Avec Catherine? s'exclama Charlotte. Ah! Charles, quelle bonne nouvelle!

– Je suis tellement heureux, lui confia-t-il, que je me pince pour m'assurer que je ne rêve pas.

– Et quelle a été la réaction de ma tante Guillemette?

Le jeune homme éclata de rire.

– Ta tante Guillemette, ce n'est pas un personnage ordinaire. Elle est devenue rouge comme une pivoine, et s'est écriée : « Comment? Toi, Charles, tu me fais un pareil affront? Tu connaissais pourtant mes intentions. Mais qu'est-ce que je vais dire à Michel Leneuf? » Et dans la seconde qui suivait, elle me demandait de l'embrasser, en m'appelant son fils.

Il introduisit sa visiteuse dans la grande salle et, l'air soucieux, lui demanda :

– Crois-tu qu'elle se plaira ici?

Charlotte se mit à rire.

– Ah! Charles, qu'il me plaît de te voir amoureux! Bien sûr qu'elle se plaira, pourquoi veux-tu qu'il en soit autrement?

– Peut-être des meubles plus clairs…

– Si j'étais toi, je ne changerais pas le moindre détail. Cette pièce est charmante.

Charlotte retira son bonnet et secoua ses cheveux noirs.

– Je viens de chez les Bourdon où j'ai appris que notre gouverneur nous quitte. Est-ce exact?

– Oui, en effet, et je le regrette, car il avait mis au point des projets qui me semblaient très intéressants. Mais il y a plus important. Le gouvernement du royaume semble avoir pris un nouvel essor sous la direction de monsieur Colbert.

Il enchaîna en décrivant le rôle du nouveau ministre des Finances, qui, pour la première fois depuis des années, avait réussi à équilibrer le budget du royaume.

– J'ignore les procédés qui ont pu conduire à une telle réussite, énonça-t-il, si ce n'est l'intérêt qu'il attache au commerce. Il considère que la plus importante partie de ce commerce se rencontre dans les colonies. Et, pour cette raison, nous avons été rattachés au domaine royal. Depuis mars dernier, nous ne sommes plus en Nouvelle-France, mais dans la province de Canada.

– Qu'est-ce que ça change au juste? demanda Charlotte.

– Je ne connais pas encore les détails, mais les conséquences d'un tel changement seront sûrement importantes. Quant à notre économie, elle ne pourra que se développer. Je fais confiance à monsieur Colbert pour y veiller.

– Pour en arriver à une amélioration de nos finances, observa Charlotte, il faudrait d'abord une assistance militaire qui pourrait mettre un terme à nos problèmes avec les Iroquois.

– Pour ça, nous l'aurons. Le roi est décidé à nous envoyer un régiment qui devrait arriver d'ici un an ou deux.

– Encore! C'est déjà ce qu'on nous avait promis l'année dernière!

– Les troupes sont actuellement au service de l'Allemagne et combattent contre les Turcs. On espère les rapatrier dans le courant de l'hiver, mais rien n'est encore fait.

Charlotte ouvrit des yeux étonnés.

– On préfère voler au secours de l'empereur d'Allemagne et laisser périr la colonie… ou plutôt la province?

– Je sais, et je suis de ton avis, cela semble difficile à comprendre.

Charles tapa sur l'accoudoir de son fauteuil pour bien souligner ce qu'il allait dire.

– Il n'empêche, Colbert me fait une forte impression. Avec lui, ça bouge, et je suis persuadé qu'il vaut mieux s'en faire un ami. Justement, je crois bien que le petit Mazé ne faisait pas le poids. C'est un gentil garçon, mais face à monseigneur de Laval qui était soutenu par les plaideurs jésuites, et par tous les ordres religieux, il avait affaire à forte partie. Autant le dire tout de go, notre évêque a obtenu tout ce qu'il voulait, à commencer par le rappel de notre gouverneur.

– Il est rappelé avant même la fin de son mandat, remarqua Charlotte. Ainsi monseigneur est arrivé à ses fins.

– Et avec lui, monsieur Bourdon et l'ensemble de ses amis.

Charlotte frissonna.

– Toutes ces intrigues me dégoûtent.

– Tu n'es pas la seule. Monsieur d'Avaugour a choisi de partir avant même l'arrivée de son successeur.

– Comme je le comprends! Sait-on qui le remplacera?

– Il s'agit de monsieur Saffray de Mésy, qui est un ami de monseigneur. Notre évêque a même obtenu du roi des gratifications lui permettant de se libérer de ses dettes. Ça ne fait aucun doute, c'est une créature de l'évêque, un homme de paille, dont il fera ce que bon lui semble. Je crains que l'avenir nous réserve de graves problèmes.

18

LE DÉPART de monsieur d'Avaugour fit sensation à Québec. Beaucoup regrettèrent le vieux soldat qui, sous ses airs bourrus, leur avait semblé gérer les affaires du pays de façon équitable. Chacun y alla de son commentaire, personne n'étant indifférent.

Charlotte s'y intéressa pendant quelques jours, puis se laissa absorbée par un autre sujet qui la préoccupait. Depuis quelque temps, la santé de Justine laissait à désirer. Cela avait commencé par un banal mal de ventre, après quoi la maladie avait fait des progrès alarmants. Monsieur Madry l'avait soignée de son mieux, ce qui n'avait pourtant apporté aucun soulagement, et la vieille femme dépérissait rapidement.

Inquiétée par son état, Charlotte se rendait fréquemment chez elle. Elle la soignait, lui apportant une assistance tant physique que morale.

Justine, reconnaissante, lui souriait tendrement.

– Tu es bien bonne avec moi, disait-elle. Je ne pourrais pas avoir une meilleure fille.

Puis un jour elle s'alita pour ne plus se lever.

Du coup, François et Marie-Madeleine joignirent leurs efforts à ceux de Charlotte pour se relayer auprès de Justine.

Elle déclina rapidement, et un matin ne se réveilla point.

C'est François qui l'avait veillée pendant cette dernière nuit. Quand Charlotte le vit à la porte de sa cuisine, elle eut un mouvement de recul.

– Tu ne viens pas m'annoncer qu'elle est morte, au moins? dit-elle.

François fit signe de la tête. La jeune femme resta muette, plus émue qu'elle ne s'y attendait. Elle se rendit au chevet de la défunte et se pencha sur le visage ridé. Son cœur se serra. Elle était bouleversée par la disparition de cette femme qui l'avait accueillie à son arrivée en Nouvelle-France et avait su la prendre sous son aile comme sa propre fille. Justine... qui, ces derniers temps, encore avait si bien su la guider, l'aider à accepter sa peine.

– Pauvre Justine, murmura-t-elle à l'adresse de François. Elle me manquera terriblement.

– Et à moi donc, répondit-il.

– Crois-tu que nous avons su lui donner toute la tendresse qu'elle méritait?

– Je le crois. Je regrette seulement de ne pas lui avoir donné les petits-enfants dont elle rêvait.

– Elle en a eu un, fit Charlotte qui contenait mal son émotion.

François posa une main fraternelle sur la sienne.

– Tu te fais mal inutilement. Ton fils lui a procuré une très grande joie qu'elle n'aurait jamais eue autrement.

La veillée funèbre s'organisa avec l'assistance de Marie-Madeleine. Les voisins et amis vinrent nombreux pour se recueillir auprès de la défunte et prier pour le repos de son âme. Pour Charlotte, cette veillée fut une épreuve, car elle lui rappelait celle, encore récente, de son fils. Elle revoyait le petit corps inerte, les cheveux blonds, les paupières clauses. À plusieurs reprises, elle dut faire un effort pour dominer son chagrin.

Le lendemain, après le service, elle retourna chez elle, épuisée, le cœur lourd. Avant de franchir la porte de la cuisine, elle s'arrêta dans son jardin et s'assit sur le banc. Elle demeura figée, les yeux vagues. La blessure encore mal cicatrisée s'était ouverte de nouveau. Elle cacha son visage dans ses mains et gémit :

– Joseph… Joseph…

Seule une légère brise répondit à son appel. Se redressant, elle appuya la tête contre le mur de la maison derrière elle. La souffrance, seulement oubliée pour un temps, était toujours là.

– Pourquoi m'avez-vous quittée? murmura-t-elle. Joseph, je veux être courageuse, mais tu ne peux plus m'aider.

Puis sur un autre ton, elle reprit :

– Mon petit… Dors, mon petit… Dors.

Charlotte plia les bras sur sa poitrine. D'une voix douce, elle chanta une berceuse. Une de ces berceuses de son enfance, que sa mère lui avait fait connaître et qu'elle avait voulu transmettre à son fils. Personne n'était là pour l'entendre… La mélodie s'arrêta sur une note au ton cassé.

– C'est inutile. Je ne peux plus… Oh! mon Dieu! Ayez pitié, aidez-moi!

Elle laissa échapper un sanglot, puis se leva et gagna sa maison où personne ne l'attendait.

Il lui fallut un effort pour retourner à l'hôpital. Au début de la journée, elle eut du mal à se concentrer sur les malades qui s'y trouvaient nombreux. Elle circula entre les lits, soignant les uns, offrant des encouragements aux autres, et peu à peu elle retrouva son équilibre.

Un peu plus tard au courant de la matinée, elle s'arrêta devant un lit dont la couverture se gonflait à peine sur une toute petite forme. Des draps émergeait une tête d'enfant aux cheveux bruns et bouclés.

« Il doit être à peine plus âgé que Joseph », songea-t-elle.

S'approchant, elle se pencha sur le petit, qui n'eut aucune réaction. Ses yeux noirs, largement ouverts, conservaient une étrange fixité. De la main, elle caressa la joue, sans provoquer le moindre changement.

Cherchant à comprendre, elle regarda autour d'elle et, voyant mère Louise, elle l'interrogea.

– Grand Dieu! s'exclama celle-ci. Ne vous approchez pas de lui. Il est possédé du Malin.

À ces paroles, Charlotte se sentit irritée. Toujours aussi incrédule sur l'action du diable, elle songea que ces religieuses, non contentes d'avoir harcelé Barbe Hallay, allaient maintenant s'en prendre à un enfant. Prenant soin de taire ses sentiments, elle se renseigna sur les causes de cet envoûtement.

– L'enfant a été trouvé au bord du fleuve, à plusieurs lieues en amont, expliqua la sainte femme. D'après ceux qui l'ont trouvé, il était assis parmi des cadavres d'hommes et de femmes. À en juger par la nature de leurs blessures, il est évident qu'ils avaient tous été massacrés par les Iroquois. Cet enfant était sauf, si ce n'est l'état dans lequel vous le voyez. Seule l'action du démon peut expliquer sa survie dans de telles circonstances.

La soignante considéra le garçonnet et se sentit prise de pitié pour ce petit être qui avait perdu les siens et qui allait devoir subir les tribulations de ceux que l'on croyait accaparés par l'esprit du diable.

– Quelle preuve vous permet donc d'affirmer qu'il est possédé? questionna-t-elle.

– Voyez dans quel état est cet enfant, répondit la religieuse. Il a perdu jusqu'à la parole. Son cœur bat faiblement. Tout en lui montre que son esprit l'a quitté, laissant la place à celui de Satan.

La religieuse termina son commentaire en se signant.

– Mais pour quelle raison serait-il possédé? insista la jeune femme.

– Ces païens sont des êtres diaboliques, fit mère Louise d'une voix tremblante. Surtout leurs sorciers. Dieu seul sait quel maléfice ils ont pu lui jeter. Monsieur notre abbé l'a exorcisé la nuit dernière. Sans que cela entraîne le moindre changement. Il faudra sans doute lui donner la bastonnade.

– La bastonnade? s'écria Charlotte avec indignation.

Étonnée par les réactions de la soignante, la religieuse s'empressa d'expliquer :

– Croyez bien, madame, que ce n'est point l'enfant que nous battrons, mais l'esprit du Malin qui l'habite.

C'en était trop. Cette fois, Charlotte se révolta. Comment envisager que Dieu qui peut tout accepte qu'un innocent soit ainsi puni? «Laissez venir à moi les petits enfants»... Pour leur faire subir la bastonnade? «On le croit possédé du démon? songea-t-elle avec dépit. Après ce qu'il vient de vivre, il serait plutôt possédé par la peur.»

Sans réfléchir aux conséquences qui allaient en découler, elle prit sur-le-champ une décision qui allait changer le cours de sa vie.

– Il ne saurait en être question, dit-elle d'une voix ferme. Je m'y opposerai de toutes mes forces.

– Madame Hébert..., commença la religieuse avec effroi.

– Vous entendez? coupa la jeune femme. J'interdis que l'on touche à un cheveu de cet enfant. Je le prends sous ma protection, et je vais de ce pas le transporter chez moi afin qu'aucune autre personne que moi ne puisse en approcher.

– Ah! malheureuse! Gardez-vous-en. Songez à ce qu'il adviendra si le Malin quitte le corps de cet enfant pour s'introduire dans le vôtre.

– J'en prends le risque, fit Charlotte, s'étonnant de sa propre audace.

Malgré les protestations de la religieuse, elle enveloppa le petit dans la couverture du lit et, le prenant dans ses bras, elle quitta l'Hôtel-Dieu. Tout en marchant, elle le serra contre elle. Ses lèvres enfouies dans les cheveux bruns, elle murmura :

– Ils ne te toucheront pas, ils ne te feront aucun mal. Je te protégerai.

Elle avançait à pas rapides, son visage marqué par une forte détermination. Le choix qu'elle venait de faire lui paraissait totalement justifié, elle n'y reviendrait pas.

Peu avant d'atteindre son terrain, elle s'arrêta pour regarder le bambin de plus près. Écartant la couverture, elle détailla le visage encore poupon aux lèvres pleines, les larges yeux d'un noir luisant, la chevelure abondante et bouclée. Un bel enfant, en vérité. Émue, elle appuya la joue contre la tête du petit, et un sentiment maternel se glissa dans son cœur, chassant la morosité de la veille. En souriant, elle serra le garçonnet contre elle.

– Je ne te quitterai pas, dit-elle avec tendresse. Nous ne serons plus jamais seuls, ni toi ni moi.

Elle reprit sa marche plus doucement, tenant son fardeau avec précaution.

En la voyant entrer dans la maison, Noémie s'exclama :

– Mon Dieu! Qu'est-ce que c'est que ça?

– Ça, fit-elle en reprenant l'expression de sa cuisinière, c'est un oiseau tombé du ciel.

Puis sans autre commentaire, Charlotte s'éloigna, laissant Noémie médusée. Elle monta rapidement jusqu'à la chambre que son fils avait occupée, mais s'arrêta avant d'y entrer. Malgré elle, Charlotte redoutait de se retrouver dans cette pièce qu'elle avait évitée depuis la mort de Joseph. Elle hésita; sa main trembla sur la poignée avant qu'elle se décide à pousser la porte.

Ce qu'elle vit n'était autre qu'une jolie chambre blanchie à la chaux. Jeannette l'avait soigneusement entretenue. Rien n'avait changé. La berceuse tendait les bras au chevet du lit couvert d'une catalogne. Dans un coin se trouvaient les jouets : un minuscule chariot, des cubes, un cheval de bois… Une chambre d'enfant comme beaucoup d'autres.

Elle prépara le lit, puis, ayant choisi une chemise dans l'armoire, elle entreprit de déshabiller le garçonnet. Au moment où elle allait retirer le tricot de corps, son œil fut attiré par une médaille qui pendait à son cou. Il s'agissait d'une médaille en or, joliment ciselée. Un des côtés représentait une tête de madone. Sur l'autre face, un nom était gravé.

– Pierre, murmura-t-elle en lisant les lettres qui s'y trouvaient tracées. Pierre, répéta-t-elle avec insistance.

Elle avait espéré que ce nom allumerait une étincelle, mais le petit n'eut aucune réaction. En soupirant, elle s'assit sur le bord du lit et lui parla d'une voix douce.

– Tu seras bien ici. Je sais que tu ne peux pas la voir, mais tu es dans une belle chambre. C'est ta chambre… qui était celle de mon fils. Désormais, elle t'appartient.

Charlotte fredonna un air. Puis, caressant les cheveux ondulés, elle murmura :

– Dors, Pierre, repose-toi.

Elle posa les lèvres sur le front et retint son souffle. L'enfant venait de battre des cils.

– Mon petit, fit-elle à voix basse avant de se retirer sur la pointe des pieds.

Il faisait nuit noire quand des cris explosèrent dans la maison. Réveillée en sursaut, Charlotte courut dans la chambre voisine. Assis dans son lit, l'air terrifié, Pierre hurlait de toutes ses forces. Elle le prit dans ses bras, cherchant à le calmer.

– Dame blanche, cria-t-il distinctement. Dame blanche!

Charlotte avait entendu parler de cette étrange apparition que l'on nommait ainsi et qui faisait frémir même les plus courageux. On pouvait supposer qu'il s'agissait de guerriers iroquois dans leur canot d'écorce, dont la blancheur se reflétant sur l'eau donnait l'illusion d'une dame portant une longue robe blanche et marchant à la surface de l'eau vers ses victimes. Quoi qu'il en soit, rares étaient ceux qui revenaient vivants après avoir été témoins de cette vision. Seuls quelques-uns avaient pu décrire cette forme que personne n'évoquait sans crainte. Parmi ces derniers, certains avaient perdu la raison. Tous étaient marqués profondément, tel ce jeune homme qui, récemment, en avait eu la chevelure blanchie en une nuit.

– Non, dit-elle en serrant l'enfant contre sa poitrine. La dame blanche n'est pas ici. Elle est partie très loin. Jamais elle ne reviendra près de toi. Je l'empêcherai de t'approcher, je la chasserai. Tu ne la reverras jamais plus. Ne crains rien. Tu es ici en sécurité.

Pierre se tut. Son corps se raidit légèrement tandis que ses yeux se figeaient, reprenant le regard fixe de la veille.

« Pauvre petit, songea Charlotte. Comme il a dû souffrir. J'ai eu la douleur de perdre mon époux, mais il m'a été épargné de le voir souffrir. »

Tôt le lendemain, Jean Madry rendit visite à Charlotte.

– Quelle commotion vous avez suscitée à l'Hôtel-Dieu, lui dit-il sur un ton faussement accusateur. Les religieuses étaient si agitées que j'ai craint ne plus rien pouvoir en tirer.

– Soyez assuré que j'en suis consternée, protesta la jeune femme. Mais je ne regrette nullement ce que j'ai fait.

– Je veux bien le croire. Mais dites-moi, qu'espérez-vous obtenir au juste?

Charlotte hésita à peine. Elle connaissait bien cet homme. Aussi se décida-t-elle à se confier.

– Dois-je vous l'avouer? commença-t-elle. Je ne crois pas aux sortilèges et encore moins à l'influence que le diable peut avoir sur des êtres humains.

Le chirurgien eut un sourire amusé.

– Je ne suis pas loin d'en penser autant, admit-il. Cependant, c'est une notion qu'il vaut mieux ne pas crier sur les toits.

Tous deux échangèrent un regard complice.

– Cela étant dit, reprit-il, si cet enfant n'est pas sous l'emprise du démon, quelle peut être, à votre avis, la raison de son état?

– La frayeur, répondit Charlotte avec assurance. Il a vu les siens périr sous la hache des Iroquois. Que voulez-vous de plus pour provoquer une réaction violente chez un si jeune enfant?

– Je vous l'accorde, c'est possible, reconnut-il. Mais dans ce cas, il sera malaisé de l'en tirer. Comment comptez-vous procéder?

– Par l'amour et la tendresse.

D'abord un peu surpris, Jean Madry la scruta. Il décela la petite flamme qui s'était allumée dans ce cœur de mère et comprit quels sentiments l'animaient.

– Ce sont là les potions que vous recommandez? demanda-t-il.

– Je crois en leur vertu. Déjà cette nuit, il a bougé. Il s'est assis dans son lit et il a crié. Il a distinctement prononcé « dame blanche ».

– La dame blanche! répéta Jean Madry en frissonnant. Quoi qu'il en soit, c'est un bon signe. Cela semblerait indiquer qu'il retrouve la raison. Continuez vos soins, et tenez-moi au courant.

Après le départ de Jean Madry, Charlotte retourna auprès de Pierre. Il lui fallut attendre encore toute une journée avant que l'enfant sorte à nouveau de son apathie. Cette fois, il remua les yeux, qu'il posa sur sa protectrice.

– Maman? demanda-t-il d'une petite voix inquiète.

Charlotte le caressa doucement.

– Ta maman n'est pas ici, dit-elle. Elle est partie si loin qu'elle ne peut plus revenir. Mais ne crains rien, je suis là. Je vais prendre soin de toi. Mon petit garçon est parti très loin, lui aussi, comme ta mère. Si tu le veux, je serai ta nouvelle maman.

Les sourcils froncés, Pierre étudia le visage penché vers lui. Quelque chose bougea dans ses yeux, et il se détendit. Lentement, son regard se posa sur chaque objet dans la pièce.

À ce moment, un bruit monta de la cuisine. Aussitôt, le petit se recroquevilla, apeuré.

– Ne crains rien, lui dit Charlotte. C'est Noémie qui prépare à manger. Viens, je vais te montrer.

Prenant le petit dans ses bras, elle lui fit visiter toute la maison, prenant soin d'ouvrir chaque porte, chaque armoire afin qu'il comprenne bien que personne ne s'y cachait.

Lorsqu'elle arriva à la cuisine, Noémie s'exclama :

– Mais c'est qu'il est réveillé, le petiot!

– Vois-tu, Pierre, dit Charlotte, cette dame se nomme Noémie. C'est elle qui fait à manger ici. Tu dois avoir grand faim. Elle va te préparer un bon bouillon.

L'assoyant sur ses genoux, elle l'aida à absorber la soupe chaude. Lorsque l'assiette fut vide, il soupira d'aise. Charlotte lui parla de la ferme, où elle le conduirait bientôt. Elle lui décrivit les poules et les canards.

Pour la première fois, un léger sourire se dessina sur les lèvres du petit.

– Des cochons aussi? demanda-t-il.

– Oui, il y a des cochons aussi, dit-elle, heureuse de sa réaction.

Elle lui parla encore, mais l'enfant donnait des signes de fatigue, et elle le remonta dans sa chambre. Avant de l'allonger dans son lit, elle le berça en fredonnant des chants de son pays. Elle alla même jusqu'à chanter le «batelot» de Joseph.

Lorsqu'il se fut endormi, elle l'allongea dans son lit et l'observa tendrement. Enfin il reposait en paix. Ses cheveux ondulés auréolaient son visage tandis qu'une main émouvante s'abandonnait sur l'oreiller.

À cet instant, Charlotte se rappela une phrase de Justine : « Moi, des enfants, j'en ai pris là où il y en avait. »

– Tu as raison, Justine, murmura-t-elle.

Elle caressa le front serein et sourit.

– Je t'aime, Pierrot… mon fils.

19

PIERRE occupait une place importante dans sa nouvelle maison. Tout comme Charlotte, Noémie et Jeannette s'employaient à le divertir et à l'entourer de tendresse. À leur côté, il fit de rapides progrès. Ses moments d'absence devinrent de moins en moins fréquents, et un jour disparurent. Seuls les cauchemars, dernières preuves de son infortune, continuaient à l'agiter chaque nuit. Il s'attacha à sa protectrice et ne tarda pas à lui témoigner une affection émouvante.

Charlotte sentit grandir en elle l'amour maternel qu'elle lui avait offert dès le début. Et lorsque, se blottissant contre elle, Pierre l'entoura de ses bras en lui donnant le nom de « maman », elle en pleura de joie. L'un à l'aide de l'autre, la mère et l'enfant pansèrent leurs plaies.

Ayant pris soin de prévenir mère Marie de Saint-Bonaventure, Charlotte choisit d'abandonner provisoirement son rôle de soignante à l'Hôtel-Dieu et de se consacrer à Pierre. Elle le conduisit à la ferme, où il se réjouit à la vue des cochons, des poules et des canards. Elle lui présenta les enfants de Marine et de Béranger, qui lui montrèrent comment récupérer les œufs et donner à manger aux animaux. Il gambada dans les prés et s'intéressa à la culture.

Pierre n'avait pas encore rencontré Tikanoa et Ottahowara. Redoutant sa réaction, Charlotte avait pris soin de le tenir à l'écart du wigwam. Mais elle savait que tôt ou tard la confrontation serait inévitable. Elle décida de le préparer en lui relatant les aventures du jeune Huron et de sa mère sous forme d'un conte de fées. Au début, le petit garçon refusa même d'écouter. Mais peu à peu, il vint à s'habituer.

Croyant le moment opportun, Charlotte le conduisit auprès de l'Indienne. Elle avait pris soin de prévenir Tikanoa, qui se montra discrète, se limitant à offrir un sourire engageant. Mais lorsque Pierre l'aperçut, il se mit à hurler de terreur, et Charlotte eut le plus grand mal à le calmer.

Intéressé par la présence d'un enfant de son âge, Ottahowara s'approcha de Pierre. Apeuré, celui-ci cacha son visage dans les jupes de sa nouvelle mère.

– Allons, lui dit-elle, c'est un petit garçon comme toi.

Sous ces encouragements, il risqua un œil. Mais la vue du jeune Indien continuait à l'effrayer. Ottahowara essaya de lui tendre une pomme, la présentant de façon que Pierre ne voie que le fruit qu'il lui offrait. Étonné, le garçon regarda la pomme, puis, se décidant à se pencher, il aperçut le jeune Indien qui lui souriait gentiment. En hésitant, il voulut bien accepter le présent. Ottahowara se mit à rire en sautant de joie. Il lui prit la main et l'entraîna vers l'endroit, près du wigwam, où il jouait avec quelques objets rustiques. Craintivement, l'enfant suivit le petit Huron, puis enfin se laissa prendre au jeu.

Progressivement, Pierre s'habitua à la présence de Tikanoa et de son fils. Il en vint même à se lier d'amitié avec Ottahowara, et les deux enfants se retrouvèrent régulièrement, partageant leurs jeux et unissant leurs cris de joie.

Un jour, ils jouaient ainsi tous les deux sous la surveillance de Charlotte, occupée à sarcler son jardin, quand Pierre vint soudain se cacher près d'elle. Étonnée, elle leva la tête et reconnut Guillemette Couillard qui venait vers eux. Instinctivement, elle se méfia. Guillemette ne s'était jamais donné la peine de venir la voir chez elle, et le regard déterminé qu'elle décela chez sa tante n'augurait rien de bon.

Elle expédia Pierre auprès de Jeannette et reçut la doyenne le plus aimablement possible dans le petit salon, en lui offrant du sirop de vinaigre. Guillemette trempa ses lèvres dans le liquide, puis, posant sur sa nièce un regard dénué d'amitié, elle énonça :

– J'ai entendu dire que tu as recueilli un enfant dans cette maison.

Aussitôt, Charlotte se mit sur ses gardes, et reconnut le fait sans commentaire.

– J'admire, continua Guillemette, la bonté dont tu fais preuve.

– Ce n'est pas de la bonté, répondit la jeune femme, sentant monter une vague inquiétude. Cet enfant est charmant, rien n'est plus aisé que de l'accueillir. Sans lui, je n'aurais peut-être pas repris goût à la vie.

La doyenne pinça les lèvres, prenant une expression dégoûtée.

– Un enfant qui hier encore était possédé! Voilà un an, tu installais une indigène sur tes terres, et à présent tu accueilles un possédé. Je trouve de telles relations intolérables. C'est inadmissible, et indigne de notre famille, scanda-t-elle en frappant sa canne sur le sol.

– Il n'était nullement possédé, protesta vivement Charlotte. Son comportement est tout ce qu'il y a de normal. Et s'il vous faut des preuves, consultez monsieur Madry qui confirmera mes dires.

Guillemette la toisa en lâchant un « pff » désabusé. Charlotte lui rendit son regard.

– Du reste, je ne fais, il me semble, que suivre votre exemple. N'avez-vous pas élevé deux fillettes indiennes jusqu'à leur mariage?

Saisie par cette remarque, Guillemette aspira l'air bruyamment.

– J'ai fait ce que je devais faire et n'ai de compte à rendre à personne. Les temps ont changé, et les circonstances aussi. J'admire ta générosité, je veux que tu le saches. Cependant, j'ose espérer que tu ne songes pas à t'attacher davantage à cet enfant. Tu ne désires quand même pas entreprendre une action irrémédiable telle qu'une adoption?

– Si fait, j'en ai parfaitement l'intention, articula Charlotte en prenant soin de détacher chaque syllabe. Et cela ne regarde que moi.

Mais Guillemette ne l'entendait pas de cette oreille et refusait de s'en laisser imposer.

– Détrompe-toi, fit-elle, avec force. Tant que tu portes le nom de mon neveu, je me sens concernée. Je refuse que l'on nomme Hébert un enfant dont on ne sait rien des origines.

C'était donc là où elle voulait en venir. Charlotte se sentit courroucée par cette intrusion.

– Je ne vois nullement en quoi cela peut tant vous importuner.

De colère, la doyenne s'empourpra.

– Cela m'importune, en effet! Le nom de mon père doit être respecté. J'interdis que cet enfant soit appelé Hébert, quand nous ignorons ce qu'il deviendra.

Charlotte soupira. De toute évidence, il était inutile d'insister. Guillemette ne céderait pas. Il lui sembla préférable de lui accorder ce point plutôt que de risquer une intervention plus dramatique. La jeune femme la croyait capable de tout, à commencer par lui retirer le petit Pierre.

– Soit, dit-elle à contrecœur. Puisque cela vous déplaît tant, il ne se nommera pas Hébert. Cependant, je le garderai auprès de moi. Ni vous ni personne ne pourrez m'en empêcher.

Charlotte fit faire des recherches et, n'ayant trouvé aucune famille qui aurait signalé la disparition d'un enfant de l'âge de Pierre, elle put l'adopter. Et c'est ainsi que quelques semaines plus tard, à l'automne de 1663, un enfant trouvé au bord de l'eau fut baptisé Pierre Joseph Charles Poitiers.

Guillemette avait quitté la maison la rage au cœur. Elle n'avait pas l'habitude qu'on lui tienne tête, et l'entretien qu'elle avait eu avec Charlotte l'avait irritée. Elle s'était rendue chez sa nièce Françoise, bien décidée à la convaincre d'entreprendre une action contre sa belle-sœur.

– Enfin, qu'attends-tu pour réclamer la part d'héritage qui te revient? Non seulement cette terre se trouve actuellement entre les mains d'une étrangère, mais voilà qu'elle risque d'échoir à un enfant qui n'a rien en commun avec notre famille. Ce qui me déplaît infiniment!

Un peu surprise par cette sortie orageuse, Françoise avait expliqué :

– À vrai dire… jusque-là, je n'osais pas. Charlotte a été tellement éprouvée… Je voulais lui laisser le temps de se remettre de ses peines.

– Eh bien, c'est chose faite. Ta belle-sœur se console avec un enfant venu de nulle part. Voilà comment elle a choisi de remplacer ton frère et ton neveu. On voit bien le peu de cas qu'elle fait de notre famille. S'il n'en tenait qu'à moi, je la chasserais.

Françoise ne fut pas difficile à convaincre, car les dernières initiatives de Charlotte lui déplaisaient.

– Je ne te cache pas que depuis peu j'ai changé d'avis. Je serais plutôt portée à partager ton opinion. Crois-tu qu'il me soit agréable que Zef soit appelé à jouer avec un possédé? Non, rassure-toi, je ne tarderai pas à mettre le plus d'espace possible entre eux et nous. Je m'en occuperai dès que le nouveau gouverneur sera arrivé, car je ne peux rien entreprendre sans son accord.

Rassérénée, Guillemette avait gagné le Sault-au-Matelot en se félicitant d'avoir enfin eu raison de cette intrigante qui s'était introduite dans la famille sans qu'on vienne la consulter.

Avant de passer à l'action, Françoise dut attendre quelques semaines. Le retour de l'évêque de Québec, accompagné du nouveau gouverneur, se faisait désirer.

L'été tirait à sa fin. Déjà un vent glacé venu du nord avait balayé les prés, apportant une fraîcheur prématurée. Les moissons engrangées, les esprits se tournaient vers la saison froide, et les hommes entreprenaient les derniers travaux avant l'automne.

Le navire avait été signalé à Tadoussac, et l'on savait qu'une barque remontait le fleuve. Aussi, lorsque le 15 septembre on annonça l'approche de la chaloupe, on se rua vers le débarcadère, dans l'espoir d'apercevoir le nouveau gouverneur.

L'évêque fut facilement identifié à distance. Quant aux deux hommes qui l'accompagnaient, l'un de taille moyenne, et assez gras, présentait un visage qui ne retenait pas l'attention. L'autre, bien charpenté, le port noble et le geste large, fit grande impression. On chuchota qu'il ne pouvait être que le gouverneur. Grande fut la déception lorsqu'on apprit que ce rôle était attribué au premier.

Charlotte se trouvait parmi les curieux regroupés au bord de l'eau. Ayant reconnu François à une courte distance, elle se faufila jusqu'à lui.

– D'après toi, qui est le troisième homme? lui demanda-t-elle.

– C'est le commissaire.

– Un commissaire?

– Comment, tu ne savais pas? Le roi nous envoie un certain Gaudais-Dupont, chargé d'examiner de plus près les affaires de monsieur Péronne du Mesnil.

Charlotte ébaucha un sourire, se demandant si Jean Bourdon était bien satisfait de cet arrangement. Lui qui avait espéré le rappel de cet enquêteur allait devoir faire face à un deuxième inquisiteur. La situation n'était peut-être pas celle qu'il avait escomptée.

Elle s'étira le cou en voyant l'ancien procureur et Louis Rouer de Villeray, l'un de ses acolytes, se diriger vers la barque qui venait d'accoster. Les deux hommes accueillirent les voyageurs avec une courtoisie ostensible, et offrirent de les accompagner chacun à leur domicile.

La foule se dispersa en échangeant des commentaires à voix basse. Après quelques pas en silence, Charlotte demanda à son ami ce qu'il pensait du gouverneur. François fit la moue.

– Il ne me plaît guère. Il n'a pas l'air d'être très énergique.

Charlotte hocha la tête.

– C'est ce qu'il me semble aussi.

– Surtout, je n'ai pas aimé le comportement de Bourdon et de Rouer de Villeray. Leur empressement me fait une mauvaise impression. De toute évidence, ils cherchent à enjôler le gouverneur Mésy et le commissaire.

– Ça, tu peux leur faire confiance! confirma Charlotte. J'ai été témoin, à plus d'une reprise, du degré d'hypocrisie dont notre ancien procureur est capable.

– Je crains que monsieur de Mésy ne soit comme un pantin entre leurs mains.

* * *

Donnant raison à François et Charlotte, les deux consorts, qui venaient de se retrouver au fief Saint-Jean, se frottaient les mains avec allégresse.

– Ce monsieur de Mésy est une aubaine, déclara Villeray avec enthousiasme. Il est entièrement dévoué à monseigneur de Laval et ne fera rien sans son consentement.

– Notre évêque a fait des merveilles, renchérit Jean Bourdon. Tiens, je te propose un verre de vin pour célébrer cet événement.

Rouer de Villeray accepta, puis s'installa confortablement dans l'un des fauteuils du cabinet.

– J'ose à peine y croire, fit-il.

– Et tu ne sais pas encore tout, mon ami, annonça Bourdon en s'asseyant devant lui. Pendant que j'accompagnais monseigneur à l'évêché, il m'a fait des révélations qui me laissent pantois. Je t'apprends que d'ici trois jours le Conseil souverain sera instauré. Le croiras-tu? Monsieur de Mésy s'en remet à monseigneur de Laval pour la désignation de tous ses officiers! Je sais déjà que les membres de l'ancien Conseil reprendront leur place, et que je retrouverai ma charge de procureur général.

– C'est inespéré!

Jean Bourdon lui adressa un sourire triomphant.

– Monsieur d'Avaugour pouvait bien casser l'ancienne assemblée, c'était compter sans monseigneur de Laval!

Jean Bourdon porta son verre à ses lèvres, avant d'enchaîner :

– Et ce n'est pas tout. Notre Conseil aura la responsabilité de fonctions extraordinaires, jamais vues dans une colonie. Celles qui concernent la justice, cela va de soi, mais aussi celle de régler toutes les affaires de police publiques de l'ensemble du pays. Et, tiens-toi bien, celle de disposer de la traite des pelleteries, et de tout le trafic.

Rouer de Villeray en resta bouche bée.

– C'est inouï!

– Quant à monseigneur de Laval, il aura au sein du Conseil des responsabilités qui en feront, à peu de choses près, l'égal du gouverneur.

– Incroyable! s'exclama son vis-à-vis. Quel homme extraordinaire! Je lève mon verre à notre évêque.

Il but une gorgée avant de reprendre :

– Reste ce Gaudais-Dupont qui peut nous causer quelques ennuis.

Jean Bourdon eut un rire où perçait l'ironie.

– Il n'y a pas de quoi s'alarmer. Péronne du Mesnil ne possède aucune pièce compromettante. Quant au commissaire, il ne fera que passer, car il doit repartir sur le navire qui l'a amené jusqu'ici. Il n'aura pas le temps d'approfondir la question et devra juger sur une impression. Il nous suffit de l'amadouer, en l'invitant à quelques réceptions, par exemple. Bref, en lui lançant de la poudre aux yeux. Ce sera un jeu d'enfant.

L'ensemble des nouvelles dispositions ne tardèrent pas à s'ébruiter dans la bonne ville de Québec, et dans les quelques jours qui suivirent les commentaires allèrent bon train. Certains se réjouirent d'un gouvernement qui leur semblait de bon augure, et les autres, plus réservés, émirent quelques doutes sur sa pertinence. Parmi ceux-ci, Charlotte voyait d'un mauvais œil les acolytes d'hier reprendre les rênes du pouvoir.

À peine une semaine plus tard, elle revenait de la place publique quand elle remarqua un attroupement devant l'étude de maître Audouart, où se trouvait le greffe. Intriguée, elle approcha et questionna Élizabette Guyon qui était déjà sur place.

– Tu ne vois pas la porte grande ouverte? s'exclama sa cousine. Quelqu'un l'a fracturée pendant la nuit et s'est introduit à l'intérieur. C'est du propre! Il ne manquait plus que ça!

– Mais qui a pu faire une chose pareille?

– Si tu veux mon avis, il n'y a qu'une personne que cet endroit puisse intéresser. Monsieur Péronne du Mesnil. Il y a assez longtemps qu'il en réclame l'accès pour mener son enquête!

En écoutant ces paroles, Charlotte se sentit partagée entre deux sentiments. Si elle se réjouissait que justice soit enfin faite, elle redoutait le chagrin d'Anne Bourdon en apprenant les méfaits de son mari.

– J'en connais qui ne doivent pas être à leur aise, dit-elle.

Élizabette haussa les épaules.

– Qu'est-ce que tu crois? Avec les nouveaux décrets, ils sont tout-puissants.

Charlotte hocha la tête en pensant que Charles avait raison de s'inquiéter sur ce que l'avenir leur réservait.

Dès le lendemain, Agnès vint taper à sa porte. En voyant ses yeux pétiller, Charlotte devina qu'elle s'apprêtait à lui révéler un fait divers particulièrement croustillant. Sa belle-sœur se laissa tomber sur une chaise en s'exclamant :

– Ah! Tu peux te vanter de fréquenter du beau monde, toi!

Charlotte se mit à rire avant même de savoir de quoi il s'agissait.

– Que veux-tu dire, Agnès?

La jeune femme s'accouda à la table.

– Eh bien! Figure-toi que hier soir monsieur Bourdon, persuadé que monsieur Péronne du Mesnil était l'auteur du cambriolage perpétré chez maître Audouart, s'est présenté au domicile de l'enquêteur, accompagné de deux de ses amis et de six gardes. Ils en ont forcé l'entrée et ont attaché monsieur du Mesnil à une chaise. Ensuite, ils se sont emparés de tous les papiers qu'il avait volés au greffe et les ont brûlés jusqu'au dernier.

– Brûlés! s'exclama Charlotte.

– Si c'est pas malheureux d'entendre des choses comme ça, fit Noémie, outrée.

– L'enquêteur a eu tellement peur, continua Agnès, qu'il s'est embarqué sur un voilier qui s'apprêtait à lever l'ancre et est parti sur-le-champ.

– Mais d'où tiens-tu cette histoire? demanda Charlotte, tandis que la cuisinière, indignée, claquait de la langue.

– Je te dirai qu'il n'y a pas de meilleur endroit pour se renseigner que la place publique. Les gendarmes n'étaient pas tenus au secret et ils ont raconté tout ce qu'ils ont vu.

– Tu veux dire que monsieur Bourdon s'est compromis à ce point?

– Dame!

– Ça, c'est une belle clique, s'exclama Noémie.

Charlotte lui décrocha un rapide regard.

– À qui le dis-tu! Et si vous voulez mon avis, nous ne sommes pas au bout de nos surprises.

20

LA SUITE des événements allaient confirmer les craintes de Charlotte. Dans les semaines qui suivirent, le Conseil fit preuve d'une grande arrogance envers le gouverneur. Sous prétexte qu'il n'était qu'un chef militaire sans expérience juridique, ses membres prirent toutes les décisions et dirigèrent la province en tenant monsieur de Mésy à l'écart.

Avec raison indigné par cette succession d'intrigues non dissimulées, celui-ci en vint à suspendre Louis Rouer de Villeray, Denys-Joseph de Ruette d'Auteuil et Jean Bourdon, les accusant d'insubordination, de pratiques illégales ainsi que de tentative d'accaparer la gouverne du pays.

Contrairement à ce qu'on aurait pu croire, monseigneur de Laval ne fut d'aucun secours au gouverneur. Il refusa même de participer à la nomination de nouveaux conseillers. Il souligna la reconnaissance que monsieur de Mésy lui devait et le menaça de le priver de confesseur. Déjà, celui-ci faiblissait.

En apprenant l'ensemble de ces événements, Charlotte s'inquiéta pour Anne Bourdon, qui tôt ou tard finirait par comprendre le rôle que jouait son mari. Elle s'étonnait depuis longtemps de sa naïveté, et s'attendait à une prise de conscience douloureuse. Mais ce qu'elle constata en lui rendant visite acheva de la surprendre.

Loin d'être abattue, Anne se tenait la tête haute.

– Je ne comprends pas monsieur de Mésy, dit-elle. On lui vient en aide, alors qu'il ignore tout de la gouverne d'un pays, et il nous remercie en nous congédiant. Je me demande quand nous aurons un chef d'État digne de ce nom.

Charlotte était déconcertée. Mais, préférant ne pas approfondir un sujet qu'elle risquait de ne pas contrôler, elle orienta la conversation sur Pierre.

Anne l'écouta en souriant.

– Je serai heureuse de faire sa connaissance. Avec toutes ces affaires qui touchent mon mari, je n'ai pas eu une seconde à moi.

Charlotte enchaîna en décrivant la récente visite de Guillemette.

– Comment? fit Anne, incrédule. Elle a osé! C'est bien Guillemette Couillard. J'ai rarement vu une personne aussi encombrante. Elle se croit le droit de tout diriger.

Charlotte sourit, consciente qu'Anne supportait moins les ingérences de sa tante que celles de son époux au sein du Conseil.

À peine fut-elle rentrée chez elle que Françoise vint la voir.

– Charlotte, fit-elle sans préambule, j'ai à m'entretenir avec toi.

Alertée par une prémonition, elle se méfia. Françoise faisait preuve d'une arrogance qui ne présageait rien de bon. Toujours sur ses gardes, Charlotte lui offrit de s'asseoir.

– Ton attitude m'étonne, commença Françoise en jouant nerveusement avec l'accoudoir de son fauteuil, ce qui dénotait un certain embarras, malgré l'air hautain qu'elle affichait. Ma mère, mes sœurs et moi-même t'avons accueillie comme l'une des nôtres. Pourtant, à la mort de Joseph, l'idée d'un partage ne t'a même pas effleurée.

Abasourdie, Charlotte l'examina, cherchant à comprendre les raisons de ces reproches.

– Que désires-tu, Françoise?

– Voilà. Joseph n'a pas laissé de testament, c'est entendu. Il va de soi que tu conserves la plus grande partie de ses biens. Cependant, la loi prévoit, en pareil cas, que la famille du défunt reçoive un tiers de toutes ses possessions.

Interdite, Charlotte demanda d'une voix blanche :

– Où veux-tu en venir?

– Je veux en venir à ce qui nous est dû. Nous te laissons la jouissance de la maison et des meubles de Joseph, sans t'en réclamer aucun. Tu conviendras que tu y gagnes, puisque tu es arrivée ici les mains vides. Cependant, il en va différemment de la terre.

Charlotte se sentit prise par une vive émotion. Elle s'était attachée à ce terrain, et l'idée qu'on lui en retire ne serait-ce qu'une parcelle lui était intolérable.

– Tu ne peux pas faire ça, Françoise. Je n'arrive pas à croire que tu y penses réellement. Dis-toi bien que j'ai besoin de cette terre pour vivre.

– Voilà bien les pensées égoïstes que je prévoyais. Tu oublies que vous n'êtes que deux, toi et… cet enfant trouvé, tandis que nous sommes six.

Piquée à vif par le dédain que manifestait sa belle-sœur en parlant de Pierre, Charlotte se redressa vivement.

– Si je comprends bien, la famille que favorise cette loi ne concerne personne d'autre que toi.

Françoise rougit, laissant paraître que cette remarque avait fait mouche. Elle aspira bruyamment avant de continuer :

– Je suis la seule à qui cette terre puisse profiter. Voici comment j'envisage le partage. Je prendrai pour moi une bande de terrain jouxtant le mien, et dont la limite s'alignera avec la pierre plate au bord de la Grande Allée.

Charlotte eut un haut-le-corps. La démesure lui sautait aux yeux.

– Cet emplacement représente beaucoup plus du tiers. C'est presque la moitié.

– Ce sera ainsi et pas autrement, émit Françoise, autoritaire.

Indignée, Charlotte chercha à raisonner sa belle-sœur, qui resta inflexible.

Après son départ, la jeune veuve demeura hébétée par cette conversation. L'esprit vide, elle se dirigea vers l'extérieur.

Elle parcourut des yeux cette terre qu'elle aimait avec force, sans l'avoir pleinement mesuré jusqu'à ce jour. D'une main tremblante, elle caressa le tronc d'un arbre. Son regard se posa sur un buisson, celui que Joseph avait contourné le jour de son départ, et qui l'avait masqué à sa vue pour toujours. On voulait lui retirer cet arbuste? Cette idée lui était insupportable.

– Je ne veux pas, murmura-t-elle, accablée. C'est une partie de Joseph qu'on m'enlèverait une deuxième fois.

Il fallait trouver le moyen d'arrêter Françoise. Mais qui la soutiendrait? Hélène Morin refuserait de trancher. Agnès ne ferait pas le poids, et Germain ne voudrait pas intervenir, lui conseillant sans doute de s'en remettre à Dieu. Alors qui?

Impuissante, elle laissa tomber son bras.

– Ce n'est pas possible, gémit-elle.

Subitement, elle releva la tête.

– Peut-être Charles Aubert... ou Jean Guyon?

Cette idée lui donna du courage. Ils sauraient sûrement la conseiller. La partie n'était pas encore perdue.

Sans attendre davantage, elle se dirigea vers la maison de Charles.

Il l'écouta attentivement, mais lorsqu'elle eut terminé son récit, il hocha tristement la tête.

– Je crains fort que tu ne puisses rien faire. Bien sûr, tu pourrais intenter un procès. Mais tu sais comme moi que les Fournier sont au mieux avec la canaille qui nous gouverne. En toute sincérité, je doute fort que tu aies gain de cause. À mon avis, il serait plus sage de parler avec Françoise, de la persuader d'abandonner ses prétentions.

– Persuader Françoise? s'exclama Charlotte. On voit bien que tu ne la connais pas.

– Allons, ce n'est pas une méchante femme. Tu réussiras à l'attendrir, je n'en doute pas.

– Je voudrais bien en être aussi sûre que toi!

Accablée, Charlotte prit la route du retour. Convaincre Françoise n'était pas chose aisée. Elle se souvenait de la conversation entre Joseph et sa sœur concernant le fief Saint-Joseph. C'est difficilement qu'il avait finalement obtenu ce qu'il souhaitait. Nul doute n'était possible : ses chances étaient très minces.

Elle approchait de chez elle quand un spectacle lui glaça le sang. Deux hommes construisaient une clôture sur son terrain, à partir de la pierre plate.

– Non! hurla-t-elle de toutes ses forces. Non!

Elle courut jusqu'à eux.

– Non, cria-t-elle encore. Arrêtez! De quel droit érigez-vous cette clôture?

Éberlués, les deux hommes l'observèrent.

– Bien, commença le plus âgé, c'est madame Fournier qui nous a demandé de le faire.

Sans perdre de temps, elle courut chez sa belle-sœur.

– Arrête, s'écria-t-elle sans grande cohésion. Ne détruis pas le travail de Joseph. Ne fais pas ça!

Françoise eut un sourire dédaigneux.

– Ma pauvre Charlotte, tu es ridicule. Ce terrain appartenait à mon père. Angélique et Joseph sont disparus, et ma mère ne s'y intéresse point. Il me revient de droit. Quant au travail de Joseph..., ajouta-t-elle sur un ton méprisant. Qu'en as-tu fait, toi, de ce terrain? Tu y as installé une Indienne et un enfant possédé.

Désemparée, Charlotte implora :

– De grâce, ne me retire pas le peu qu'il me reste de Joseph.

– Il t'en reste bien assez.

– Je t'en prie. N'as-tu aucune pitié? De quoi es-tu donc faite?

Irritée, Françoise se détourna.

– Laisse-moi, tu m'ennuies.

À bout d'arguments, Charlotte s'éloigna en titubant, puis s'arrêta sur la passerelle de La Chevrotière, retenant mal ses larmes. « Jean, songea-t-elle soudain, il faut voir Jean. »

Sans plus attendre, elle courut jusque chez lui. La voyant arriver rouge et hors d'haleine, Élisabeth s'inquiéta.

– Mon Dieu, Charlotte! Te serait-il arrivé un autre malheur?

– Ton époux, dit-elle à bout de souffle. Je dois voir ton époux. Où est-il?

– Ici même, fit Jean en pénétrant dans la pièce.

Constatant le désarroi de sa cousine, il s'inquiéta à son tour.

– Remets-toi, Charlotte, fit-il, essayant de la calmer. Rien ne peut être si grave. Allons, dis-moi ce qui t'agite à ce point.

Cherchant à retrouver ses esprits, la jeune femme s'expliqua en quelques mots.

– Il y aurait du Guillemette sous cette affaire que ça ne m'étonnerait pas, déduisit Jean en secouant la tête.

– Aide-moi, Jean, implora Charlotte. Que puis-je faire?

– Pas grand-chose, je le crains. Françoise a raison. En l'absence d'un testament, le tiers des biens revient à la famille du défunt. Bien que généralement on en laisse la jouissance à la veuve, sa vie durant. C'est justement ce qui me dégoûte dans cette affaire. Elle pourrait se montrer plus charitable. Mais si elle te prend réellement plus du tiers, tu peux la poursuivre en justice. Malheureusement, avec la caste qui s'occupe actuellement des lois dans ce pays, tu auras sans doute le plus grand mal à obtenir gain de cause.

Il posa sur elle un regard compatissant avant d'enchaîner :

– Il faut te résigner, Charlotte. Je ne vois pas d'autre solution. Cependant, je ne saurais assez te recommander de faire détailler par acte notarié les onze arpents que Françoise semble vouloir te laisser sur les vingt et un que tu avais. Il faut te protéger, et seul un document officiel peut le faire.

Malgré sa peine, Charlotte reconnut la sagesse de ce conseil et le mit à exécution. C'est ainsi que le 22 décembre 1663 un acte fut passé devant maître Rageot, notaire royal. Cet acte stipulait que :

> *Charlotte de Poitiers du Buisson, fille de Pierre-Charles de Poitiers du Buisson, décédé, d'Amiens en Picardie, jeune veuve, requiert la permission de faire valoir son contrat de mariage passé le 2 mai 1660. Jusqu'à ce jour, elle a été tout à fait incertaine de la mort de son mari, Joseph Hébert, sinon qu'en 1662, à la fin octobre, il revint quelques prisonniers du pays des Iroquois, qui l'assurèrent de cette mort.*

La jeune veuve héritait de son mari une propriété de onze arpents. Propriété que Joseph Hébert avait reçue de son père, Guillaume Hébert, à qui le terrain avait été concédé en 1639[1].

Après la signature de l'acte, Charlotte regagna sa demeure. Le cœur serré, elle s'engagea sur son terrain en longeant la toute nouvelle clôture.

– Je ne peux pas m'y faire, murmura-t-elle. Jamais je ne pourrai admettre que ces dix arpents ne m'appartiennent plus.

---

1. Cette terre aurait aujourd'hui les limites suivantes : la Grande Allée, la rue Claire-Fontaine, la rue Saint-Patrice et la rue Berthelot.

Une terre qu'on me dérobe, mais qui, au fond de mon cœur, m'appartiendra toujours.

Elle restait immobile, face à la clôture, quand elle sentit la menotte de Pierre se glisser dans sa main. Baissant la tête, elle vit le garçonnet qui lui souriait gentiment. Elle se pencha, et le serra contre elle. Émue, elle comprit que l'amour de cet enfant était infiniment plus précieux que la plus belle des terres.

SECONDE PARTIE

1665

Le régiment de Carignan

21

PRÈS DE DEUX ANS s'étaient écoulés depuis que la colonie avait été rattachée au royaume pour en faire la province de Canada. En raison des intrigues des membres du Conseil, le nouveau régime s'installait avec difficulté. Alerté par les comptes rendus qu'il avait reçus, Jean-Baptiste Colbert, ministre des Finances du roi, avait jugé nécessaire d'y mettre bon ordre, et au printemps de l'année 1665, c'est en France que se tramait l'avenir de cette contrée.

Dans son bureau au château de Versailles, Colbert essayait en vain d'ignorer les bruits de marteau, de scie et de burin. Un craquement sonore eut pourtant raison de sa patience. Agacé, il se leva et, approchant de la fenêtre, il regarda la partie de mur qui se trouvait sur sa droite, ou du moins ce qui en était visible. Une tête sculptée au sourire juvénile émergeait des échafaudages. Ce visage au regard serein se montrait indifférent aux fourmis humaines s'acharnant à lui modeler un corps.

Colbert eut un rictus.

– Ce château est une splendeur, marmonna-t-il, mais quelle folie!

Mieux que quiconque il mesurait les conséquences de la construction de cette demeure sur l'économie du royaume. Chaque fleuron de pierre, le moindre mascaron ornant une fenêtre, représentait autant d'impôts arrachés aux paysans. Sa rigueur personnelle le portait à détester ce château pour lequel son poste l'obligeait à pourvoir chaque mois des sommes importantes afin d'en achever la construction.

En soupirant, il ferma la fenêtre.

– Le moyen de travailler dans ce tumulte, lança-t-il à l'intention de son interlocuteur.

Il connaissait bien cet homme. Champenois comme lui, Jean Talon collaborait étroitement avec le ministre depuis qu'il avait accepté une intendance dans le Hainaut quelque dix ans plus tôt. Colbert se sentait en confiance.

– Le roi a apprécié votre travail, dans le Hainaut, commença-t-il. Votre action dans cette province l'a impressionné à tel point qu'il envisage de vous confier un poste d'une grande envergure, dans des conditions particulièrement délicates, et que seul un homme de votre trempe peut mener à bien. En un mot, je veux parler du Canada.

Étonné, Jean Talon en bégaya.

– Le... le Canada?

Amusé, le ministre savoura l'effet produit par cette information.

– Cette nouvelle province, reprit-il, me préoccupe. L'administration des dernières années laisse à désirer, et un changement s'impose. Pour ces raisons, il a été décidé d'y envoyer un vice-roi, ainsi qu'un nouveau gouverneur et un intendant. Le gouverneur sera monsieur Daniel de Rémy, sieur de Courcelles. Quant au vice-roi, il s'agit du marquis de Prouville de Tracy. C'est un militaire méthodique, un homme respectable et expérimenté. Point tout jeune, puisqu'il accuse soixante-trois ans. Je dirais qu'il est... d'une autre époque. C'est peut-être justement ce qui le rend conciliant, raisonnable et tempéré, bien que cela ne l'empêche pas de s'entourer d'un certain faste. Il est courtois et plein de bon sens. Je ne doute pas que vous vous entendrez bien avec lui. Car, vous l'avez compris, Sa Majesté désire faire de vous le premier intendant du Canada.

– C'est pour moi un grand honneur, murmura Jean Talon d'une voix grave.

Colbert lui sourit en toute amitié.

– Vous porterez le titre officiel d'intendant de justice, de police et de finances dans les pays de Canada, d'Acadie et de Terre-Neuve. Ainsi vous serez la seconde personne dans le pays après le marquis de Tracy.

Jean Talon prit le temps d'enregistrer ces précisions. L'importance de ce poste allait le hisser à un degré auquel il ne s'attendait pas. Le travail serait conséquent, à n'en point douter, et les responsabilités iraient de pair. Qu'on l'ait jugé digne d'un tel rôle le flattait, et l'inquiétait également. Il pâlit, puis s'empourpra.

– Tant de considérations m'honorent, dit-il enfin. À vrai dire, vous me voyez confus. Dois-je l'avouer? J'ignore presque tout de ce pays.

– Qui est fort beau, à ce qu'on en dit.

– Je l'ai ouï dire, en effet.

Avant de se lancer dans de longues explications, Colbert examina son interlocuteur. Sa taille haute en imposait aisément. Sur des traits bien marqués mais sans grossièreté s'ouvrait un regard franc et énergique. Par ailleurs, il connaissait ses manières courtoises, doublées d'un remarquable esprit d'entreprise. C'était bien l'homme qu'il lui fallait.

S'animant soudain, il remua la paperasse sur son bureau.

– J'ai là plusieurs dossiers, lettres, minutes que vous pourrez lire afin de vous renseigner sur ce pays ainsi que sur les fonctions que vous aurez à y tenir, monsieur de Tracy, monsieur de Courcelles et vous-même. Mais j'aimerais, ici, vous faire part de mes impressions personnelles.

Le ministre s'installa confortablement avant de commencer son exposé. Puis il entreprit de décrire la situation avec les Iroquois, et les conséquences de leurs attaques.

– Il semble évident que ces indigènes sont encouragés par les Anglais et les Hollandais qui n'aimeraient rien tant que de nous voir disparaître de ces contrées.

À ces mots, Jean Talon s'étonna.

– Vous dites les Hollandais? Je croyais que les Anglais s'étaient emparés de leur colonie sur ce continent.

Colbert esquissa un sourire.

– Il est exact que l'année dernière ils se sont emparés de la Nouvelle-Amsterdam, qui s'est soumise presque sans combattre, et qui porte désormais le nom de Nouvelle-York. Cependant, il existe toujours une colonie hollandaise, notamment à Orange[1] et à d'autres endroits le long de la rivière Hudson.

Après cette courte interruption, Colbert reprit :

– Il est impératif de mettre un terme aux incursions iroquoises. Or, comme vous le savez, nous ne sommes en guerre ni avec les Hollandais ni avec les Anglais. Nous ne pouvons pas nous en prendre à eux directement. C'est donc auprès des Iroquois qu'il faudra intervenir. J'envoie mille bonshommes du régiment de Carignan, qui arriveront dans le courant de l'été, et qui auront pour mission de réduire ces indigènes à l'impuissance. C'est là ma première consigne, et la plus pressante. Monsieur de Courcelles, en sa qualité de gouverneur, commandera les troupes, mais il vous incombera d'organiser l'expédition de concert avec lui.

Jean Talon fronça les sourcils, car il ne connaissait pas le futur gouverneur avec lequel il était appelé à collaborer.

---

1. Orange : aujourd'hui, Albany.

– Ne serait-il pas souhaitable que nous puissions en discuter à l'avance? demanda-t-il. Me sera-t-il donné de le rencontrer avant mon départ?

Colbert hocha la tête avec enthousiasme.

– Non seulement ferez-vous sa connaissance, mais vous naviguerez avec lui sur l'Atlantique. Quant à monsieur de Tracy, il est déjà parti depuis près d'un an. Il avait une mission à remplir dans les Antilles. Selon toutes vraisemblances, il devrait quitter ces îles sous peu et atteindre le Canada avant vous.

Ce premier point étant exposé, Colbert s'apprêta à entamer un autre sujet qui lui tenait à cœur. Il s'appuya sur son bureau, adoptant une position qui laissait percevoir l'importance qu'il y attachait.

– Le propos dont je vais maintenant vous entretenir est plus épineux.

Le connaissant, Jean Talon comprit que l'exposé à venir serait long. Il croisa ses longues jambes et attendit les précisions du ministre.

– Il s'agit de l'évêque de Québec, un personnage assez singulier qui risque de vous causer du tourment. Monseigneur de Laval contrôle de très près toutes les décisions relatives à cette colonie. Sachez que vous pourrez difficilement agir sans interférence de sa part. Car ce prélat exerce un pouvoir que je trouve anormal.

– Anormal? Comment l'entendez-vous?

– Il se mêle de tout, se heurte aux autorités civiles et veut partout imposer sa loi. J'ai entendu monsieur d'Avaugour, le précédent gouverneur. Son rapport ainsi que d'autres m'ont donné à réfléchir. Tout tend à indiquer que l'évêque désire gouverner en lieu et place de ceux que l'on envoie à cet effet. Monsieur de Mésy, actuel gouverneur de Québec, semble se heurter à des difficultés comparables. Et pourtant, cet homme fut choisi par monseigneur de Laval en personne. L'automne dernier, monsieur de Mésy m'a fait parvenir son rapport. Je reconnais que cette lecture m'a laissé perplexe. Si cet homme dit la vérité, il y a lieu de s'inquiéter non seulement des agissements de notre évêque, mais également de ceux des membres du Conseil.

Le ministre décrivit ensuite la position inconfortable du gouverneur, et les différentes intrigues menées par les membres du Conseil.

– Une crise s'est produite lors d'une séance tenue l'automne dernier. Aux prises avec de véritables cabales dont il a subi l'impertinence, monsieur de Mésy s'est vu dans l'obligation de déclarer pour la deuxième fois que les sieurs d'Auteuil, de Villeray et Bourdon n'étaient plus membres du Conseil. Monsieur Bourdon, surtout, a réagi violemment. Il s'est montré particulièrement insolent. À tel point que le gouverneur a dû le faire sortir par la force, et lui a ordonné de venir en France afin de rendre compte de sa conduite. Loin de soutenir le gouverneur, monseigneur a formulé son opposition au cours d'un sermon, en chaire. À la suite de quoi, faisant bloc avec l'évêque, les jésuites lui ont refusé l'absolution et la communion.

– Comment une telle situation est-elle possible? s'indigna l'intendant. Cela ressemble fort à une tentative d'implantation d'une hégémonie théocratique en Canada.

– Tout porte à le croire, en effet. Je suis heureux de constater que nous sommes du même avis.

Colbert offrit un long sourire à son intendant avant de reprendre :

– J'ai vu ce monsieur Bourdon, qui me semble être un petit bourgeois sans grande envergure. Ses explications sont confuses et ne me portent guère à juger en sa faveur. À cette impression s'ajoute un rapport accablant de la part d'un certain monsieur Péronne du Mesnil, qui se vit charger par la Compagnie des Cent-Associés de mener une enquête sur la dissipation des revenus qu'elle aurait dû toucher. Cet enquêteur accuse sévèrement monsieur Bourdon, malgré un manque total de preuves. Je dois préciser que son rapport se montre si outrancier qu'il en vient à perdre toute forme de crédibilité. Pourtant, je serais porté à dire qu'il n'y a pas de fumée sans feu. Je ne saurais affirmer jusqu'à quel point le procureur a trempé dans une quelconque machination frauduleuse, mais je n'arrive pas à le croire pleinement innocent. Sa défense manque de conviction, le bonhomme me semble sournois, d'une espèce qui n'hésiterait pas à escroquer son voisin. Par opposition, en dépit de ses excès, je trouve au rapport de monsieur du Mesnil un accent de sincérité. Je sens l'enquêteur outré, ulcéré, au point d'exagérer les événements, ce qui me porte à lui donner raison... au moins en partie.

L'air songeur, Colbert médita quelques instants sur ce qu'il allait dire.

– Le rôle de monseigneur de Laval est plus ambigu, reprit-il. Pourquoi l'évêque de Québec soutient-il des individus dont les agissements ne semblent pas irréprochables? Ignore-t-il tout de leurs menées, ou se sert-il d'eux pour asseoir son autorité? Je penche pour cette deuxième hypothèse. Car, cela ne fait aucun doute, ce prince de l'Église exerce une domination qui dépasse de beaucoup les bornes limitant le pouvoir des évêques dans tout le monde chrétien, et en particulier dans le royaume. Comment expliquer autrement que, tout en étant membre du Conseil, monseigneur de Laval soutienne ces agitateurs contre l'homme de son choix, qui en plus était son ami?

– Mais c'est évident! s'exclama l'intendant. Il a désigné monsieur de Mésy afin de pouvoir plus aisément s'imposer à lui et usurper la gouverne du pays.

– Je partage tout à fait cette opinion. Quoi qu'il en soit, il faudra vous méfier de lui. La présence du marquis de Tracy devrait déjà considérablement freiner notre évêque, d'une part grâce à l'aspect prestigieux de son rôle, mais aussi parce qu'il devra commander à tous les sujets du pays. Je dis bien tous les sujets, qu'ils soient ecclésiastiques, nobles, militaires ou autres. Quant à vous, votre pouvoir sera très étendu. Il vous appartiendra de prendre un grand nombre de décisions, sans que vous ayez à consulter les membres du Conseil.

Colbert adressa un sourire complice à son subordonné.

– Vous l'avez compris, votre rôle est conçu pour coiffer celui de monseigneur de Laval. Je ne doute pas que vous aurez maille à partir avec lui. Mais il sera indispensable de le maintenir dans des limites précises. Je ne peux pas assez insister sur la nécessité de tenir dans une juste balance l'autorité temporelle, qui réside en la personne du roi et en ceux qui le représentent, et la spirituelle, qui réside en la personne de l'évêque et des jésuites, de manière toutefois que celle-ci soit subordonnée à l'autre. Je vous enjoins fortement d'empêcher que les ecclésiastiques ne s'immiscent dans les affaires relevant de l'autorité royale, la justice et la police du pays, par exemple, dût-on ne plus accorder de siège au Conseil à l'évêque de Québec.

– Je m'y emploierai, assura l'intendant. Si j'ai le soutien du marquis de Tracy et celui de monsieur de Courcelles, la tâche devrait m'être facilitée.

– Vous pourrez assurément compter sur eux. Et j'insiste sur l'importance de maintenir les religieux canadiens à l'intérieur de leurs bornes. Sinon les désordres risquant de découler de leurs interventions ne peuvent être que néfastes à la colonie.

Satisfait de cet échange, le ministre se détendit. Il s'appuya contre le dossier de son fauteuil et soupira profondément avant d'entreprendre le dernier volet de son exposé.

– Il me reste un troisième propos dont je dois encore vous entretenir, commença-t-il. Je ne vous apprendrai rien en vous disant que mon rôle est de veiller au bon fonctionnement des finances. C'est précisément à ce titre que les colonies m'intéressent. Je suis persuadé que tôt ou tard l'on pourra en tirer des richesses importantes. En ce qui concerne le Canada, les fourrures qu'on y trouve constituent actuellement la principale source de revenus. Mais je suis sûr qu'il pourrait en exister d'autres, si elles étaient développées. Il importe donc d'explorer de nouvelles avenues d'enrichissement, qu'il s'agisse de mines, d'exploitations agricoles ou de toute autre forme d'entreprise. Je vous confie la charge d'étudier les diverses possibilités et d'en tirer le maximum. En particulier, je vous conseille de considérer le bois que l'on pourrait tirer des nombreuses forêts. Ce bois serait utilisé dans nos chantiers navals. Je tiens à développer cette industrie au maximum. Depuis trop longtemps, nous dépendons des navires que les Hollandais peuvent nous vendre. Pour cette raison, j'ai créé plusieurs chantiers. Le plus récent se trouve au sud de La Rochelle, à l'embouchure de la Charente. Il comprend deux cales de construction et une corderie selon les méthodes les plus modernes. Du coup, une ville nouvelle y a été établie afin d'y loger les ouvriers. Cette ville porte le nom de Rochefort. Je vous précise tout cela pour que vous compreniez l'intérêt que je porte au bois pouvant servir à la construction des navires. Quoi qu'il en soit, étudiez toutes les possibilités d'exploitations et tenez-moi au courant.

La conversation entre les deux hommes continua encore fort longtemps. Le nouvel intendant posa des questions, étudia la carte dont le ministre disposait, ébaucha quelques projets. Colbert répondit et l'écouta tour à tour, sentant déjà poindre une profonde satisfaction devant l'attitude de son intendant.

La nuit tombait déjà quand Jean Talon quitta son supérieur. Il longea les couloirs, la tête remplie de projets. Il franchit la porte du château sans à peine s'en rendre compte. Mais dans la pénombre de la cour, il s'étira, cherchant à délasser ses membres ankylosés. Alors seulement, il sentit pleinement le poids de sa nouvelle charge.

22

ALORS que Jean-Baptiste Colbert et Jean Talon en étaient encore à discuter sur l'avenir du Canada, un événement d'importance se déroulait dans la nouvelle province. En effet, tombé gravement malade au mois de mars, monsieur de Mésy mourait le 5 mai 1665.

Avant d'expirer, il avait reçu monseigneur de Laval. Les deux anciens amis s'étaient réconciliés et avaient prié ensemble avant que la mort ne les sépare. La bonne ville de Québec s'était émue de ce décès, et plus encore en apprenant que l'ancien gouverneur avait demandé à être enterré dans le cimetière des pauvres.

Ignorant les nouvelles dispositions prises par le ministre des Finances, on s'interrogeait sur les conséquences de cette disparition. La colonie, livrée à la gouverne d'un intérimaire, n'allait-elle pas tomber sous la tutelle de l'évêque de Québec? Lorsqu'un premier navire était venu mouiller devant Québec, c'est donc avec soulagement qu'on avait appris la venue prochaine du vice-roi ainsi que d'un nouveau gouverneur et d'un intendant. L'information selon laquelle le régiment de Carignan-Salières avait déjà pris la mer et serait là sous peu constitua également une excellente nouvelle.

L'ensemble de ces informations avait rempli les habitants de joie. La perspective de recevoir des personnages de haute qualité tenait une bonne place dans cette allégresse. Mais plus que tout, la confirmation de l'arrivée prochaine des troupes promises depuis si longtemps provoquait une euphorie générale. On ne vivait plus que dans l'attente des navires qui ne pouvaient plus tarder à mouiller dans la rade de Québec. Dans les champs, on surveillait le fleuve, guettant les premières voiles, et on dressait l'oreille, espérant entendre le carillon qui annoncerait l'arrivée des vaisseaux.

Dans son potager, Charlotte huma l'air avec satisfaction. Elle y décela les signes d'un été précoce. Le sol embaumait de cette riche odeur que les terriens savent apprécier. Elle laissa errer son regard. Le foin déjà poussé ondulait au gré du vent, tandis qu'à l'orée du bois les arbres berçaient leurs branches chargées de feuilles. Une légère brise caressa son visage.

« Quel bien-être », songea-t-elle en souriant.

Mais sa joie s'estompa. Devant elle, à une distance trop courte, la séparation entre les deux terrains se dressait comme une injure. Une ombre voila son regard. Deux ans n'avaient pas suffi pour qu'elle s'habitue. Elle se sentait à l'étroit, enfermée sur une terre devenue exiguë. À la place du bosquet d'érables qu'elle avait soigneusement épargné tant que le terrain lui avait appartenu, se trouvait un champ de blé d'Inde dont les feuilles grasses commençaient à s'allonger. Au-delà, la rivière La Chevrotière brillait sous le soleil. Comme elle aurait aimé s'y arrêter comme autrefois, et frôler la surface de l'eau d'une main légère.

Elle soupira tristement, puis, reprenant la binette, elle se remit au travail. Un cri l'arrêta bientôt. Levant la tête, elle vit Pierre debout devant la clôture qui semblait appeler quelqu'un. En effet, non loin de là, Zef Fournier le regardait en hésitant. Charlotte savait que sa belle-sœur interdisait à son fils de jouer avec celui qui « avait été possédé ». Cependant, elle avait déjà compris depuis longtemps que le petit Fournier enfreignait régulièrement cette interdiction. N'ayant elle-même aucune objection à ce que les deux enfants se côtoient, elle avait choisi de fermer les yeux, et ce jour-là elle observa avec amusement la scène qui se déroulait devant elle.

Battant l'air de ses bras, Pierre encourageait son compagnon à venir le retrouver. Le jeune Fournier regarda craintivement autour de lui, et se décida enfin à s'approcher. Comme un voleur, il se glissa entre les perches de la clôture. Enfin réunis, les deux enfants sautèrent de joie. Puis, réalisant qu'on pouvait les voir, ils se prirent par la main et allèrent rapidement se cacher à l'abri d'un bosquet.

Réjouie par cette pantomime, Charlotte se mit à rire. Elle n'avait pas le cœur de gronder Pierre pour cette incitation à la désobéissance. Les deux garçons s'amusaient si bien. À distance, elle les voyait parler et rire. Quel mal faisaient-ils donc?

Soudain, ils s'arrêtèrent. Tournant la tête du côté de la Grande Allée, ils s'enfoncèrent encore plus sous le couvert du bosquet.

Intriguée, Charlotte marcha jusqu'à l'angle de la maison, mais elle n'eut que le temps d'apercevoir une dame vêtue de noir, dont la démarche lourde n'arrivait pas à masquer la détermination, et qui de toute évidence se dirigeait vers la porte d'entrée. Immédiatement, Charlotte se dirigea vers la cuisine où elle se lava les mains. Puis, tout en les essuyant sur son tablier, elle traversa la maison, s'interrogeant sur l'identité de cette femme qui lui rendait visite d'un pas si décidé. En ouvrant la porte, elle eut la surprise de voir l'épouse de l'ancien procureur général.

– Madame Bourdon, s'exclama-t-elle. Je ne vous savais pas de retour.

– Je suis arrivée depuis peu, fit celle-ci. Par le dernier navire, ajouta-t-elle, jugeant bon de préciser l'évidence.

Charlotte la fit entrer au petit salon, et s'informa de son voyage.

– Il fut bon, dit Anne en arborant un sourire qu'elle espérait convaincant. J'ai rencontré d'anciens amis, et j'ai pu voir mes enfants.

Prenant le temps de chasser une poussière de sa jupe, elle ajouta ensuite, d'un air légèrement précieux :

– Nous avons également été reçus par le ministre Colbert et par Sa Majesté.

Malgré ses airs d'importance, Charlotte devina son malaise. Sur un ton détaché, elle la questionna sur le déroulement de ces entrevues.

– Elles furent bonnes..., commença-t-elle.

Puis, cédant à la déconvenue qu'elle avait voulu taire, elle ajouta :

– Oh! À quoi bon le cacher? Le roi s'est montré froid, et l'attitude de monsieur Colbert n'a guère été plus engageante. Je ne sais plus que croire, et Jean s'enferme dans un mutisme qui me laisse perplexe. Je prenais monsieur de Mésy pour un incapable et croyais que cette malheureuse affaire serait rapidement réglée. Mais dès que nous sommes arrivés en France, j'ai compris que mon mari risquait la disgrâce. J'en viens parfois à me demander s'il ne s'est pas rendu coupable de quelque mauvaise action qu'il répugne à me confier.

D'une voix étranglée, elle dit encore :

– Je me suis sentie humiliée.

Elle écrasa une larme, puis, se redressant, elle chercha à se montrer digne.

– J'ai renoué avec des gens bien placés, prenant soin de ne rien négliger afin que nous retrouvions une position qui n'aurait jamais dû nous échapper. Ai-je réussi? Je n'en sais rien. Sa Majesté m'a accordé quelques sourires, et m'a confié tout un groupe de filles à marier que j'ai accompagnées pendant cette traversée. C'est peu de chose, mais cela prouve que le roi m'accorde un peu de vertu.

– Je n'en doute pas, fit Charlotte, compatissante.

Anne lui adressa un faible sourire et s'empressa d'aborder un autre sujet.

– Il me reste à leur trouver des époux, ce qui me sera facile puisque je connais chacune d'entre elles.

Se penchant en avant, elle demanda :

– Et toi, ne te sens-tu pas très seule sur cette concession?

Charlotte comprit bien l'allusion, mais choisit de répondre, sur un ton enjoué :

– Pas le moins du monde. Avec Pierre, j'ai retrouvé ma raison de vivre. Il est si gentil, et son esprit éveillé fait plaisir à voir.

Anne secoua la tête.

– Allons, ma fille, je veux parler d'un mari.

– Il n'en est pas question, trancha-t-elle.

– Charlotte, tu n'es pas raisonnable! Il serait grand temps que tu y songes. Un homme dans la force de l'âge t'apporterait la tendresse et le soutien. Et au besoin, il saurait te défendre contre ta belle-famille.

– Je m'y refuse. C'est inutile d'en parler davantage.

Anne ne cacha pas sa déception, mais dut s'incliner.

Désappointée par cet entretien, elle regagna son domicile, où elle se pencha sur les listes de jeunes gens à marier. Il lui fallait faire un tri, et attribuer une compagne aux jeunes hommes en tenant compte des tendances de chacun. Au fond, ce travail l'enthousiasmait, et lui donnait un sentiment d'importance.

Penchée sur sa table de travail, elle lisait et relisait les noms : ceux des garçons d'un côté, ceux des filles de l'autre. Dans l'ardeur avec laquelle elle s'acquittait de sa tâche, elle en venait à lire ou à penser à haute voix.

– Laurent Bernier… et Ursule Turbar! Qu'en pensez-vous, Jean? demanda-t-elle à son mari qui se trouvait dans la même pièce.

Celui-ci soupira. Depuis leur retour de France, son épouse ne cessait de l'entretenir sur ce sujet.

– Sans doute, répondit-il d'un air absent.

– Si seulement la petite Hébert acceptait le mariage. Quel beau parti cela ferait! Mais elle est tout à fait intraitable.

Jean Bourdon grimaça.

– Vous m'embêtez, mon amie, lui lança-t-il. J'ai en tête des sujets autrement plus importants.

D'étonnement, Anne laissa tomber ses papiers. Elle se retourna et observa son époux. Décidément, ce voyage ne lui avait rien valu de bon. Elle le trouvait morose, irascible, à la limite de la correction.

– Je vous voyais si taciturne, précisa-t-elle. Je croyais vous offrir un peu de distraction.

Jean ne se donna pas la peine de répondre. Toute cette histoire de célibataires et de filles à marier l'agaçait au plus haut point, de même que l'enthousiasme de son épouse pour cette entreprise. Assis dans un fauteuil qu'il ne quittait plus guère, il gardait son regard fixé sur la fenêtre. Pourtant le paysage, dont il avait été si fier, n'arrivait pas à capter son attention. Ses pensées s'envolaient très loin au-delà des mers, auprès de Jean-Baptiste Colbert. Il revivait chaque aspect de ses entrevues avec le ministre, et revoyait ses yeux inquisiteurs. Il s'était senti percé à nu. Quel diable d'homme était-ce donc?

Pour son malheur, Colbert avait reçu un rapport de monsieur de Mésy, un rapport qui avait pesé de tout son poids. Le ministre avait semblé accorder à ce papier une confiance partielle, mais suffisante pour le discréditer. À cela s'était ajouté le compte rendu de Jean Péronne du Mesnil : des affirmations sans preuve, sans le moindre témoignage. Et pourtant, ce bougre paraissait avoir tout compris. Lui, Jean Bourdon, s'était senti pris au piège. Jamais il n'avait eu autant de mal à se disculper, à contourner les charges dont il avait été l'objet. Aucun de ses arguments n'avait réussi à ébranler l'acharnement du ministre.

« Plus rien n'est possible, songea-t-il avec amertume. Je suis un homme fini, brisé. Que reste-t-il à espérer de la vie? »

Il ne trouva pas de réponse. Une vague torpeur s'empara de lui, coupant le fil de ses pensées.

L'arrivée de son gendre Denys-Joseph de Ruette d'Auteuil le tira de sa somnolence, tandis qu'Anne, enchantée par cette visite, l'accueillait avec volubilité.

– Ah! mon gendre, lui dit-elle, quelle joie de se retrouver en Canada après ce long voyage! La traversée fut véritablement des plus pénibles. Figurez-vous que le roi m'avait chargée d'accompagner tout un groupe de filles à marier. Jamais je n'aurais imaginé que cette mission puisse être aussi exigeante. Elles se sont toutes montrées plus difficiles les unes que les autres. Quand elles ne geignaient pas sur les conditions du voyage, je devais les surveiller de très près afin d'éviter des amourettes tout à fait inconvenantes. Elles se montraient écervelées, insolentes, insupportables. Je me suis laissé dire que lorsque mère Marguerite Bourgeois joue ce même rôle, cela se passe beaucoup mieux. J'ignore quelle peut bien être sa façon de procéder, mais pour ma part j'étais très éprouvée par le comportement de ces jeunes femmes.

Excédé par ce déferlement de paroles, Jean Bourdon l'interrompit.

– Anne, ça suffit. Ne voyez-vous pas que vous importunez notre gendre? Vos propos ne l'intéressent en aucune façon.

Déconcertée, Anne demeura bouche bée. Profitant de ce silence, son époux lui fit comprendre qu'il désirait s'entretenir avec Denys-Joseph. Croyant qu'il s'isolerait dans son cabinet selon son habitude, elle allait retourner à ses listes, lorsqu'il précisa :

– Anne, je vous demande de nous laisser seuls.

Abasourdie par un tel comportement, elle obtempéra sans mot dire.

Denys-Joseph s'installa face à l'ancien procureur.

– Alors? questionna-t-il avec empressement.

Jean Bourdon eut un geste d'impuissance.

– Qu'espériez-vous donc? Colbert n'est pas celui que vous pensez. C'est un homme à qui il est difficile d'en imposer. Je n'ai rien obtenu. Vous entendez, mon gendre, rien. S'il n'est pas allé jusqu'à m'accuser formellement, il est clair qu'il se méfie de moi, du Conseil tout entier, et même de monseigneur de Laval. Tout est perdu. Pour comble, le roi a décidé de modifier les structures administratives de la colonie. D'ici peu, nous aurons non seulement un nouveau gouverneur, mais aussi un vice-roi et un intendant.

– Je sais. Je suis au courant, fit Denys-Joseph.

– Mais il ne vous a pas été donné de rencontrer cet intendant. C'est un homme de Colbert, complètement acquis au ministre. Je le crois tout aussi incontournable que son supérieur. Croyez-moi, mon gendre, notre sort est réglé.

– Réglé? Mais que peuvent-ils savoir? Ils n'ont aucune preuve.

– C'est bien ce qui m'étonne. Le ministre est d'une perspicacité renversante. Il sait tout. Ou plutôt, il devine tout.

Denys-Joseph déglutit péniblement.

– Grand Dieu! Que m'apprenez-vous là! Serons-nous donc soumis à la justice?

– Je ne le crois pas, faute de preuves. À moins que… Si par malheur monsieur de Mésy a laissé derrière lui quelque nouvelle information…

Ruette d'Auteuil l'interrompit avec chaleur.

– De ce côté, soyez tranquille. Après sa mort, Juchereau et moi avons saisi tous les papiers du gouverneur. Il y avait en effet un rapport qu'il avait commencé à rédiger à l'intention du roi. Je ne vous cache pas que certains passages étaient particulièrement infamants pour nous. N'ayez crainte cependant. Nous avons tout brûlé. Il ne reste plus rien. Pas le moindre indice. Personne, jamais, ne connaîtra le fond de l'histoire.

Jean Bourdon soupira de soulagement.

– Eh bien, je n'ai pas tout perdu. On ne pourra jamais savoir de façon certaine. Quoi qu'il en soit, je vous l'affirme : ce nouveau régime met un terme à nos entreprises.

Ruette d'Auteuil examina son beau-père avec étonnement. Il n'arrivait pas à reconnaître l'homme confiant, entreprenant et fier qu'il avait connu jusque-là.

– Il faudra se faire bien voir par ces nouveaux personnages, risqua-t-il néanmoins. Gagner leur confiance…

Jean Bourdon leva une main pour l'interrompre.

– Non, Denys-Joseph. Pour moi, c'est fini. Je suis las, je n'ai plus envie de m'occuper de toutes ces choses. Grâce à Dieu, j'ai désormais une fortune suffisamment confortable pour me permettre de vivre à l'aise. Je n'ai plus d'autre désir que de terminer mes jours auprès de mon épouse et de mes fils.

Incrédule, Ruette d'Auteuil dévisagea l'ancien procureur.

– Vous abandonnez tout?

– Tout, fit ce dernier en le regardant droit dans les yeux. Je n'ai plus aucune ambition.

– Mais…

– N'insistez pas. C'est inutile.

Lentement, Jean Bourdon se leva et, tournant le dos à son gendre, se posta face à la fenêtre.

Ruette d'Auteuil demeura interloqué. Comprenant que son beau-père ne dirait plus rien, il jugea préférable de prendre congé. L'ancien procureur ne daigna même pas se retourner.

Denys-Joseph s'éloigna la tête basse. Sa déception n'avait d'égal que sa surprise devant le changement remarqué chez son beau-père.

– Un vieil homme, marmonna-t-il, voilà ce qu'il est devenu.

Il allait franchir la porte quand Anne se joignit à lui.

– Jean me préoccupe, lui confia-t-elle. Comment le trouvez-vous?

– Je dirais fatigué, éluda Denys-Joseph.

– Il m'inquiète vraiment beaucoup, dit-elle, laissant libre cours à ses sentiments. Ce voyage l'a transformé, épuisé, c'est un homme vieilli. Il me fait peur. Figurez-vous que je lui trouve une ressemblance avec mon père dans les dernières années de sa vie.

Son gendre chercha à la rassurer, sans oser lui avouer qu'il en pensait autant.

23

BIEN avant que les jésuites ne l'annoncent en chaire, tous les habitants avaient été informés de l'approche des navires. Cette nouvelle d'importance, colportée par les coureurs des bois, s'était transmise de Tadoussac à Québec, en passant par La Malbaie et Cap-Tourmente. De toute évidence, il ne pouvait s'agir que du vice-roi, et sans doute d'une partie du régiment de Carignan-Salières, ce qui remplissait les colons d'aise.

Hommes, femmes, vieillards, tous jubilaient. Partout, on s'activait pour recevoir ces hôtes de marque. Québec avait pavoisé, ornant ses rues de banderoles et d'oriflammes. Le château Saint-Louis avait fait peau neuve, tandis que l'église Notre-Dame s'était vue nettoyée, embellie de candélabres, et son autel, revêtu d'une nappe brodée. Monseigneur de Laval avait fait préparer ses plus beaux vêtements sacerdotaux, ceux qu'il ne portait que dans les grandes occasions.

De la même façon, les habitants arrangeaient leurs maisons pour recevoir les militaires qu'ils s'apprêtaient à loger.

Profitant des derniers jours avant la récolte des foins, Charlotte et Pierre se trouvaient en visite chez Marie-Madeleine Guyon. Une douce chaleur estivale les avait incités à s'installer dans le jardin. Pierre s'était déjà esquivé dans un champ tout proche, à la recherche des fraises sauvages qui commençaient à mûrir. Les femmes bavardaient tout en surveillant la petite Marie Guyon, tout juste âgée d'un an. De sa position, rue de la Fontaine-Champlain, le terrain dominait le fleuve, et Charlotte ne se lassait pas de contempler ce long ruban chatoyant entre ses rives sombres. Au loin, l'île d'Orléans présentait sa proue de navire boisé. En face, les falaises blanches de la Côte-de-Lauzon se coiffaient d'une verdure échevelée.

Marie, qui commençait à peine à marcher, s'entraînait à cet exercice tout en piaillant joyeusement. D'un pas instable, elle franchit l'espace qui séparait sa mère de son amie. Heureuse de retrouver un appui, elle posa ses mains sur les genoux de la jeune femme. Puis, penchant la tête sur le côté, elle lui sourit d'un air enjôleur.

Conquise, Charlotte s'exclama :

– Quel amour de petite fille!

– Il n'en tient qu'à toi d'en faire autant, fit Marie-Madeleine, d'un air taquin.

Charlotte comprit qu'elle faisait allusion à la visite encore récente d'Anne Bourdon, et éclata de rire.

– Ah non! Pas toi aussi!

Marie-Madeleine lui sourit.

– À vrai dire, ça n'est pas si bête. Pourquoi ne prendrais-tu pas un deuxième mari?

Déconcertée, Charlotte sonda le regard de son amie.

– Tu n'es pas sérieuse?

– Oh! Je sais bien à quoi tu penses. Moi non plus, je n'aime pas les méthodes de madame Bourdon. Mais il ne manque pas de célibataires. Tu pourrais en choisir un par toi-même, un qui te plairait.

– Mais...

– Je sais, tu es encore attachée à Joseph. Cependant, tu ne peux pas consacrer toute une vie à ce qui n'existe plus.

Un compagnon, même si ça n'est pas le grand amour, pourrait te procurer beaucoup de bonheur.

Charlotte secoua la tête.

– Je refuse un compromis, fit-elle sur un ton déterminé.

L'air songeur, Marie-Madeleine se mordit les lèvres.

– Je me fais du souci pour toi, dit-elle, et François aussi. Tu ne peux pas continuer à vivre seule. Je dirais même que ça n'est pas prudent.

La jeune femme s'interrompit en voyant une expression ébahie chez Charlotte. Les lèvres entrouvertes, les yeux écarquillés, elle fixait un point qui semblait se situer au-dessus de l'épaule de sa compagne. Soudain, elle saisit le bras de son amie.

– Marie-Madeleine, prononça-t-elle dans un souffle.

Étonnée, l'interpellée se retourna. Ce qu'elle vit alors lui fit pousser un cri de joie. Deux navires venaient de contourner l'île d'Orléans et glissaient lentement vers la rade de Québec. Incrédules, elles observèrent longuement le mouvement des vaisseaux. Le plus gros des deux navires rutilait de sculptures dorées. C'est à celui-ci que leurs yeux s'attachaient.

– Ce qu'il est beau, dit Charlotte à voix basse comme si cette phrase risquait de rompre un charme.

Lentement, on hissa un drapeau au grand mât, un drapeau fleurdelisé qui ondula mollement au gré du vent. Au même instant, les cloches de Notre-Dame se mirent à sonner à pleine volée.

S'animant subitement, les deux amies s'exclamèrent en même temps :

– Le vice-roi!

Charlotte bondit sur ses pieds et s'élança vers le champ en appelant Pierre.

– Mais où vas-tu? appela Marie-Madeleine.

– Voir le vice-roi, lança la jeune femme sans arrêter sa course.

– Mais tu ne le verras nulle part mieux qu'ici.

– Si! Chez Louis Taschereau, je le verrai de plus près.

En effet, son beau-frère possédait une maison sur la côte de la Montagne. Or c'était là le seul accès à la ville haute, où se trouvait le château Saint-Louis. Le cortège ne pouvait éviter d'emprunter cette artère. Elle proposa à Marie-Madeleine de l'accompagner, mais celle-ci déclina l'invitation.

Charlotte trouva son fils les lèvres tachées de fraises. Sans se soucier de son apparence, elle l'entraîna rapidement. Elle dévala la rue de la Fontaine-Champlain, marchant à pas rapides, ne semblant pas réaliser que Pierre la suivait difficilement. Le petit courait derrière elle, trébuchant dans sa hâte.

– Vite, Pierrot, vite, encouragea-t-elle.

– Maman, plaida-t-il, pourquoi vite, vite? J'ai mal aux jambes.

Tout en descendant la rue Sous-le-Fort, elle ralentit le pas et prit le temps d'expliquer qui était le vice-roi, les conséquences de son arrivée à Québec, et celle des soldats. Elle traça ce tableau avec tant d'allégresse qu'elle eut tôt fait de communiquer sa joie à son fils. Il sautilla gaiement à ses côtés tout en chantonnant : « Des soldats, des soldats. » Car dans sa tête d'enfant les militaires revêtaient nettement plus d'importance que ce vice-roi dont il ne comprenait pas bien le rôle.

Il y avait foule au pied de la rue Sous-le-Fort. On s'y massait dans l'espoir d'apercevoir le marquis de Tracy poser le pied sur le débarcadère. Voyant le rassemblement, et au loin les mâts des navires, Pierre s'enthousiasma.

– Ils sont là, ils sont là! cria-t-il en courant vers l'attroupement.

Charlotte s'empressa de l'arrêter dans son élan.

– Non, Pierrot. Nous le verrons bien mieux chez Louis-Guillaume Taschereau. Viens vite.

Jamais Pierre Poitiers n'avait vu autant de vivacité chez sa mère. Elle souriait, marchant d'un pas alerte. Ses yeux riaient sous leur frange foncée. La main qui serrait la sienne vibrait de plaisir. Ravi par ce débordement inhabituel, il se laissa guider, le cœur battant. Charlotte coupa par la rue Notre-Dame et entreprit de gravir la côte de la Montagne.

On s'y regroupait déjà. Tout habitant valide se tenait qui dans la rue, qui à sa fenêtre ou à sa porte. On s'interpellait joyeusement, l'euphorie se répandait. La bourgade entière semblait prise de délire.

Charlotte se frayait un chemin, poussant Pierre devant elle. On les bousculait tout en plaisantant. La jeune femme répondait en riant. Gagné par l'euphorie du moment, le petit ne se tenait plus. Il aurait volontiers gambadé devant. Seule la crainte de se perdre dans cette foule l'obligeait à s'accrocher à sa mère.

Enfin, ils atteignirent la demeure Taschereau et s'y engouffrèrent. Beaucoup les avaient déjà précédés. Toute la descendance Morin s'était donné le mot pour se retrouver en cet endroit. La maison bourdonnait de mouvement et d'exclamations. Les nouveaux arrivés s'arrêtèrent, surpris par tant d'animation. On les accueillit joyeusement.

– Encore une qui est venue en courant, s'exclama Nicolas Gaudry.

– Enfin, Charlotte, renchérit Louis Taschereau, tu dois bien savoir que rien ne presse. Les bateaux viennent à peine de jeter l'ancre. Il faut encore le temps de débarquer et de former un cortège. Je ne comprends pas la hâte que vous avez tous mis à venir ici.

La jeune femme se mordit les lèvres.

– Je me suis laissé emporter par ma joie. Pour rien au monde je n'aurais voulu manquer un tel événement.

– Ça ne risquait pas!

Chacun se mit à rire, conscient de son propre manque de jugement.

Le petit Louis-Guillaume s'approcha de Pierre et lui saisit la main.

– Je t'attendais, lui dit-il, viens avec moi. Je connais le meilleur endroit de la maison.

Sans se faire davantage prier, Pierre lui emboîta le pas. Les deux enfants gravirent l'escalier, puis, avec des airs de conspirateur, Louis-Guillaume guida son ami jusqu'au grenier, où Zef Fournier se trouvait déjà. En apercevant son compagnon défendu, Zef sauta de joie.

– Tu es venu! Je savais que tu viendrais!

Jamais les trois garçons ne s'amusaient tant que les rares fois où ils se trouvaient réunis. Louis-Guillaume mit pourtant un terme aux effusions.

– Regardez, dit-il en indiquant une fenêtre étroite.

C'était là l'unique ajour du grenier, percé dans le pignon au niveau du plancher. Se mettant à plat ventre, il rampa de façon à passer la tête par l'ouverture. Ses deux camarades suivirent son exemple.

– Magnifique! s'exclama Pierre.

Le pignon offrait un remarquable point de vue sur la côte de la Montagne.

– On les verra même avant nos parents, remarqua Louis-Guillaume.

– Et puis ici, personne ne peut nous embêter, renchérit Zef qui craignait toujours les colères maternelles.

– Non. Ils ne peuvent même pas nous voir, fit Louis-Guillaume en prenant une position assise plus confortable.

Les deux autres en firent autant.

– Tu viens souvent dans le grenier? demanda Pierre.

– Chaque fois que je m'ennuie.

À la vérité, le petit Taschereau y trouvait une forme de refuge. Se frottant aux objets poussiéreux, aux étoffes fanées, il croyait retrouver la présence d'Angélique, sa mère, depuis longtemps disparue.

Étonné qu'on puisse se plaire dans un pareil endroit, Zef laissa errer son regard dans la pièce. À ses yeux, les greniers se paraient d'un mystère plus inquiétant que séduisant. Il s'arrêta sur un objet en cuivre dont la forme rébarbative confirmait ses inquiétudes.

– Qu'est-ce que c'est, ça? demanda-t-il.

Louis-Guillaume haussa les épaules.

– Je ne sais pas. Il y a beaucoup de choses qui appartenaient à ma mère.

Pierre hocha la tête d'un air entendu, tandis que Zef contemplait son cousin, bouche bée. Se levant, Louis-Guillaume s'approcha d'un mannequin revêtu d'une robe sans forme.

– C'était sa robe de mariée, précisa-t-il en caressant le tissu jauni. Je ne me souviens plus de ma mère, ajouta-t-il tristement. J'étais trop petit quand elle est morte.

Pierre le regarda d'un air très grave pour son âge.

– Moi non plus, je ne me souviens pas de mes parents.

– Mais toi, tu as une mère.

– Et toi, tu as un père.

– J'aimerais savoir comment elle était.

– Moi, je ne sais pas comment étaient mes parents, mais je suis bien avec ma mère… et avec Tikanoa… et Noémie…

– Et tu ne voudrais pas savoir?

– Parfois, mais… non.

– Et ça? demanda encore Zef en montrant du doigt un autre instrument en cuivre.

– On dirait une trompette, avança Pierre.

– Oui, mais en bien mauvais état, remarqua Louis-Guillaume.

L'endroit était rempli d'objets les plus divers. Après la trompette, un vieux fusil attira leur attention, puis un pot à l'anse cassée.

Impressionné par cette collection hétéroclite, Pierre s'exclama :

– Pourquoi les grandes personnes gardent-elles tant de vieilles choses?

Tout en parlant, il souleva une vieille bottine informe qui provoqua l'hilarité de ses compagnons.

– Chut! interrompit Zef. Écoutez.

Une rumeur venue de l'extérieur capta aussitôt leur attention. Prêtant l'oreille, les enfants reconnurent le roulement d'un tambour. Comprenant que le moment qu'ils attendaient était arrivé, ils se ruèrent à la fenêtre avec tant de vivacité que Pierre et Louis-Guillaume se heurtèrent, tandis que Zef atterrissait contre le montant de la fenêtre. Se frottant qui le front, qui la joue ou le menton, ils écarquillèrent les yeux.

– Les voilà! cria Zef très excité.

Ouvrant la marche, quatre tambours avançaient d'un pas solennel. Marchant derrière eux, vingt gardes et quatre pages portant les couleurs du roi arrachèrent un murmure d'admiration. Jean Saucier, lieutenant des gardes, devançait ses hommes. Il s'agissait d'un homme grand et mince aux larges yeux bruns et veloutés. Regardant autour de lui, il sourit en apercevant les trois têtes serrées à la fenêtre du pignon. Devant l'accueil bon enfant qu'on leur faisait, il se prit à penser qu'une garde était sans doute inutile, si ce n'était la nécessité de souligner la majesté du vice-roi.

Une rumeur respectueuse accueillit le marquis de Tracy. Malgré son âge, il portait beau, étant d'une stature haute. Son visage ovale exprimait la bienveillance. Il était vêtu d'un justaucorps bleu roi d'où s'échappait un jabot de dentelle. Lui barrant le corps, un baudrier blanc s'ornait de fleurons dorés. Sous les genoux, les canons[1] de dentelle étaient retenus par

---

1. Canon : au XVIIe siècle, ornement enrubanné qui s'attachait au bas de la culotte.

une profusion de rubans. Souriant, il saluait à droite et à gauche.

Derrière lui suivaient six laquais, puis venaient les gens de sa maison. Parmi ceux-ci se trouvait un certain Simon Lefebvre d'Angers de Plainval, gentilhomme chargé d'une fonction officielle. Ce jeune homme au physique séduisant était d'une taille moyenne. Ses cheveux longs, d'un blond aux reflets dorés, encadraient harmonieusement un visage ouvert aux traits fins, éclairé par de larges yeux d'un bleu lumineux.

Lorsque le marquis de Tracy lui avait proposé de diriger sa maison, Simon s'était trouvé flatté. Mais aujourd'hui, il se sentait harassé après plusieurs mois en mer dans des conditions inconfortables. Il lui faudrait pourtant se ressaisir rapidement, car une lourde charge l'attendait. Il importait de bien installer le marquis dans ses appartements, d'établir chaque personne à son poste et de veiller à l'ordre général de la maison. S'ajoutant à ces corvées, il s'attendait à devoir organiser sous peu une de ces réceptions dont monsieur de Tracy raffolait. Mais pour l'instant, il s'agissait de faire bonne figure dans ce défilé; remettant donc à plus tard ses soucis, il s'y employa.

À une courte distance venaient les premiers militaires. Marchant d'un pas ferme, superbement vêtus, ils soulevèrent les acclamations. Pour la première fois, les soldats français portaient l'uniforme. Les chapeaux noirs étaient garnis d'un ruban-cordon, les justaucorps en drap de Sedan laissaient paraître une cravate et les hauts-de-chausses étaient fermés par des aiguillettes. Les bottes utilisées jusque-là avaient été remplacées par des chaussures basses ornées de boucles. L'ensemble leur donnait fière allure.

À leur fenêtre, les trois garçons s'enflammèrent.

– Quand je serai grand, dit Pierre avec importance, je serai militaire.

– Moi aussi, affirma Louis-Guillaume avec empressement.

Zef se contenta d'enregistrer respectueusement la décision prise par ses aînés de quelques mois.

Parmi les soldats, l'un d'entre eux, Jacques Delage, s'adressa à son voisin.

– Arrives-tu à voir ta sœur parmi tous ces gens?

Son compagnon laissa échapper un grognement.

– Ils sont trop nombreux, ce n'est guère possible.

Soudain, une exclamation tapageuse partit du bas de la côte et remonta jusqu'à la maison. On venait d'apercevoir les premiers chevaux de la colonie. Au nombre de douze, ils avançaient nerveusement devant les spectateurs émerveillés.

– C'est quoi, ça? demanda Zef.

– C'est des « cheval », répondit Pierre, rempli de fierté.

– Ça sert à quoi? reprit Zef.

À sa grande déception, Pierre dut reconnaître qu'il en ignorait l'utilité.

Cependant, la tête du cortège était arrivée devant l'église Notre-Dame. Monseigneur de Laval en grand apparat, entouré des jésuites et de son clergé, accueillit l'envoyé du roi. Il lui présenta l'eau bénite et la croix, puis il l'accompagna dans le chœur pour entendre le *Te Deum*.

* * *

L'église était d'une taille bien insuffisante pour contenir à la fois le cortège et l'ensemble des habitants. Charlotte et Pierre réussirent pourtant à s'y faufiler et à trouver un prie-Dieu. Le petit n'avait jamais pénétré dans l'église auparavant. Ébahi, il contempla les statues et les sculptures dorées sur fond blanc. Il regarda longuement les étoiles qui ornaient le plafond, puis les prêtres dans leurs chasubles brodées. Enfin, il remarqua les militaires qui occupaient une grande partie de l'église. Très excité, il lança à sa mère :

– Regarde les soldats!

– Chut! fit Charlotte. Il ne faut pas parler fort. Nous sommes dans la maison du bon Dieu.

Pierre crut avoir mal compris.

– Dans sa maison?

– Oui, c'est sa maison.

Émoustillé à l'idée de rencontrer l'Être suprême, il regarda autour de lui. N'apercevant que des soldats et des habitants, il demanda où il était.

– Il est partout, mais tu ne peux pas le voir.

Pierre ouvrit des yeux incrédules.

– Partout? Même ici? demanda-t-il en indiquant l'espace devant lui.

Charlotte confirma cette situation extraordinaire qu'il n'arrivait pas à comprendre.

– Et maintenant, ajouta-t-elle, cesse de parler. Il faut prier. Dis bonjour au bon Dieu, cela lui fera plaisir.

– Bonjour, petit bon Dieu, chuchota Pierre.

Puis, après une courte attente, il tira sur la jupe de sa mère.

– Maman, il ne me répond pas.

Charlotte sourit malgré elle.

– Tu ne peux pas l'entendre avec tes oreilles, mais si tu fais très attention, tu l'entendras dans ton cœur.

Un retentissant accord de l'orgue mit fin à cet intermède. Allant de surprise en surprise, le petit chercha d'où venait cette musique. Bientôt, des chantres entamèrent un vibrant *Ave maris stella*. Pierre en demeura bouche bée. Il se demanda si Dieu voulait régaler ses invités par ces chants, mais n'osa pas poser la question.

24

LA TÊTE en ébullition, Charlotte regagna sa demeure d'un pas joyeux. Elle avait quitté une maison Taschereau en liesse, mais avait préféré retourner chez elle, car elle voulait s'assurer du bon état de la chambre destinée aux militaires qu'elle allait héberger. La pièce du pignon gauche, inoccupée, pouvait facilement en loger deux, et devait servir à cet effet.

Sitôt arrivée, elle envoya Pierre jouer avec Ottahowara et se dirigea prestement vers la cuisine où Noémie l'avait devancée de peu. Toutes deux échangèrent des commentaires enthousiastes sur le défilé. Noémie ne tarissait pas d'éloges sur le vice-roi, paré «comme un prince», et sur ces «beaux gars bien forts» qu'étaient les militaires.

– Il faudra veiller à bien les recevoir, dit Charlotte, et s'assurer de leur confort. Il est tout à fait possible que nous ayons deux pensionnaires dès aujourd'hui. La chambre est-elle prête?

– Bien sûr qu'elle est prête! Ça fait bientôt un mois que vous l'avez préparée avec moi. Je vais l'aérer un peu, et ce sera parfait.

– Je te laisse faire, approuva Charlotte. De mon côté, je vais cueillir un bouquet de fleurs pour l'égayer.

Tandis que Noémie montait à l'étage, elle se dirigea vers son jardin. Les asclépiades parfumeraient agréablement la pièce, décida-t-elle, et quelques brins d'ancolies ainsi que des branches de fougères pour étoffer seraient du plus bel effet. Charlotte rassembla les fleurs qu'elle venait de couper. Levant la gerbe à bout de bras, elle apprécia le résultat.

– Voilà, dit-elle, satisfaite.

Un léger bruit lui fit lever les yeux. Se profilant contre la Grande Allée, deux militaires avançaient vers la maison. Aussitôt elle alla à leur rencontre.

– Soyez les bienvenus, dit-elle chaleureusement. Il y a si longtemps que nous vous attendons!

Les deux jeunes gens se présentaient bien. Le premier, châtain aux yeux clairs, souriait aimablement. Mais le second retint davantage son attention. Les cheveux foncés et les yeux rieurs la frappèrent vivement, lui donnant le sentiment de retrouver une personne connue. Elle hésita un court instant, puis, arrivant à la conclusion qu'elle se trompait, elle passa outre.

– Suivez-moi, dit-elle en se dirigeant vers la maison. Je vais vous montrer votre chambre.

– Enfin, Charlotte, ne me reconnais-tu pas?

Cette phrase prononcée par l'un des soldats la cloua sur place. Lentement, elle se retourna et examina le militaire qui l'avait si fortement impressionnée. La forme du visage lui rappelait… Non, ce n'était pas possible. Pourtant, la moustache en moins… et ce rire!

Encore hésitante, elle demanda :

– Philippe? Mon frère?

Le jeune homme opina en souriant.

D'abord incrédule, elle laissa bientôt exploser sa joie.

– Philippe!

Elle se jeta contre lui et le serra longuement contre elle.

– Philippe, toi ici! Mon frère! Quel bonheur!

Enfin, reculant d'un pas, elle le détailla.

– Laisse-moi te regarder. Comment aurais-je pu reconnaître en toi l'homme que tu es devenu. Tu es superbe!

Charlotte ne se tenait plus de joie. Heureux de ces retrouvailles, Philippe riait.

Un peu à l'écart, Jacques Delage, l'autre militaire, contemplait la scène sans oser intervenir. Philippe le présenta, puis Charlotte les entraîna vers la cuisine.

– Regarde, Noémie, claironna-t-elle. C'est mon frère Philippe. Mon jeune frère! Enfin, installez-vous, enchaîna-t-elle sans attendre la réaction de la cuisinière.

Dans sa joie, elle sautait d'un sujet à l'autre sans reprendre haleine.

– Mettez-vous à l'aise, dit-elle. Qu'est-ce qui vous ferait plaisir? Un verre de cidre? Mais parle-moi de toi. Ainsi, tu es aux armées.

Philippe éclata de rire.

– Comment pourrais-je placer un mot?

En souriant, Charlotte promit de se taire et de lui laisser la parole. Elle déboucha une bouteille, remplit deux verres et prit place face à son frère.

– Eh bien oui, commença le jeune homme, tu le vois, je suis militaire. Après votre départ, à Jean-Baptiste et à toi, tout allait si mal au Buisson… J'ai choisi cette carrière.

– Et cela te plaît-il?

Philippe haussa les épaules.

– C'est un métier qui en vaut un autre. La vie d'un soldat n'est pas de tout repos, mais je suis nourri et logé. Je ne me plains pas.

– Et par quel miracle es-tu venu ici?

– Il n'y a point de miracle, répondit-il. Je faisais déjà partie du régiment de Carignan sous les ordres de monsieur de Chambly. C'est donc tout naturellement que je me suis trouvé engagé à venir en Canada. La traversée a été rude, ajouta-t-il. Nous avons essuyé une tempête, et une épidémie de scorbut s'est développée à bord de notre bateau, le

Vieux Siméon. J'ai eu la chance d'y échapper, mais ce n'est pas le cas pour un bon nombre d'entre nous. Heureusement, une escale à Tadoussac nous a apporté les secours dont nous avions besoin. Et peu après avoir quitté ce poste, nous avons rencontré le navire du vice-roi, et nous avons navigué ensemble. Voilà pourquoi nous sommes arrivés en même temps. Mais beaucoup sont encore malades.

Charlotte hocha la tête.

– Je sais ce que peut être une mauvaise traversée. Mais vous ne pouvez pas vous figurer notre bonheur à voir enfin des troupes dans ce pays.

Philippe sourit, se souvenant des exclamations enthousiastes qui les avaient accompagnés du débarcadère jusqu'à l'église.

– J'ai en effet remarqué une allégresse peu commune, dit-il.

– Notre régiment est pourtant loin d'être entier, observa Jacques Delage.

– Qu'importe! Votre troupe, même incomplète, représente l'espoir.

Charlotte parlait avec tant de conviction que Philippe s'en émut. Il scruta sa sœur.

– Et toi, as-tu souffert par la faute des Indiens?

– Tu dois bien le savoir, puisqu'ils ont tué mon mari.

– Joseph est mort? s'exclama-t-il.

La surprise se lisait nettement sur son visage.

– Comment, tu ne le savais pas? Dans ce cas, tu ignores aussi sans doute la mort de notre fils.

Muet, Philippe accusait autant la surprise que la pitié.

– Mes lettres se seraient-elles égarées?

– Non, répondit le jeune homme. Je crois comprendre. Tu les as probablement envoyées au Buisson.

Il soupira profondément avant de continuer.

– Charlotte, ce que je vais t'apprendre va sûrement te chagriner. Le domaine du Buisson ne nous appartient plus. Il a été vendu.

Charlotte, consternée, balbutia :

– Vendu? Le Buisson? Oh non, Philippe, dis-moi que j'ai mal entendu.

– Hélas!

– Ce n'est pas possible! fit-elle, les larmes aux yeux. Le domaine… cette chère vieille maison…

– Je sais, fit son frère, compatissant. Je n'ai pas oublié combien tu y étais attachée.

Ils parlèrent encore longtemps, évoquant des souvenirs. Philippe lui donna des nouvelles des autres membres de la famille, et Charlotte retraça sa propre vie depuis son arrivée en Nouvelle-France.

Ce soir-là, Pierre s'arrêta dans la porte de la cuisine, étonné d'y trouver deux militaires.

– Eh bien, mon garçon, lança Philippe. Tu n'embrasses pas ton oncle?

Impressionné, le petit s'approcha.

– Un oncle pour de vrai? demanda-t-il, émerveillé.

– Tout ce qu'il y a de vrai.

Philippe le saisit et le souleva à bout de bras.

– Voilà un beau et robuste jeune homme, s'exclama-t-il en plantant un baiser sur ses deux joues.

Il n'eut aucun mal à faire la conquête de son neveu. Enthousiasmé par cet oncle militaire, Pierre ne le quittait plus que pour s'en vanter auprès de Zef. Lorsqu'ils se retrouvaient derrière leur buisson-paravent, le petit Poitiers décrivait le fusil qu'il avait eu le privilège de toucher. Il répétait avec délice les aventures racontées par Philippe, et qu'il enjolivait parfois de quelques détails de son cru. Fasciné, Zef écoutait bouche bée.

Lorsque commencèrent les récoltes, les deux militaires joignirent leurs forces à celles des cultivateurs. Ne voulant pas être en reste, Pierre demanda à participer. Sans grande illusion, Charlotte lui prêta le râteau. Comme elle s'y attendait, le manche trop long et le poids de l'outil le détournèrent rapidement de ses bonnes intentions. Il dut se contenter de quelques tours de charrette. Il attendait avec impatience qu'elle soit pleine. Quand la dernière gerbe avait trouvé sa place, Philippe le hissait sur le dessus de la montagne de foin. Avec une impression de roi, il se laissait conduire jusqu'à la grange, où il montait à l'étage. Il avait pour mission de répandre le foin qu'on y lançait à grands coups de fourche, mission qu'il remplissait largement aidé par son oncle.

Dès le travail fini, Philippe prenait plaisir à l'enfouir sous les brins dorés. Ensemble, ils riaient, se roulaient dans le fourrage, enfouissant leur nez dans la tiédeur odorante. Jamais récolte n'avait été plus gaie.

Le soir venu, Jacques Delage sortait son violon et divertissait l'assemblée de quelques airs bien enlevés. Charlotte et Philippe l'accompagnaient en chantant. Pierre, assis sur le bord du foyer, écoutait cette musique avec plaisir, jusqu'au moment où la fatigue de la journée avait raison de sa vaillance. Il se laissait glisser sur le sol et s'endormait en rond de chien. Attendri, son oncle le montait dans sa chambre et Charlotte le préparait pour la nuit, sans même qu'il se réveille.

La présence des deux militaires transformait le climat de la maison, et Pierre découvrait le bonheur de partager sa vie avec un homme qu'il venait à considérer comme un père.

25

On était à la mi-juillet, et depuis plus d'un mois plusieurs navires continuaient à débarquer des troupes, toujours accueillies avec un égal enthousiasme. Sitôt installés dans une famille de Québec, la plupart des militaires faisaient de leur mieux pour s'y intégrer. En attendant le début de l'expédition prévue contre les Iroquois, ils partageaient la vie des habitants et participaient aux moissons.

Cependant, le dernier contingent se faisait encore désirer, ainsi que l'arrivée de l'intendant Jean Talon et de monsieur de Courcelles, le nouveau gouverneur. Ne voulant pas retarder davantage le début des opérations, le marquis de Tracy avait décidé de ne pas les attendre et conduisait activement les préparatifs. Prenant conseil auprès de Canadiens compétents, il avait étudié des cartes afin de se familiariser avec le pays. Il était rapidement arrivé à la conclusion que le point stratégique se trouvait le long de la rivière des Iroquois, qu'on appelait aussi rivière Richelieu. C'était depuis toujours la route d'invasion que ces Indiens empruntaient, et elle se trouvait en plein cœur de leur pays.

Il ordonna l'érection de plusieurs forts le long de cette rivière, qui seraient destinés à servir de magasins pour le ravitaillement ainsi que de retraite pour les soldats malades ou blessés, et il commanda aux quatre compagnies déjà sur place de s'y rendre dans le plus bref délai. Le départ fut fixé au 23 juillet. Il décréta également que les travaux seraient exécutés sous la direction de Canadiens expérimentés. Mais cette dernière ordonnance n'eut pas l'heur de plaire aux soldats français, qui n'appréciaient pas d'être commandés par des habitants. Dans les foyers, Canadiens et militaires discutaient de cette décision sans toujours arriver à un accord.

Chez les Hébert, c'est en travaillant dans le champ de blé qu'on aborda le sujet. Tout en regroupant les gerbes que les femmes avaient liées, Philippe fit part de son indignation à se voir commandé par des miliciens, voire de simples cultivateurs.

Charlotte se redressa et observa son frère d'un air critique.

– Et d'où te vient une telle contrariété? demanda-t-elle.

Stupéfait, il la dévisagea.

– Enfin, c'est l'évidence même. Des miliciens et quelques volontaires! Et l'on voudrait nous faire croire qu'ils sont plus compétents que nous? C'est insensé.

La jeune femme prit le temps de s'éponger le visage, laissant sur son front une traînée de paillettes dorées.

– Tu as grand tort, énonça-t-elle avec fermeté. Vous ignorez tout de ce pays, alors que ces miliciens en connaissent parfaitement la nature et le climat. Je veux bien croire que vous sachiez guerroyer en bataille rangée, mais cela ne vaudrait rien contre des Iroquois. Par contre, les Canadiens connaissent les méthodes de ces Indiens, et savent se battre comme eux. Si tu veux mon avis, tu ferais bien de les écouter et de suivre leurs conseils.

– S'ils savent si bien combattre les sauvages, lança Jacques, pourquoi n'y vont-ils pas sans nous? Comment, alors, expliquer notre présence dans cette région?

– Nous n'avions pas un nombre d'hommes suffisant, répondit Charlotte, ni la qualité de votre armement.

– Quoi qu'il en soit, argumenta son frère, vous n'avez pas su les dominer.

– Puisque vous avez fait appel à nous, renchérit Jacques, laissez-nous le soin d'agir selon des méthodes qui ont fait leurs preuves. Qu'avons-nous besoin de culs-terreux?

Claude Guyon, qui avait suivi la conversation, arrêta le mouvement de sa faux et dévisagea les deux militaires.

– Charlotte a raison, dit-il calmement. Ces Indiens ne sont pas comme Tikanoa. Ils sont rusés, et de farouches guerriers. Ne croyez pas que vous pourrez combattre comme vous l'avez fait en Europe. Les Iroquois ne viendront pas s'aligner devant vous en attendant le résultat de vos coups. Ils vous tomberont dessus au moment où vous vous y attendrez le moins. Ils vous harcèleront, ils sèmeront le désordre et la terreur dans vos rangs. Vous penserez vous en être défait, puis les verrez fondre sur vous de nouveau.

Dans le silence qui suivit, il sortit une pierre de sa poche et entreprit d'aiguiser sa faux.

– Si vous croyez être en mesure de reconnaître le nord du sud, reprit-il calmement, quand rien d'autre n'est visible que des arbres et que même leurs frondaisons vous cachent la position du soleil, ou si vous pensez pouvoir flairer l'Iroquois à l'affût derrière une souche, ou le maîtriser quand il vous prend à la gorge en brandissant la hache de guerre, alors partez sans nous. Mais je vous promets que vous ne reviendrez pas tous vivants.

Il les regarda ostensiblement l'un après l'autre avant d'ajouter :

– Je ferai partie de ces culs-terreux, puisque je me suis porté volontaire.

Puis, sans laisser paraître la moindre irritation, il reprit son travail.

Embarrassé par cette dernière remarque, personne n'osa parler. Seul le bruissement du blé glissant sur la faux se faisait entendre par à-coups réguliers.

Le premier, Philippe réagit.

– Claude, dit-il, crois-tu réellement que cette campagne contre une poignée d'Indiens soit si périlleuse?

– Plus encore que tu ne peux le supposer. Armez-vous de courage et préparez-vous au pire. À votre place, j'aimerais mieux mourir plutôt que de tomber entre leurs mains.

– Sont-ils anthropophages? demanda Jacques.

– Non, pas à proprement parler. Il leur arrive pourtant d'arracher le cœur de ceux dont ils admirent le courage, et de le dévorer, croyant y trouver une force égale à celle de leur victime.

Philippe frissonna.

– Que nous conseilles-tu, alors?

– Restez groupés. Ne vous écartez jamais seuls dans la forêt, et suivez en toute chose les avis des Canadiens. N'étant pas milicien, je ne peux pas vous en dire davantage. Si je vous accompagne pour la construction des forts, c'est que je sais vivre dans les bois et que j'ai une certaine connaissance de cette région.

– Comment est-elle donc? demanda Jacques.

Claude s'appuya sur le manche de sa faux.

– C'est sur la rivière Richelieu que nous irons. C'est un affluent du Saint-Laurent. En remontant son cours, sur quelque vingt lieues, elle est facilement navigable. On arrive alors à un petit lac. Il doit mesurer un peu plus d'une lieue de circonférence. On peut en tirer une pêche abondante qui nous sera utile. En amont de ce lac, les eaux deviennent tumultueuses, sautant de pierre en pierre, ce qui les rend impraticables sur près de trois lieues. C'est au pied de ce sault, à la naissance du lac, que se situera le fort que nous devrons construire. Il s'agit d'un bon endroit, car c'est un point de passage obligatoire, et qui domine toute la rivière[1]. Ensuite,

1. Le fort construit à cet endroit, nommé Saint-Louis, deviendra la ville de Chambly.

la rivière est calme jusqu'au lac Champlain, une véritable mer intérieure qui touche aux terres des Iroquois.

– Si elle n'est pas navigable sur toute sa longueur, comment nous rendrons-nous sur le lieu du combat? voulut savoir Philippe.

– Il faudra faire un portage.

– Les Canadiens sont maîtres dans cette manœuvre, dit Charlotte vivement.

– Vous avez tout à apprendre, reprit Claude avec compassion. La façon de marcher dans les bois et d'y survivre, l'art de porter un canot quand on ne peut pas le touer. Et aussi défricher, trouver sur place les matériaux qui vous manquent, et comment vous défendre contre le froid.

Convaincus, Philippe et Jacques gardèrent un silence respectueux. Ils avaient compris que cette campagne n'aurait rien de commun avec celles auxquelles ils avaient participé jusque-là.

* * *

Avant que les soldats quittent la ville, le marquis de Tracy demanda à son majordome d'organiser un banquet. Simon Lefebvre de Plainval connaissait les goûts du vice-roi. Il savait le plaisir qu'il éprouvait à faire étalage d'un faste qu'on aurait pu comparer à celui d'un monarque.

– N'est-ce pas là ce que les Canadiens attendent de moi? lui avait-il dit.

Aussi, il ne lésina pas sur les moyens. La fête qui se déroula au château Saint-Louis en fit, l'espace d'une nuit, l'équivalent d'un petit Versailles. La grande salle, qui avait été tendue de draps et agrémentée de dorures et de torchères, brillait de tous ses feux. Sur les tables couvertes de nappes blanches luisaient des couverts argentés, marqués au chiffre du marquis, et des laquais portant les couleurs du roi attendaient que commence le service.

Les officiers de l'armée portaient leur habit de gala, et tout ce que Québec comptait de personnes distinguées avait revêtu ses plus beaux atours pour faire honneur à cette soirée.

Profitant de la circonstance, le vice-roi avait accepté qu'on lui présente les jeunes femmes à marier. Anne Bourdon avait personnellement veillé à la toilette de chacune d'entre elles, s'assurant qu'aucune fausse note ne viendrait ternir cette cérémonie. Et c'est avec une fierté à peine dissimulée qu'elle appelait une jeune personne après l'autre. Elles s'avançaient vers le marquis assis dans un large fauteuil, plongeaient ensuite dans une révérence profonde, puis se retiraient derrière madame Bourdon.

Témoin de cette présentation, Charlotte fut d'abord frappée par l'aplomb qu'Anne Bourdon semblait avoir retrouvé. Elle se tenait la tête haute, un sourire bienveillant aux lèvres. Son comportement montrait bien toute la vanité qu'elle tirait de son rôle de marieuse. Cependant, Charlotte n'approuvait pas ces méthodes, et se sentait prise de compassion pour les nouvelles immigrées. Une jeune fille s'avançait, pâle, le regard inquiet. Charlotte se tourna vers François Guyon qui se trouvait à ses côtés.

– Quelle pitié, commenta-t-elle à voix basse, que ces femmes parées comme des princesses! Aujourd'hui, pomponnées, présentées au vice-roi, et demain, jetées au premier mari venu et lancées dans une vie dont elles ignorent tout.

À une courte distance, Simon Lefebvre se désintéressait de ce cortège un peu monotone, à son avis. Des yeux, il parcourut l'assistance pour s'assurer que tout allait bien. C'est alors qu'il remarqua une jeune femme dont l'allure le séduisit. Se penchant vers son ami Jean Saucier, il murmura :

– Il n'y a pas ici que de lourdes paysannes.

Suivant le regard de son camarade, le lieutenant des gardes se mit à sourire.

– Je reconnais bien là ton bon goût, lui dit-il à voix basse. Mais peut-être n'est-elle pas à prendre.

Simon demeura songeur. Malgré lui, il ne pouvait quitter la femme des yeux, tant elle le fascinait. Dès lors, il prit la résolution de découvrir son identité.

La présentation se terminait. Le marquis de Tracy gagna sa place à la table d'honneur, et Anne Bourdon dirigea ses ouailles vers l'endroit qui leur avait été assigné, et chacun en fit autant. C'était le moment que Simon Lefebvre attendait.

Vivement, il se rendit aux cuisines où il examina le contenu des plats, puis, satisfait, donna le signal. Les uns derrière les autres, les laquais défilèrent devant les convives, exhibant pâtés, poissons, viandes rôties et pièces montées. Peu habitué à des mets d'une telle finesse, on applaudit avec enthousiasme cette présentation alléchante, après quoi le service commença.

Tout en surveillant le bon déroulement du repas, Simon Lefebvre regardait fréquemment la jeune femme. Un air de distinction émanait d'elle, ainsi qu'un charme indéniable. Elle parlait avec ses voisins, gracieuse et souriante. Sa robe noire, élégante dans sa simplicité, soulignait la finesse de sa peau. Sous les cheveux foncés aux reflets bleutés, les yeux noirs, largement fendus, le fascinaient.

Il interrogea un valet qu'il avait engagé sur place.

– C'est la veuve Hébert, l'informa celui-ci. Elle appartient à l'une des plus importantes familles de l'Habitation. Son mari a été tué par les Iroquois. Elle habite sur la Grande Allée.

« Une veuve, songea Simon avec plaisir. Elle est donc libre. » Pourtant, une raison qu'il n'arrivait pas à s'expliquer l'empêchait de s'en approcher. Il en serait sans doute resté là, si son ami Jean Saucier n'était intervenu.

– Qu'attends-tu pour lui parler? Depuis le début de cette soirée, tu ne cesses pas de l'admirer.

Ainsi encouragé, Simon Lefebvre utilisa un moyen détourné. S'arrêtant à une table après l'autre, il questionna les convives, semblant s'intéresser à leur bien-être.

Lorsqu'il atteignit enfin l'endroit désiré, il demanda très civilement si l'on était satisfait, si l'on avait bien mangé. Chacun approuva d'un air distrait. Seule la jeune veuve lui adressa un sourire qui acheva de le désemparer.

– Comment ne pas apprécier tant de mets si délicats? dit-elle.

Faisant un effort pour dominer son émotion, il murmura qu'il en était fort aise.

– Cette fête serait plus gaie, ajouta-t-il, si l'on pouvait danser, mais j'ai appris avec étonnement que votre évêque interdit cette pratique.

– C'est exact, fit Charlotte en hochant la tête. Il y a si longtemps que j'ai dansé… Je me demande si je saurais encore.

Simon lui sourit.

– À vous voir, madame, je suis persuadé que cet exercice vous irait à merveille.

– Je me souviens d'une époque où tu ne t'en privais pas, remarqua François Guyon, à côté d'elle.

– Ah! oui, dit-elle, se rappelant les danses partagées avec Joseph. C'était le bon temps.

Simon s'approcha d'elle et, la questionnant directement, lui demanda :

– Êtes-vous ici depuis longtemps?

– Cela fait six ans, maintenant.

– Et n'avez-vous point de regret d'avoir quitté la France?

– Oh non! J'aime cette région, et je ne désire point m'en éloigner.

– Si j'osais, je vous demanderais de m'aider à découvrir ce pays.

Charlotte s'étonna de cette requête de la part d'un homme qu'elle ne connaissait pas. Elle le regarda, et lui trouva une allure plutôt agréable, mais elle ne se sentait pas le cœur à encourager des avances.

– Il en est de beaucoup plus qualifiés que moi, répondit-elle en toute simplicité. Monsieur Guyon, par exemple, continua-t-elle en indiquant François. Il est né ici, et c'est lui qui me l'a fait connaître.

Simon posa quelques questions à François, puis s'éloigna, un peu déçu par la tournure de la conversation. Il se reprocha de ne pas avoir usé davantage de diplomatie et se promit de faire mieux à la prochaine occasion.

Après son départ, François se pencha vers sa voisine.

– Il me semble que tu as fait une conquête.

Charlotte éclata d'un rire joyeux.

– Je t'en prie, ne saute pas à des conclusions trop hâtives.

Son ami opina d'un air entendu.

– Je dois bien te l'avouer, j'aimerais te voir heureuse auprès d'un homme que tu aimes.

Charlotte lui donna une petite tape amicale sur la main.

– Cesse de vouloir me marier, veux-tu?

Ils échangèrent un sourire affectueux, et François lui promit de ne plus lui en parler.

Cependant, la fête tirait à sa fin. Progressivement, les invités se retirèrent, éblouis par cette réception dont on parlerait encore longtemps dans les chaumières.

Arrivée chez elle, Charlotte sourit en se rappelant son échange avec le majordome. Qu'un jeune homme puisse s'intéresser à elle était plutôt flatteur. Elle dut bien avouer que cela ne la laissait pas indifférente.

26

Au lendemain de la fête chez le vice-roi, les soldats quittèrent Québec en direction de la rivière Richelieu. Charlotte embrassa son frère, lui enjoignant de faire preuve de la plus grande prudence.

– Prends garde, lui recommanda-t-elle, et suis bien tous les conseils de Claude. Tant que vous ne serez pas à l'abri d'une enceinte, vous serez très exposés. Tu ne sais pas de quoi les Iroquois sont capables.

Philippe l'assura qu'il avait bien compris et lui promit de ne pas s'exposer inutilement.

Après son départ, Charlotte demeura soucieuse. Les nombreux soins qui l'accaparaient à l'Hôtel-Dieu ne suffirent pas à détourner son esprit des dangers qui guettaient son frère. Et lorsqu'elle rencontra Marie-Madeleine Guyon, elle fut surprise de l'entendre lui demander :

– Et alors, ton jeune homme?

– Quel jeune homme?

– Eh bien, mais le majordome du marquis!

Charlotte, qui n'avait pas attaché beaucoup d'importance à cet incident, éclata de rire.

– J'avoue que j'en avais oublié l'existence. À trop vouloir me marier, vous finissez par me prêter des sentiments que je n'ai pas! En toute sincérité, je me sens assez éloignée de ce genre de considération. Ce qui me préoccupe en ce moment, c'est la mission de mon frère.

À l'exemple de Charlotte, la plupart des habitants de Québec regrettaient l'absence des hommes de troupe qui leur avaient apporté de l'animation au début de l'été. Leur départ avait laissé un vide que comblait difficilement l'arrivée du dernier contingent de militaires appartenant à l'ensemble des compagnies de Carignan.

Seul le navire transportant l'intendant et le gouverneur se faisait encore désirer. Le vice-roi s'inquiétait de ce retard, comme il en fit part à son majordome. Il venait de lui indiquer, sur une carte, l'endroit où se dérouleraient les attaques contre les villages iroquois.

– Asseyez-vous, mon garçon, lui dit-il. J'aimerais m'entretenir avec vous.

Simon Lefebvre avait l'habitude de ces conversations avec le marquis. Une amitié liait leurs deux familles depuis fort longtemps, et les deux hommes se connaissaient bien.

– J'envisage de mener cette campagne dans le courant de l'hiver, commença monsieur de Tracy. Cette saison me semble particulièrement propice, car, les cours d'eau étant gelés, ils pourront être franchis sans difficulté, ce qui facilitera le passage des troupes.

– Et la neige? intervint Simon. Ne craignez-vous pas qu'elle gênera l'avance des soldats?

– J'y venais, répondit le marquis. J'ai l'intention de leur fournir des raquettes. D'après ce que je comprends, cet appareil permet de marcher à la surface de la neige, sans que le pied s'y enfonce. Cet article nous sera des plus précieux, et j'en ai déjà commandé la fabrication pour chacun de nos hommes. Il y aura donc une grande quantité de ces instruments, et je m'en remets à vous pour trouver la meilleure façon de les entreposer.

– Vous pouvez compter sur moi. Mais le choix de la saison continue à m'étonner. Ne redoutez-vous pas le froid qu'on dit très rigoureux?

Monsieur de Tracy fit la moue.

– Il ne faut rien exagérer. Nos soldats ne sont pas des mauviettes. Ce sont des hommes aguerris, et ce n'est pas une engelure qui les empêchera de combattre. Je me fais davantage de soucis pour la reconnaissance du terrain. Cette région est très mal connue par la majorité des colons, qui ont préféré ne pas s'y aventurer. Pour cette raison, j'envisage que nos troupes soient guidées par des Algonquins qui ont l'habitude d'y circuler et qui ont accepté de jouer ce rôle.

Simon approuva d'un geste de la tête, mais, n'étant pas un homme de guerre, il restait perplexe sur l'ensemble de l'opération.

– Ah! fit-il. Cela répond à l'une des questions que je me posais. Bien que je n'y connaisse rien, depuis qu'il est question de cette campagne, plusieurs aspects me semblent obscurs.

– Parlez, mon garçon. Qu'est-ce qui vous étonne?

– En premier lieu, comment entendez-vous mener cette expédition contre des Iroquois qui ne combattent pas comme nous?

– C'est en effet un point très important. Eh bien, que ça leur plaise ou non, nos soldats seront assistés par les milices de Montréal et des Trois-Rivières, qui savent se battre comme des Indiens. Ces milices seront dirigées par un certain Charles Le Moyne. D'après ce qu'on m'en dit, c'est un homme d'une grande valeur qui a vécu parmi plusieurs nations indiennes, dont il connaît les langues et les coutumes, et qui possède une grande expérience de la vie en forêt.

Le marquis allongea les jambes avant de reprendre :

– Reste le ravitaillement. J'ai déjà fait appel à la bonne volonté des habitants de cette bourgade qui devront nous fournir en lard salé, farine de blé d'Inde, fruits secs et autres aliments du genre. Encore une fois, je compte sur vous pour trouver un local pour toutes ces victuailles.

Simon hocha la tête, comprenant qu'il n'aurait pas de sitôt l'occasion de partir à la découverte de Québec et de ses habitants.

Malgré les préparatifs que le vice-roi avait déjà mis en œuvre, il fut soulagé en voyant l'intendant Talon et le gouverneur de Courcelles arriver le 12 septembre.

À peine débarqué, monsieur de Courcelles, cédant à son tempérament fougueux, réclama de partir sur-le-champ en campagne contre les Indiens. Il fallut toute la diplomatie du vice-roi et de l'intendant pour contenir son impatience, en plaidant que, les forts dans la vallée du Richelieu n'étant pas terminés, ce serait folie que de s'aventurer immédiatement dans la région. Rongeant son frein, le gouverneur se résigna.

Il s'employa à contrôler les préparatifs que monsieur de Tracy avait déjà entrepris, il examina les munitions et le ravitaillement, et étudia la meilleure façon de les faire parvenir dans les forts dès que leur construction serait achevée.

Laissant monsieur de Courcelles à ses occupations, l'intendant et le vice-roi s'intéressèrent à l'administration de la province. Vers la fin de septembre, monsieur de Tracy convoqua Jean Talon dans son bureau.

– Ah! mon ami, lui dit-il en le voyant arriver. J'ai là un sujet important à vous soumettre.

L'intendant s'installa sur l'une des chaises capitonnées et accepta le verre de vin, accompagné d'un biscuit, que lui offrait son supérieur.

Le marquis de Tracy s'assit en face de lui et se lança aussitôt dans le vif du sujet.

– Vous savez, n'est-ce pas, que le moment est venu de renouveler les membres du Conseil. Je me suis appliqué à cette tâche et j'aimerais vous soumettre mon choix.

Il tendit un papier à l'intendant qui, perplexe, lut des noms, écrits en caractères énergiques, qu'il ne connaissait que trop bien : Juchereau de La Ferté, Rouer de Villeray et Ruette d'Auteuil, et celui de Jean Bourdon en tant que procureur du roi.

Stupéfait, il leva les yeux sur son hôte. Celui-ci lui souriait plaisamment. Incrédule, il relut la liste qu'il tenait entre les mains. Pas un nom ne manquait.

– Mais ce sont les mêmes gens qu'avant, s'exclama-t-il sans cacher son étonnement.

– Tout juste, fit le marquis, goguenard.

– Vous reprenez le même Conseil?

– À n'en pas douter.

– Mais pourquoi diantre?

– Je trouve souhaitable de ménager les susceptibilités.

– Est-ce bien là ce qui importe? s'impatienta Talon. Il s'agit d'escrocs, vous ne pouvez pas l'ignorer. Or, loin de les sanctionner, vous leur accordez des postes prestigieux.

D'un geste sec, il jeta le papier sur le bureau.

– Je m'oppose à ces nominations. Ces hommes ont déjà prouvé de quoi ils sont capables. Ce ne serait que s'exposer à de nouveaux embarras.

– Nullement, mon ami, nullement!

De toute évidence, le marquis s'amusait des réactions de son interlocuteur. Cherchant à percer les raisons de cette attitude, l'intendant hocha la tête.

– J'avoue que je ne comprends pas. D'où vous vient cette certitude?

Prenant appui sur ses cuisses, le vice-roi se pencha en avant.

– Monsieur l'intendant, dit-il enfin sérieux, de par vos fonctions, n'êtes-vous pas habilité à prendre toutes les décisions sans en référer au Conseil?

– C'est exact, mais…

– Eh bien, nous y voilà! Il s'agit de conserver une bonne entente avec la puissance épiscopale, de ne pas se brouiller avec les missionnaires et de ne pas se mettre à dos les membres de l'ancien Conseil. Quelle meilleure façon que de leur emboîter le pas… du moins en apparence. Je ne leur donne pas un titre prestigieux, monsieur Talon, mais strictement honorifique, car je m'abstiendrai de convoquer ce Conseil. C'est entre vos mains que je remets les fonctions administratives.

Soulagé, l'intendant rejeta la tête en arrière.

– Ah! Vous m'avez bien attrapé! Autrement dit, il faut endormir leur méfiance.

– Vous m'avez compris.

Médusé, Jean Talon émit un rire bref.

– Je ne vous croyais pas capable de tant de ruse. S'ils marchent aussi bien que moi, la partie est gagnée.

– C'est du moins ce que j'espère, car ils ne sont pas sots. Par cette feinte, j'entends calmer les esprits de façon à nous laisser les mains libres pour gouverner selon nos vues, et écarter toute tentative d'usurpation de pouvoir ou de cabales comme il y en a eu précédemment.

27

À LA SUITE de l'entretien avec le vice-roi, Jean Talon s'employa à créer de bonnes relations avec l'évêque de Québec, et c'est dans cette perspective qu'il lui rendit visite.

Monseigneur de Laval prenait l'air dans son jardin tout en méditant sur l'évangile du jour. Voyant venir l'intendant, il le reçut courtoisement et l'invita à marcher en sa compagnie.

– J'espérais et j'attendais votre visite, dit-il en guise d'accueil. Je désire vivement vous mettre au courant des affaires de ce pays, qui furent fort mouvementées.

– C'est ce qu'il me semble, en effet, fit Jean Talon, respectueux. Et justement, il importe désormais de construire un avenir sur des bases durables.

Il avait appuyé sur ces derniers mots.

– Pour cette raison, reprit-il, je crois qu'il est impératif que nous agissions en bonne entente.

Un éclair traversa les yeux du prélat.

– Votre démarche me remplit de joie, dit-il. Depuis mon arrivée dans ce diocèse, je déplore les différends qui m'ont éloigné de tous les gouverneurs.

– Il ne m'appartient pas de les juger, répondit l'intendant. Mon intention est de bien préciser nos fonctions. Nous avons chacun un rôle à jouer : vous, dans le spirituel, et nous dans la gouverne de ce pays.

L'évêque manipula nerveusement la croix sur sa poitrine avant de reprendre, sur un ton doucereux :

– Il apparaît que les deux sont liés. Comprenez-moi bien : notre mission est primordiale. Il s'agit de la sauvegarde des âmes, de l'évangélisation des indigènes, et de créer une colonie qui soit sainte entre toutes. Nous seuls, qui composons le clergé en Canada, sommes compétents pour mesurer l'importance des dispositions à prendre.

– Je ne peux que louer vos intentions, affirma Jean Talon. Pourtant, je vous opposerai que ce serait un tort de négliger les lois et le commerce.

– Il en faut sans doute, convint monseigneur de Laval en soupirant. Bien que le mercantilisme soit source de désordres que je ne saurais approuver. Il importe de ne point perdre de vue le saint objectif que nous nous sommes fixés, et de ne pas nous laisser prendre dans les rets de ce qui est temporel et, par là même, trivial.

Jean Talon eut un sourire indulgent.

– Une trivialité bien nécessaire, fit-il sur un ton plaisant. Retirez toute forme d'administration, de commerce ou de loi et la colonie disparaîtrait. Votre œuvre, si admirable soit-elle, ne reposerait plus que sur du sable. Sans l'économie, plus rien ne serait possible, pas même vos missions auprès des Indiens.

Pieusement, l'évêque joignit les mains.

– Avec l'aide de Dieu…

– Il ne suffit pas d'un *Pater* et deux *Ave* pour gérer un pays, interrompit vivement l'intendant. Monseigneur, continua-t-il d'une voix grave, je vous demande de me laisser juge de ce qui est trivial et de ce qui ne l'est point. Je ne doute pas de votre expérience en ce pays. Cependant, certains aspects peuvent avoir échappé à votre vigilance. Je vous prie de bien vouloir m'accorder votre entière confiance. De mon côté, je m'engage à vous laisser une totale liberté pour ce qui est du spirituel.

Le prélat soupira profondément.

– Dois-je comprendre par là que vous me retirez ma charge au sein du Conseil?

– Nullement. Nos fonctions nous conduisent à cheminer sur des voies parallèles qui ne doivent jamais chevaucher. Cependant, votre connaissance de cette contrée est telle que votre avis me sera toujours des plus précieux.

Rasséréné, monseigneur de Laval considéra l'innovation proposée comme négligeable. D'un côté, on lui laissait les mains libres pour agir à sa guise, et de l'autre, on lui ouvrait une brèche dont il saurait profiter.

L'intendant savait que ses fonctions lui permettraient de s'imposer le moment venu. Les premiers jalons étant jetés, il s'employa à gagner les faveurs de l'évêque. Il le complimenta sur la bonne administration de son diocèse et sur la ferveur qu'il avait remarquée chez les habitants. Puis, choisissant un tout autre sujet, il lui fit part de l'intérêt qu'il attachait à l'agriculture.

– La beauté des légumes que je vois dans votre potager me permet de constater que le sol est fertile. C'est là un point précieux, car je suis convaincu que l'économie dont nous parlions plus tôt s'améliorerait si chacun s'efforçait à développer la culture de sa terre.

Monseigneur de Laval regarda son interlocuteur avec un soupçon d'ironie.

– Je crains qu'un tel succès ne soit compromis, commenta-t-il. Les habitants de cette colonie attachent moins d'importance à l'art de gratter la terre qu'à celui de se procurer des pelleteries.

Jean Talon émit un grognement de compréhension.

– Il m'appartiendra donc d'en accroître l'intérêt. En un premier temps, j'envisage de créer une ferme qui pourrait servir de modèle. Il me faudra trouver une bonne terre, suffisamment près du bourg, afin que l'on puisse bien suivre ce qui s'y passe.

L'évêque hocha la tête sans relever le commentaire.

– Vous connaissez assurément votre diocèse mieux que moi, continua l'intendant. Ne pouvez-vous m'indiquer une concession qui pourrait jouer ce rôle?

Monseigneur de Laval réfléchit un court instant.

– Il y a bien un fief au bord de la rivière Saint-Charles. Il est situé à une distance qui vous conviendrait, et il a l'avantage de ne pas être habité.

– Mais c'est inespéré! Qui en est le propriétaire?

– Il s'agit du fief Saint-Joseph, qui appartient à la veuve Couillard. Cependant, je vous préviens, cette dame a des idées bien arrêtées. Si votre projet n'a pas l'heur de lui plaire, il sera inutile d'insister. Mais si vous arrivez à l'amadouer... Ma foi, tout est possible.

* * *

Intrigué par les propos de monseigneur de Laval, l'intendant Talon se rendit chez Guillemette Couillard. Il comprit rapidement, au coup d'œil qu'elle lui lança, qu'elle ne serait pas facile à manœuvrer.

Jean Talon lui fit part de ses projets et proposa d'acheter le fief Saint-Joseph.

Guillemette sursauta.

– Le fief Saint-Joseph? Jamais!

L'intendant développa les raisons de son choix, et son intention d'utiliser ce lopin pour servir d'exemple à l'ensemble des habitants. Elle l'écouta avec attention et se laissa progressivement séduire par l'idée de jouer une fois encore un rôle important dans la colonie.

– C'est une idée intéressante, énonça-t-elle. Mais je demande à réfléchir.

– Je ne veux pas vous presser, fit l'intendant. Prenez le temps qu'il faut. Je saurai attendre votre réponse.

Mais toute forme de galanterie était inutile. Guillemette ne l'écoutait plus, car elle venait de trouver une autre raison d'accepter l'offre de l'intendant. « De cette manière, songeait-elle, le fief Saint-Joseph échapperait définitivement à Françoise. Cela calmerait cette diablesse pour quelque temps, et lui servirait de leçon. Par ailleurs, cette terre est suffisamment grande pour me permettre d'en garder une partie pour mon fils Charles. »

À la surprise de l'intendant, elle se redressa brusquement et heurta le sol de sa canne.

– J'accepte, déclara-t-elle. Je vous cède la moitié de cette terre, mais la moitié seulement.

Avant que l'acte notarié ne soit signé, la nouvelle eut le temps de se répandre.

Françoise Fournier en prit connaissance par Élizabette Guyon, qu'elle avait rencontrée sur la place publique. Il n'en fallut pas davantage pour réveiller des sentiments qu'elle avait tus depuis plusieurs années.

Furieuse, elle entra chez elle en coup de vent. Poussant brutalement la porte, elle lança un coup d'œil circulaire, mais ne trouva que Mimi, son aînée, occupée à bercer Jean, le dernier-né de la famille. Agathe et Jacquette devaient être aux champs et Zef jouait sans doute avec ce voyou de Pierre Poitiers, une déduction qui aggrava encore son courroux. Elle posa son panier sur la table avec une telle violence qu'elle fit sauter les assiettes qui s'y trouvaient.

– Où est Zef? lança-t-elle à Mimi. Ne devais-tu pas le surveiller?

Inquiétée par le ton de sa mère, la fillette se mit à trembler.

– Je ne sais pas, balbutia-t-elle.

– Tu n'es qu'une sotte. J'ai grand tort de te faire confiance! Sais-tu au moins où se trouve ton père?

– Je ne sais pas, fit Mimi d'une toute petite voix.

– Tu ne sais pas, minauda Françoise. Quelle niguedouille!

Voyant qu'elle n'apprendrait rien de sa fille, elle partit à la recherche de son époux. Elle se rua vers la grange et s'arrêta dans l'entrée. Là, tout au fond du bâtiment, elle reconnut la silhouette trapue.

– Guillaume! cria-t-elle avec force.

Son mari sursauta. Puis, en homme habitué aux colères de sa femme, il posa la fourche qu'il tenait à la main et lentement se retourna. Les éclairs dans les yeux de Françoise ne prouvaient que trop bien l'état d'âme redouté. En soupirant, il attendit l'orage.

– Sais-tu que ma tante Couillard a l'intention de vendre le fief Saint-Joseph à l'intendant Talon?

Hébété, il répéta sans comprendre :

– Ta tante Guillemette… L'intendant…

– Quel nigaud! Tu m'as bien entendue. Le fief appartiendrait désormais à monsieur Talon.

Comprenant enfin les raisons de ce nouvel emportement, Guillaume demeura silencieux, se demandant jusqu'où la hargne de sa femme la conduirait.

– Tu ne trouves rien à dire? vociféra-t-elle. Le domaine sera vendu à l'intendant, et tu ne dis rien!

Guillaume écarta les bras en un geste d'impuissance.

– Que veux-tu donc que je dise? Ce terrain appartient à ta tante. Elle est libre de…

– Ah non! Pour un peu, tu prendrais sa défense! Quoi! Elle me refuse cet héritage, et compte maintenant l'offrir à un étranger? C'en est trop! Cette fois, je ne me laisserai pas faire. Un procès! Il faut un procès. On verra bien qui aura gain de cause.

Encore cette idée de poursuite judiciaire. Guillaume en avait tant entendu parler que ça lui chauffait les oreilles. Mais à quoi bon discuter? Il n'en avait pas le courage. Sans dire un mot, il reprit sa fourche.

– Ça semble bien t'impressionner! Je te parle de faire appel à la justice, et tu te contentes de remuer la paille.

Guillaume planta sa fourche dans le sol battu et s'appuya sur le manche.

– Françoise, commença-t-il, pourquoi tant de chicanes? Avons-nous vraiment besoin d'un autre terrain?

La jeune femme eut un rictus méprisant.

– Ce qui me navre, c'est ton manque total d'ambition. Ne comprends-tu pas que c'est là une possibilité d'enrichissement?

Pour la première fois de sa vie, Guillaume Fournier eut un geste de rébellion envers sa femme. Saisissant la fourche, il la lança par terre.

– La richesse… la richesse. Tu n'as que ce mot à la bouche. Mais nous sommes riches! Si tu voyais la ferme de mon enfance, si tu voyais la pauvreté du Perche, tu n'en demanderais pas tant. Nous sommes heureux. Nous avons une belle concession qui nous permet de vivre. Combien de gens s'en contenteraient? Mais non, toi, tu n'en as jamais assez. Tu es une envieuse.

– Je me moque du Perche, et de ton enfance malheureuse. Guillaume, faut-il vraiment te rappeler que nous avons cinq enfants, dont deux fils qu'il faudra pourvoir en terres quand ils seront plus grands?

– Mais enfin! Il n'y a pas le feu! Zef n'a que quatre ans et Jean est encore au berceau.

– Cela viendra plus tôt que tu ne le crois. Ce fief appartient à la famille Hébert. Je n'admets pas que ma tante en dispose comme bon lui semble, au détriment de sa famille.

– Justement, il ne te revient pas de le réclamer. De quel droit en deviendrais-tu propriétaire?

– Il s'agit de la succession de mon père. Joseph et Angélique sont morts. Cet héritage doit m'échoir. Je ne veux pas le laisser échapper.

Changeant de ton, la voix de Françoise était devenue suppliante. Émù, Guillaume soupira.

– Et si la justice ne te donne pas raison?

À sa grande surprise, il vit des larmes mouiller les yeux de sa femme.

– J'aurai au moins essayé. Je suis une Hébert au même titre que ma tante. J'ai droit au domaine où mon père a vécu. Il ne me reste rien d'autre de lui.

Attendri, Guillaume prit sa femme dans ses bras. Il avait l'habitude de ses colères, mais la vue des larmes le bouleversait.

– Je ne savais pas que tu y attachais une telle importance, dit-il. Prends le fief de ton père si tu le peux. Je t'assisterai.

La nouvelle du procès fit sensation. Guillemette s'indigna. Elle menaça sa nièce de la déshériter, elle s'emporta, vociféra... En vain. Françoise déposa l'affaire chez un avocat, et la machine judiciaire se mit en marche.

28

L'AUTOMNE se termina en préparatifs pour l'expédition militaire. On fit parvenir munitions et ravitaillement au fort Saint-Louis où le gros des troupes devait se rassembler. Puis le froid s'installa, un froid si vif que les Français n'en avaient jamais imaginé de semblable. Enfin les dernières compagnies guidées par la milice des Trois-Rivières quittèrent Québec au début de janvier. Ce déplacement constitua une épreuve sans précédent pour ces hommes qui affrontaient l'hiver en Canada pour la première fois.

Selon l'expression des soldats, on n'aurait pas pu trouver dans toute l'histoire du monde une marche plus difficile. Le cheminement de Québec aux Trois-Rivières s'était effectué péniblement, mais la traversée du fleuve n'avait pas son égal. Au vent polaire s'ajoutait la complication causée par l'enchevêtrement des glaces qui s'étaient accumulées et qui barraient le passage. Les Canadiens, qui portaient des mocassins, n'eurent aucun mal à les escalader, mais il en fut autrement pour les Français avec leurs semelles dures. Certains d'entre eux se coupèrent sur des arêtes aussi tranchantes qu'une lame de couteau. On dut les ramener aux Trois-Rivières, ainsi que d'autres qui avaient les mains, les bras ou les pieds gelés.

Arrivés à destination, ces hommes étaient en piteux état. Et en les voyant, Philippe de Poitiers et Jacques Delage, qui étaient au fort Saint-Louis depuis l'automne, comprirent que leur pire ennemi serait le froid.

Quelques jours plus tard, la milice de Montréal arriva à son tour. Les « capots bleus », comme on les nommait à cause de la couleur azur de leurs bonnets, étaient dirigés par Charles Le Moyne, un colon de la toute première heure, et qui avait déjà fait ses preuves dans les bois et dans la lutte contre les Iroquois.

Il ne manquait plus que les Algonquins. Une trentaine de ces Indiens s'étaient engagés à guider les troupes à travers les bois et à les conduire jusqu'aux villages des Iroquois. Or janvier touchait à sa fin et aucun Algonquin ne s'était présenté.

Impatient, monsieur de Courcelles manifesta son mécontentement.

– Ces Indiens nous feront tout rater. Si nous ne commençons pas cette campagne dès maintenant, nous manquerons de vivres avant la fin. Nous ne pouvons plus attendre.

Charles Le Moyne le dévisagea. Aguerri aux mœurs des Indiens, il savait qu'il ne fallait pas compter sur leur exactitude et que seule la patience était garante de réussite.

– Sans eux, dit-il, nous risquons de nous égarer. Et perdre notre route en cette saison serait plus risqué que de combattre plusieurs centaines d'Iroquois.

Irrité, le gouverneur lui lâcha :

– Je compte sur vous, messieurs de la milice, pour les remplacer.

– Ce serait une erreur, répondit le Canadien. Aucun colon ne s'est aventuré dans cette contrée infestée d'Iroquois. Croyez que je le regrette, mais je n'en connais pas un qui puisse jouer le rôle d'un guide sûr.

– La chose ne doit pourtant pas être si ardue.

Monsieur de Courcelles serra les poings, avant de déclarer :

– Ma décision est prise. Je refuse d'attendre davantage, nous partirons dès demain.

Le 30 janvier à l'aube, la colonne, forte de six cents hommes, prit la route des bois. Ils allaient devoir marcher plusieurs lieues afin d'atteindre les villages iroquois qu'ils avaient pour mission de détruire.

Dès les premiers pas, Philippe de Poitiers comprit les difficultés qui les attendaient. Alourdi par trente livres d'armes, de provisions et de couvertures, il enfonçait dans la neige malgré les raquettes, qu'il contrôlait d'ailleurs difficilement, et la neige s'infiltrait dans ses chaussures basses, lui glaçant les pieds.

Il prit le temps d'observer les Canadiens qui marchaient en tête. Les jambes légèrement pliées, ils couraient à pas souples, sans écarter les pieds comme il avait tendance à le faire. Il chercha à les imiter, mais perdit bientôt l'équilibre et se rattrapa au bras de Jacques. Celui-ci ne put s'empêcher de rire devant les tentatives malheureuses de son camarade.

– Mais à quoi joues-tu? Te prends-tu pour un lièvre?

Confus, Philippe ralentit le pas, s'appliquant à bien placer les raquettes l'une au bout de l'autre de façon que leurs formes arrondies s'emboîtent. Progressivement, il vint à maîtriser ce nouveau mode de marche, sans pour autant se sentir à l'aise.

Mais ensuite son esprit fut capté par un autre mal, plus inquiétant encore. Le froid opérait ses premiers méfaits. Philippe étant insuffisamment couvert, le vent le transperçait. Plus que tout, ses pieds et ses doigts le faisaient souffrir. Bientôt, il ne sentit plus ses oreilles ni son nez. Des larmes coulaient de ses yeux et se figeaient en stalactites sur ses joues. Le mécanisme de ses pas qu'il avait mis tant de soin à perfectionner se dérégla. Grimaçant sous l'effort, il s'appliqua désormais à simplement se tenir debout.

À la tête de la colonne, les premiers hommes s'arrêtèrent, hésitants. Charles Le Moyne se hâta de les rattraper.

– Ce n'est pas ici, avoua l'un d'entre eux. Il faut défaire nos pas.

– Quoi? s'indigna Courcelles. Sommes-nous déjà égarés?

– Je vous avais prévenu, répondit simplement le chef des Montréalais.

Hébété, Philippe fit demi-tour avec le reste de la colonne. Il ne savait plus où il en était. Il tenait à peine sur ses pieds. Toute la troupe avançait lentement, car même les Canadiens étaient incommodés par le froid. Philippe marchait avec de plus en plus de difficulté. Son esprit s'engourdissait, il se déplaçait comme un automate.

Quand en fin de journée on cria l'ordre de s'arrêter, le mot résonna dans sa tête. Il se laissa tomber sur le sol, obsédé par une seule pensée : dormir, enfin dormir… Des coups de pied dans les côtes le sortirent de sa torpeur. Ouvrant les yeux, il reconnut la silhouette d'un Canadien.

– Reste pas là, bon sang de bon soir! Tu vas geler à mort. Faut te faire un abri.

Suivant l'exemple de son camarade, Philippe fouilla la neige, creusa un trou qu'il garnit de branches de sapin. Après avoir avalé une soupe chaude, il se glissa dans son abri improvisé. Contrairement à ce qu'il avait cru, une douce chaleur se répandit dans son corps. Il respira à l'aise.

Il allait céder au bien-être quand une nouvelle souffrance se manifesta. Ses pieds et ses mains commençaient à dégeler. Il sentit d'abord une impression de brûlure, bientôt suivie de piqûres si violentes qu'il aurait pu se croire attaqué par un essaim d'abeilles. Il se retenait difficilement de crier, tant la douleur le torturait. Il serra les mâchoires, se tordit les mains. Le mal ne lâchait pas prise. Ce n'est qu'à une heure avancée de la nuit qu'il trouva enfin le sommeil.

Après deux semaines de ce régime, les hommes étaient épuisés. Les Canadiens eux-mêmes, pourtant aguerris à de tels voyages, accusaient une grande fatigue. Les vivres menaçant de manquer, les rations furent diminuées, si bien que soldats et miliciens s'affaiblirent.

Ils n'avaient pas trouvé de village iroquois, et la colonne s'était égarée à plusieurs reprises. Aujourd'hui même, les guides improvisés avouaient qu'ils ignoraient où ils étaient.

Ils avançaient en aveugles, quand le Canadien Guillaume Côté leva la main devant lui.

– Là, dit-il. Il y a des maisons.

Les autres regardèrent dans la direction indiquée.

– Un village? s'étonna son compagnon.

– Mais il n'y en a pas par ici.

– Et si nous étions près de Montréal?

– Faut voir.

Assurément, ce village représentait leur seul espoir de salut. Ils s'en approchèrent, mais le premier homme qu'ils rencontrèrent leur répondit dans une langue qu'ils ne comprenaient pas. Le capitaine Maximin, qui parlait l'anglais et le hollandais, l'interrogea à son tour.

– Messieurs, dit-il après avoir écouté son interlocuteur, nous sommes chez les Hollandais. Ce village est celui de Sconectadé[1].

– Quoi! s'étonna l'un des Canadiens, si loin de notre but?

– Effectivement, répondit monsieur Maximin. Nous nous sommes fourvoyés. Nous ne sommes qu'à six lieues d'Orange.

– Malgré tout, intervint Charles Le Moyne, la chance est avec nous. Monsieur Van Corlear, bourgmestre de cet endroit, est un ami des Français.

En effet, le sieur Van Corlear, bien connu des Canadiens, les accueillit avec bienveillance et se montra des plus attentionnés. Il leur fournit des provisions et demanda aux

1. Sconectadé est aujourd'hui la ville de Schenectady, dans l'État de New York, sur la rivière Mohawk.

Hollandais de leur ouvrir leurs granges afin que les soldats puissent y trouver un peu de chaleur.

Les hommes s'y installèrent avec reconnaissance, et, après quelques jours de repos, ils retrouvèrent leur vitalité. Inquiets sur la suite des opérations, ils échangeaient des impressions.

– Si nous devons trouver des Iroquois sur notre route, confia Philippe à son ami, je m'inquiète de cette rencontre. Avec des mains gelées, comment arriverons-nous à manipuler nos armes?

Jacques hocha la tête.

– Jamais plus je ne pourrai jouer du violon, déclara-t-il, en exhibant ses mains couvertes d'engelures.

Monsieur Van Corlear leur rendit régulièrement visite. À monsieur de Courcelles, il apprit que la plupart des Iroquois étaient en guerre contre les Andastes. On pouvait donc supposer qu'il ne restait plus, dans les villages, que les vieillards, les femmes et les enfants. Dans ces conditions, le gouverneur reconnut à contrecœur qu'il était inutile de poursuivre l'expédition.

Par ailleurs, en une semaine, le temps s'était radouci, à tel point qu'il se mit à pleuvoir. Redoutant une débâcle qui aurait rendu le retour impossible, le gouverneur commanda le départ vers le fort Saint-Louis. Le soir du 21 février, la colonne leva le camp avec précipitation.

Sous la pluie, les hommes marchèrent toute la nuit et une grande partie du lendemain.

Au moment où ils atteignaient l'orée du bois, on remarqua deux grandes cabanes iroquoises. Monsieur de Courcelles décida de détacher soixante tirailleurs pour les attaquer. Ils y trouvèrent un vieillard et deux femmes, qu'ils tuèrent tous les trois.

Mais alors qu'ils s'apprêtaient à rejoindre la colonne, ils furent attaqués à leur tour par deux cents Iroquois qui s'étaient cachés derrière les arbres. L'échange fut bref et meurtrier. Six Français restèrent sur le sol.

Dès lors, les Canadiens redoutèrent le pire. Connaissant les méthodes des Iroquois, ils craignirent que ceux-ci ne les harcèlent tout au long de la route.

Le soir venu, la colonne s'arrêta pour la nuit. On s'apprêtait à manger les quelques aliments qui restaient encore, quand surgirent les trente Algonquins qui les rejoignaient enfin. Ils avouèrent s'être arrêtés en route pour s'enivrer, ce qui expliquait leur retard. Monsieur de Courcelles les accueillit fraîchement. Le soulagement d'avoir enfin des guides sûrs était contrarié par la colère qu'il éprouvait. Car à ses yeux l'insouciance des Algonquins était responsable de l'insuccès de cette campagne.

Cependant, les Indiens apportaient quelques vivres qui furent les bienvenus.

Dès le lendemain, on reprit la route. Les Algonquins marchaient en tête, et les milices fermaient la marche. Sous la pluie, la neige était devenue lourde et glissante. C'était là une nouvelle difficulté pour les Français. Comme tous les autres, Philippe de Poitiers avançait péniblement. Soudain, son voisin laissa échapper un râle, puis s'écroula sur le sol. Au même instant, une balle siffla aux oreilles de Philippe.

– À l'abri! cria quelqu'un.

Donnant raison aux Canadiens, les Iroquois attaquaient la colonne. L'engagement ne dura que quelques minutes. Ayant fait mouche, les Indiens se retirèrent rapidement. Du côté français, on comptait huit morts.

Dès lors, la colonne fut suivie à une courte distance et les escarmouches se succédèrent jour après jour. Les vivres se firent rares de nouveau, et la famine se fit sentir. Épuisés par la faim et la fatigue, plusieurs soldats se laissèrent tomber dans la neige. Ils furent tués par les Iroquois. S'ajoutant à ces difficultés, le temps se refroidit, si bien que les hommes se trouvèrent encore soumis aux conditions qui avaient marqué le début de la campagne. On n'était plus qu'à une journée de marche du fort Saint-Louis, mais le froid vif faisait de nouvelles victimes.

Demeurant côte à côte, Philippe de Poitiers et Jacques Delage ne tenaient debout que par instinct. Leurs pieds gelés provoquaient un déséquilibre de chaque instant. Ils ne sentaient plus ni bras ni jambes. Incapables de fixer leur attention, ils divaguaient.

Soudain, dans un éclair de lucidité, Philippe prit conscience que Jacques n'était plus à ses côtés. En titubant, il se retourna, scrutant les visages qui le suivaient. Il regarda plus loin et remarqua une forme sombre roulée en boule, face contre terre. Puisant dans ses dernières forces, il s'élança.

– Jacques, lève-toi. Il faut marcher, réussit-il à articuler.

Cherchant à l'encourager, il le retourna. Le visage gris le fixa de ses yeux déjà vitreux. Refusant de faire face à l'évidence, Philippe cria :

– Viens, Jacques, viens.

– Ne reste pas là, fit une voix tout près. Tu ne peux plus rien pour lui.

Levant les yeux, il reconnut un capot bleu, celui qui dirigeait les Montréalais.

– Je ne peux pas le laisser là, fit-il, entêté.

– Qu'espères-tu donc? dit le Canadien. Tu veux l'enterrer dans la neige? À quoi bon? Au printemps, il n'aurait plus de sépulture. Si tu restes en arrière, les Iroquois te rattraperont ou tu te perdras dans la forêt.

L'obligeant à se relever, il lui ordonna :

– Marche. Ne t'arrête sous aucun prétexte.

Hébété, Philippe obéit, avançant comme une marionnette dont les ficelles se seraient emmêlées.

– Je ne peux plus, murmura-t-il.

Sa progression se fit plus lente. Ses épaules s'affaissèrent. Il se sentait prêt à se laisser tomber, comme Jacques. Il trébucha, et se releva difficilement. Ses yeux se fermaient malgré lui. Il vacilla, et tomba sans même s'en rendre compte.

Il fut réveillé par un liquide qu'on versait entre ses lèvres. L'eau-de-vie lui brûla la gorge. Hoquetant, il ouvrit les yeux. Le même capot bleu se penchait sur lui.

– On va te tirer de là, fit-il. Bois encore une lampée.

La boisson lui réchauffa la poitrine. Le Canadien lui frotta vigoureusement le corps et les membres. Il l'obligea à remuer les bras, puis il le déchaussa et, prenant un peu de neige, lui frictionna les pieds.

– A-t-on idée de vous envoyer, en plein hiver, si mal habillés, grommela-t-il.

À l'aide d'un couteau, il préleva deux bandes sur la couverture qu'il portait dans son sac et enroula les pieds dans ce tissu épais.

– Et maintenant, commanda-t-il, debout et marche. Nous ne sommes plus qu'à une heure du fort.

Le prenant sous les aisselles, il l'aida à se mettre sur ses pieds. Le jeune homme chancela.

– Marche, ordonna-t-il encore, tout en le soutenant d'un bras vigoureux.

Philippe n'eut pas conscience d'avoir atteint le fort. Lorsqu'il se réveilla, il était allongé sur sa paillasse, au fort Saint-Louis. Il n'avait qu'un vague souvenir d'un capot bleu l'obligeant à marcher.

Ses pieds et ses mains le faisaient cruellement souffrir. Il tourna la tête espérant voir Jacques, mais son lit était occupé par un étranger. Étonné, il chercha la silhouette connue. Il ne vit que son violon, abandonné sur un coin de table. Alors seulement, les événements de la veille lui revinrent en mémoire. Jacques, allongé dans la neige…

Laissant échapper un gémissement, il se replia sur lui-même. La gorge lui faisait mal, les larmes lui brûlaient les yeux.

Le capot bleu de la veille s'approcha de lui. En voyant l'expression de Philippe, il comprit quels sentiments le tourmentaient.

– Je sais, dit-il avec douceur. C'est dur, mais je ne pouvais pas te laisser faire. Toi au moins, tu es vivant.

Il lui tapota le bras en souriant.

– Sais-tu, mon bougre, que tu pèses lourd dans la neige profonde?

Philippe déglutit péniblement.

– Je vous dois la vie, mais je ne connais pas votre nom.

Le Canadien lui offrit un large sourire.

– Je me nomme Charles Le Moyne. Tu ne me dois rien. Dans ce pays, il faut savoir s'entraider.

29

Ce n'est que le 8 mars 1666 que l'armée française avait atteint le fort Saint-Louis. Partis depuis plus d'un mois, les hommes avaient subi les méfaits de l'hiver canadien sous son aspect le plus rude. Tous n'avaient pas eu la chance de Philippe de Poitiers. Plus de soixante étaient restés derrière, allongés sur la neige. Si certains avaient été tués par les Iroquois, la majorité d'entre eux étaient morts de froid et de faim.

Nul ne pouvait en douter, l'expédition avait été un échec.

Humilié et irrité, monsieur de Courcelles refusa d'en endosser la responsabilité. Il blâma les Algonquins de l'avoir trahi et reprocha aux miliciens de ne pas avoir su le guider. Dans son désir de se disculper, il s'en prit même à l'aumônier du fort, le père Charles Albanel. Sans ménagement, il l'accusa d'avoir volontairement retenu les Algonquins.

– Ce qui me semble tout à fait improbable, remarqua Jean Talon à l'intention du marquis de Tracy.

Dès son retour à Québec, monsieur de Courcelles s'était présenté devant ses supérieurs, auxquels il avait soumis un rapport accablant. Déçus mais non convaincus, l'intendant et le vice-roi cherchaient à démêler cette affaire.

– Au nom de quoi, poursuivit Talon, ce père récollet aurait-il voulu empêcher le départ des Indiens?

– J'avoue, répondit le marquis, que la théorie de monsieur de Courcelles n'arrive pas à me convaincre. Il faut cependant reconnaître la grande part de responsabilité des Algonquins. En leur absence, cette campagne était vouée à l'insuccès.

– Justement, intervint l'intendant. Je reproche au gouverneur de s'être engagé sans eux. Depuis le mois de septembre, il brûlait d'entreprendre cette expédition. Souvenez-vous, sans notre intervention, il serait parti sur-le-champ, malgré sa méconnaissance du pays et des coutumes. D'ailleurs, son comportement montre assez son ignorance des mœurs indigènes. Trop d'impatience l'aura perdu. Car s'il avait attendu les Algonquins, il ne se serait pas égaré, et il n'aurait pas manqué de vivres.

Songeur, monsieur de Tracy marqua une pause. Il n'était pas homme à encourager les querelles et il cherchait à aplanir les différends entre son intendant et son gouverneur.

– À sa place, dit-il avec un sourire amène, je ne sais pas quelle décision j'aurais prise. Le choix était malaisé. Les indigènes ne sont pas toujours fiables, la preuve en est faite. Monsieur de Courcelles aurait-il dû attendre jusqu'au printemps? Ou renoncer à l'expédition? Dans un cas comme dans l'autre, les vivres auraient manqué. Il a cru bien faire.

– Évidemment, la situation était ambiguë, reconnut l'intendant. Je regrette néanmoins son manque de discernement et son emportement. Qu'il accuse les Algonquins, passe encore. Bien que le colonel du régiment, monsieur de Salières, déclare que leur arrivée, même si elle fut tardive, a sauvé le gros de l'armée d'une mort par inanition.

Malgré les apparences, cette expédition, un échec en soi, avait tout de même abouti à des résultats positifs. Alors que les Iroquois se croyaient intouchables, ils avaient eu la surprise de voir des Français, partis de Québec et de Montréal, arriver à leurs portes au plus fort de l'hiver. Cela les avait vivement impressionnés et les avait poussés à envoyer à Québec des ambassades pour demander la paix.

– Comment croire à leur sincérité? demanda Jean Talon. Vous le savez mieux que moi, tandis que les uns parlementent, les autres assassinent des Montréalais.

L'intendant faisait allusion à un événement récent qui avait ému l'opinion.

– J'admets que cet incident donne à réfléchir, fit le vice-roi. À vrai dire, je ne sais trop que penser de ces Indiens. Leur attitude est équivoque. Leurs discours aussi, d'ailleurs. D'un côté, ils clament leur bonne foi et leur sincère intention d'amitié. De l'autre, ils hésitent, ils tergiversent. Et pourtant, leur crainte est réelle, j'en suis convaincu. Ce qui m'ennuie, c'est que je n'ai pas encore rencontré tous les représentants de ces Cinq-Nations. Mais ceux que j'ai reçus demandent l'arrêt des hostilités et prétendent se reconnaître les sujets du roi de France.

L'intendant hocha la tête.

– J'aimerais y croire, dit-il, mais si vous voulez mon avis, je doute que la campagne de monsieur de Courcelles ait pu entraîner un tel résultat.

Le vice-roi leva une main.

– Accordons-leur encore un peu de temps. Il ne faut pas perdre de vue que la paix épargnerait des vies. Nous en reparlerons.

Ayant épuisé ce sujet, le vice-roi interrogea son intendant sur ses projets en vue d'améliorer l'économie de la province. Jean Talon se redressa, heureux de parler d'un sujet qui le passionnait. Il lui apprit qu'il avait acheté la moitié du fief Saint-Joseph, où il avait installé «la ferme des Islets», et expliqua de quelle façon il comptait développer cette exploitation.

– J'ai pu observer que les colons produisent du blé en surabondance. Je veux donc encourager d'autres cultures, entre autres celles du lin et du chanvre. À ma grande surprise, j'ai découvert que la majorité des femmes ne savent ni filer ni tisser, et qu'elles ne manifestent aucun goût pour ces travaux. Il me semble indispensable de les amener à s'y mettre. En un premier temps, j'ai fait retirer toutes les bobines de fil se trouvant dans les boutiques, afin de les obliger à filer, et j'ai ouvert des ateliers de tissage pour les initier à cet art. J'espère ainsi les conduire à fabriquer les tissus nécessaires à chaque ménage. D'autre part, j'envisage d'utiliser le surplus de blé et d'orge en créant des brasseries. Voilà pour l'agriculture. Par ailleurs, j'ai l'intention d'établir quelques industries, telles que la ferronnerie, la tannerie, la corderie, et d'autres encore. Les possibilités de développement sont innombrables. À tel point que je projette un système d'exportation reliant le Canada aux Antilles, et à la France.

Le marquis, qui l'avait écouté avec intérêt, s'exclama :

– C'est admirable! Entre vos mains, la prospérité de ce pays semble être assurée comme par un coup de baguette magique. Avez-vous également pensé à la meilleure façon d'accroître la population?

Jean Talon sourit largement.

– Vous touchez là à une question qui me tient à cœur. Sur ce point, je reprends une idée de monsieur d'Avaugour. J'ai l'intention d'encourager les militaires à s'établir dans la région, en leur accordant des terres, une habitation, ainsi que des vivres pour… disons huit mois. Il faudra ensuite penser à les marier. Les femmes que nous avons vues l'automne dernier sont en nombre très insuffisant. Il est indispensable d'augmenter l'immigration féminine. Je demanderai des jeunes filles ou de jeunes veuves de quinze à vingt-cinq ans, qui seraient recrutées parmi les orphelines ou au sein de familles tombées dans la détresse. Je voudrais qu'elles soient dociles, laborieuses, et qu'elles aient de la religion. Selon le plan de monsieur d'Avaugour, et avec l'accord de monsieur Colbert, elles pourraient recevoir une dot prise dans la cassette du roi. À celle-ci s'ajouteraient des vêtements simples mais propres, et aussi tout un assortiment d'articles tels que des aiguilles, des ciseaux, que sais-je encore… Enfin, j'aimerais remettre aux jeunes mariés une barrique de lard salé, de la farine, des légumes secs, bref, la valeur de cinquante livres en denrées utiles à leur ménage. J'ai bon espoir, ainsi, de voir les mariages se multiplier. Quant aux naissances issues de ces mariages, je pense les encourager en mettant au point un système de pension annuelle offerte aux familles nombreuses.

– Cela tient du merveilleux, dit le marquis en souriant. Avec un peu d'effort, cette colonie peut devenir un État puissant.

L'intendant hocha la tête.

– C'est bien ce que j'espère. Cependant, pour qu'il en soit ainsi, il faudrait envisager plus encore. Ses frontières doivent être bien protégées. Or elles ne le seront pas tant qu'existera une colonie menaçante à nos portes. Il est indispensable de s'emparer de la Nouvelle-York et d'Orange.

– Ces établissements sont solidement implantés, remarqua le marquis. Il nous faudrait une armée puissante, et avec les guerres que le roi mène de tous côtés, je doute que nous pourrons l'obtenir.

30

LE GROS des troupes était revenu à Québec depuis la fin de l'hiver. Philippe de Poitiers était retourné chez sa sœur après avoir été amputé de trois doigts de pied, et se remettait lentement de ses épreuves. Charlotte, accaparée à l'Hôtel-Dieu par les blessés qui s'y trouvaient encore, ne pouvait pas rester auprès de lui comme elle l'aurait souhaité. Il s'occupa en lisant, et en répondant aux nombreuses questions de son neveu.

Après quelques semaines, Charlotte put enfin jouir d'un peu de temps libre et s'employa à le faire marcher malgré ses blessures.

– Je n'ai même pas combattu, se plaignait-il, et je suis un invalide.

– Ne te laisse pas abattre, l'encourageait-elle. Tu n'es pas un invalide. Tu as déjà fait beaucoup de progrès, et je te promets que d'ici peu tu n'auras plus de mal à marcher.

Philippe s'appliqua et, à la longue, il dut admettre que sa sœur avait raison.

Le mois de mai était déjà entamé. Le blé poussait dans les champs et, çà et là, on pouvait reconnaître du lin et du chanvre dont la culture était désormais imposée.

Tirant parti de la douceur du temps, Simon Lefebvre avait décidé de se divertir. Depuis son arrivée à Québec, il ne s'était guère accordé de détente. Mais cette journée toute vibrante de soleil l'avait incité à seller un cheval et à partir à la découverte de la campagne.

Ayant traversé la ville basse, il venait d'atteindre le bord de la rivière Saint-Charles. Il dirigea sa jument sur la gauche et emprunta un sentier le long de la berge. Après quelques pas, il tira sur les rennes, afin de ralentir la cadence de sa monture, et prit le temps d'apprécier la nature qui l'entourait.

Un printemps éclair avait libéré feuilles et fleurs de leurs bourgeons. Partout, dans le moindre recoin, la nature s'était éveillée, véritable explosion de verdure. La lumière jouait entre les feuilles, allumant ici et là des taches lumineuses. Loin des bruits de la ville, le léger clapotis des vagues donnait une impression de quiétude.

Le sentier longeait plusieurs fiefs marqués par les cultures. Au bord de l'eau, les herbes folles disputaient la place aux roseaux. Parfois, quelques arbustes ponctuaient la rive d'un bouquet au ton sombre.

Simon Lefebvre avançait lentement, savourant chaque détail. Après un coude de la rivière, il surprit une biche venue se désaltérer. Elle leva la tête, puis d'un bond nerveux disparut dans un fourré. Effrayée, la jument se cabra, fit un pas de côté et heurta une pierre.

– Tout doux, fit le cavalier.

L'animal dressa la tête, les narines frémissantes. Simon caressa l'encolure de la jument, cherchant à la rassurer. Elle piaffa nerveusement, puis se calma, et le jeune homme reprit sa progression le long de la rivière.

Le cours d'eau paresseux ondulait entre ses rivages. Sur la gauche, la berge s'élevait rapidement vers un plateau, dont la crête coiffée d'arbres se profilait contre un ciel sans nuages. Peu à peu, les cultures se firent plus rares, la nature, plus sauvage. Préférant ne pas s'aventurer davantage, Simon profita d'un passage moins abrupt et gravit la pente raide.

Ayant atteint le sommet, il traversa une prairie où il se permit un court galop. Cet exercice lui procura la joie qu'il attendait. Faisant corps avec son cheval, il sentait les muscles puissants onduler contre ses jambes. La chaleur animale se répandait dans son corps. Ils ne faisaient plus qu'un, courant dans l'herbe fraîche.

Il gagna la forêt et s'y enfonça. Le sous-bois, parsemé de fleurs printanières, s'était habillé de blanc et de mauve. Il aurait aimé s'arrêter, s'allonger un instant au pied d'un arbre, mais une nuée de moustiques l'obligea à quitter le couvert des bois.

Il contourna un champ, puis un autre, avant de tomber sur la Grande Allée. Il suivit cette route, tantôt au pas, tantôt au galop. Une hauteur lui permit de voir la vallée du Saint-Laurent. Arrêtant sa monture, il contempla le point de vue qu'il avait sous les yeux.

Le fleuve coulait, majestueux et calme, entre ses rives boisées. En face, la Côte-de-Lauzon s'étendait, coquette et riante sous ses couleurs printanières. Au-delà, des prés parsemés d'arbres s'allongeaient à perte de vue.

– Quel paysage royal, se dit-il à voix basse.

Simon s'attarda, se laissant griser par une rêverie où se mêlaient le soleil, l'eau, la verdure...

Il se tenait immobile depuis un long moment quand il décida de reprendre sa route. Le vent du large l'avait refroidi. Il frissonna, et pressa les mollets. Docile, la jument se remit en route. Mais Simon fut alerté par une forte claudication de sa monture. Vaguement inquiet, il mit pied à terre pour mieux se rendre compte.

Après un rapide examen, il constata un problème au membre postérieur gauche. Le boulet déjà très enflé semblait douloureux. Simon se souvint de la biche aperçue au bord de la rivière, puis de l'écart du cheval effrayé qui avait heurté une pierre. Il laissa échapper un juron. Cet incident le mettait dans une position gênante.

Un instant, il craignit une fracture, mais se rassura en songeant que sa jument n'aurait pas pu marcher si longtemps sur un membre cassé. Il conclut à une mauvaise foulure, ce qui le fit grimacer. Cet accident lui interdisait de remonter en selle, alors qu'il se trouvait encore à une certaine distance du château. Plus encore, l'animal devait trouver un repos immédiat.

Des fermes bordaient la route. Peut-être accepterait-on de lui venir en aide. Mais saurait-on appliquer les soins nécessaires dans ce pays sans chevaux? Il dut convenir qu'il n'avait pas le choix. Préférant la ferme de gauche, plus éloignée du fleuve et de ses vents froids, il s'engagea dans l'entrée.

Tout en avançant, il remarqua une femme et un enfant assis à une table dans un jardin jouxtant la maison. Tenant sa jument par les rennes, Simon marcha dans cette direction. Lorsque la femme se retourna, il fut ébahi en la reconnaissant. C'était bien elle… cette jeune veuve qui l'avait tant impressionné le soir de la fête chez le vice-roi. Troublé, il s'arrêta un court instant, puis s'approcha de l'endroit où elle se trouvait.

En quelques mots, il expliqua la raison de son intrusion. Charlotte l'écouta tout en se demandant où et quand elle avait bien pu voir ce jeune homme dont les traits lui paraissaient familiers.

– Il me semble vous connaître, lui dit-elle. Nous sommes-nous déjà rencontrés?

Il lui sourit, puis répondit :

– Je me nomme Simon Lefebvre. Je suis le majordome du marquis de Tracy.

Charlotte rougit légèrement en se rappelant les paroles flatteuses que le jeune homme lui avait adressées.

– Ne craignez rien, dit-elle rapidement pour cacher son embarras. Mon fermier saura sûrement s'occuper de votre cheval, et nous le garderons dans l'étable le temps nécessaire pour qu'il se rétablisse. Je vais vous faire accompagner.

Elle appela Jeannette qui accourut aussitôt. Lui ayant expliqué ce qu'elle attendait d'elle, Charlotte offrit au cavalier de venir prendre un rafraîchissement avant de quitter le domaine.

– Ce ne sera pas de refus. J'ai le gosier complètement desséché.

Pierre sautait d'excitation devant sa mère.

– Moi aussi, maman! Est-ce que je peux aller avec le cheval?

La jeune femme lui sourit.

– Bien sûr, mon chéri. Mais prends soin de ne pas importuner monsieur Lefebvre.

Après que l'enfant et l'homme eurent pris la route de l'étable, elle rangea les livres et les cahiers qui encombraient la table. Bientôt, Pierre commencerait ses études au petit séminaire. Mais en attendant, elle avait entrepris de lui apprendre à lire et à écrire. Le petit se montrait bon élève. Il n'aurait sans doute aucun mal à poursuivre ses études.

Son rangement terminé, elle puisa de l'eau et alla chercher deux verres et une bouteille de sirop qu'elle posa sur la table du jardin. Après quoi, en attendant le retour du jeune homme, elle reprit un travail d'aiguille qu'elle avait laissé en plan.

Malgré elle, son esprit vagabondait, elle revivait cette soirée chez le vice-roi et son échange avec le majordome. Charlotte hocha la tête en souriant. Il y avait bien longtemps qu'un homme lui avait donné de telles marques d'intérêt, et elle dut reconnaître que ce souvenir lui était agréable.

Dans sa bonne humeur, elle se mit à fredonner. Depuis l'arrivée des militaires, un chant guerrier lui venait souvent à l'esprit. À mi-voix, elle l'entama.

Éveillez-vous, Picards, Picards et Bourguignons;
Et trouvez la manière d'avoir de bons bâtons.
Et voici le printemps et aussi la saison
Pour aller à la guerre donner des horions.

Elle aimait cet ancien chant picard décrivant la lutte engagée par Maximilien d'Autriche contre le roi de France, afin de recouvrer l'héritage de son épouse, Marie de Bourgogne.

Où est le duc d'Autriche? Il est aux Pays-Bas
Il est en basse Flandre avecque ses Picards
Qui nuit et jour le prient qu'il les veulle mener
En haute Bourgogne pour la lui conquester.

Emportée par le rythme martial, elle scanda la musique de la main.

Adieu, adieu Salins, Salins et Besançon;
Et la ville de Beaune, là où les bons vins sont.

À ce moment, une voix masculine termina le couplet.

Les Picards les ont bus, les Flamands les paieront
Quatre patards la pinte, ou bien battus seront.

Étonnée, elle se retourna. Simon, souriant, se tenait appuyé contre un arbre.

– Ah ça, monsieur, s'exclama-t-elle, seriez-vous picard?

– Je le suis en effet, répondit-il en s'approchant.

– Picard? Vraiment? demanda encore Charlotte en laissant percer sa joie.

– Vraiment, confirma-t-il en prenant place à table.

– De quelle paroisse êtes-vous? voulait-elle savoir, heureuse de trouver un compatriote.

– Je suis de Tracy-le-Val, près de Noyon. Mais mon père possède également des terres à Plainval, à côté de Beauvais, où nous passons régulièrement les mois d'été.

– J'avoue que je connais mieux Beauvais que Noyon. Pour ma part, j'habitais à Saint-Vaast, à quelques lieues d'Amiens.

Simon hocha la tête.

– J'ai déjà eu l'occasion de m'y rendre, dit-il. À cet endroit, la Somme se divise en plusieurs branches, formant un grand nombre d'îlots. Partout la mousse se développe, une mousse épaisse et douce sous le pied.

– Oui, approuva-t-elle, son plaisir allant en s'accroissant. C'est tout à fait ça.

Elle lui versa un verre de sirop d'orgeat, puis, s'accoudant à la table, elle lui demanda de lui parler encore de sa Picardie.

Heureux d'avoir découvert un terrain d'entente, le jeune homme décrivit la verte campagne, les marais, les rivières et les collines. La jeune femme l'écouta, charmée de s'entendre dépeindre un paysage qui lui était cher, ou de reconnaître des noms de lieux et même de personnes.

Ensemble, ils se rappelèrent des souvenirs, des impressions de jeunesse. Au fil de la conversation, Charlotte s'anima, prenant des couleurs. Elle se sentit rajeunie, habitée d'une gaieté toute nouvelle.

Après le départ de Simon Lefebvre, elle comprit qu'un sentiment d'amitié venait de naître entre eux, et elle se surprit à attendre son retour.

31

QUELQUES jours plus tard, Simon Lefebvre vint chercher sa jument. Cette fois, il trouva Charlotte absorbée par la lecture d'un livre.

– C'est *Le Cid*, de Corneille, l'informa-t-elle. Et je l'ai déjà lu plusieurs fois.

– Ce drame vous plaît-il à ce point?

– Les vers en sont très beaux, et l'intrigue est excellente. Mais si je le relis, c'est surtout parce que j'ai peu de livres, et qu'il n'est pas facile d'en trouver à Québec.

Intrigué, Simon lui demanda si les livres lui manquaient.

– Oh oui! soupira-t-elle. J'y ai trouvé tant de plaisir par le passé.

– Mais dans ce cas, je pourrais vous en prêter.

Charlotte le regarda avec enthousiasme.

– Vous en avez donc?

Simon eut un sourire complice.

– Jamais je ne me sépare d'une mallette contenant des lectures de toutes sortes.

– Comme Jean-Baptiste, murmura Charlotte, médusée.

– Plaît-il?

– Je parle de mon frère, qui en fait autant.

Convaincu d'avoir trouvé le moyen de lui être agréable, Simon s'empressa de donner suite à sa proposition, et

Charlotte se plongea avec délice dans ces lectures inédites, car toutes les œuvres étaient récentes. Si elle connaissait déjà *Polyeucte* et *Rodogune*, aussi de Corneille, Simon lui fit apprécier *Œdipe* et lui permit de découvrir un certain Jean Racine, auteur d'*Alexandre le Grand*, une pièce dont le drame la captiva. Il la divertit avec des pièces de Molière : *L'École des maris*, *L'École des femmes* et *L'Amour médecin*.

Par la suite, ils discutèrent avec animation de ces auteurs modernes.

– Ce Molière est étonnant, dit Charlotte à l'une de leurs rencontres. Il connaît merveilleusement la nature humaine. À le lire, on ne peut pas manquer de se retrouver soi-même ou de reconnaître un voisin. Mais tout cela est dit avec tant d'esprit que l'on a plaisir à admettre ses défauts. On en vient à rire de soi-même.

Elle avoua aussi son émotion en lisant *Œdipe*. Ensemble, ils relurent des extraits de ces différentes pièces, en analysèrent certains passages. Simon était ébloui par le jugement de la jeune femme, et Charlotte prenait plaisir à ces discussions si semblables à celles qu'elle avait eues jadis avec son frère.

Leurs rencontres devinrent plus fréquentes. L'amitié naissante s'approfondit.

À chacune de ses visites, le jeune homme était d'abord accueilli par un Pierrot bondissant de joie. Simon savait que cet enthousiasme était causé par la présence de sa jument. Loin d'en prendre ombrage, il était heureux d'initier le garçon à l'équitation. Il le hissait sur l'animal et l'installait devant lui, à califourchon sur l'encolure. Le tenant solidement d'un bras, il partait au trot, allant jusqu'à pousser un léger galop. L'enfant riait aux éclats. Il s'accrochait à la crinière qui lui fouettait le visage. Il éprouvait tant de plaisir que ces escapades lui paraissaient toujours trop courtes.

Simon s'intéressa aussi à la vie que Charlotte menait dans la colonie. À ses côtés, il apprit le rythme des cultures et des moissons. Il y trouva un certain agrément, appréciant le contact direct avec la nature. Touché de voir une femme seule gérer un domaine, il se permit quelques conseils. Elle écouta ses recommandations d'une oreille attentive, et découvrit bientôt en lui un appui précieux.

Philippe, qui se mêlait parfois à leurs conversations, appréciait la compagnie de Simon, et il ne fut pas long à deviner les sentiments qui l'animaient. Persuadé que sa sœur n'avait pas pleinement conscience de la situation, il la mit en garde.

– Ce jeune homme éprouve plus que de l'amitié pour toi. C'est d'amour qu'il s'agit. Et si tu ne partages pas ses sentiments, tu risques de le blesser.

– Je t'en prie, répondit Charlotte. Ne cherche pas des complications inutiles. Nous partageons les mêmes goûts, et nos entretiens sont agréables. Simon est un ami et un excellent conseiller. Laisse-moi à mon plaisir.

Philippe pinça les lèvres. Il ne voulait pas la contredire, mais il s'interrogeait sur l'issue de cette relation.

Quelques jours après la récolte du foin, Charlotte accueillit Simon devant l'entrée.

– Si tu te sens prêt à marcher, dit-elle, je propose de t'amener chez ma belle-sœur, Agnès Gaudry. C'est aujourd'hui l'anniversaire de sa fille dont je suis la marraine, et j'aimerais participer à la fête.

– Oh non! maman, supplia Pierre. S'il te plaît, pas à pied. Avec le cheval.

Charlotte et Simon échangèrent un regard complice.

– La cause est entendue, dit-elle. Cependant, n'oublie pas, lorsque nous serons chez ta tante Agnès, tu pourras jouer avec Jacques et Christine-Charlotte, mais j'aimerais que vous évitiez de faire des bêtises comme vous en avez la fâcheuse habitude.

– Je sais, répondit Pierre d'un air malin. Je ne dois pas aller près de la mare aux canards pour ne pas tomber dedans comme la dernière fois.

Simon prit le garçon en croupe, et la route se fit dans la bonne humeur. Le cheval trottait devant. De temps à autre, Simon revenait à la hauteur de Charlotte. Mais à peine avaient-ils le temps d'échanger quelques mots que le petit réclamait un galop. Souriant, le cavalier cédait à ses instances et relançait sa monture.

Quand ils atteignirent la terre des Gaudry, Christine-Charlotte sortit en courant de la maison.

– Ma tante Lolo ! s'écria-t-elle.

Sa marraine l'embrassa tendrement. Elle aimait cette fillette blonde pleine de vitalité. Se tournant ensuite vers l'écuyer, la petite éclata de rire en voyant son cousin, les cuisses écartelées, affichant un air triomphant.

– Qu'est-ce que tu fais là-haut? Tu as l'air d'un gros monsieur qui a peur de marcher!

Déçu par l'effet produit, Pierre se laissa glisser jusqu'au sol. Humilié, il lança d'un ton boudeur :

– Tu n'es jamais montée sur un cheval, toi.

– C'est vrai, reconnut-elle joyeusement. Et ce n'est pas aujourd'hui que je le ferai. Viens, nous allons jouer, ajouta-t-elle en le prenant par la main pour mieux l'entraîner.

À son tour, Agnès vint à leur rencontre, tenant dans les bras le petit Nicolas, dit Colo, à peine âgé de deux ans.

– Ah! Je suis bien contente de te voir, s'exclama-t-elle. Christine aurait été déçue si tu n'étais pas venue.

Après que les présentations eurent été faites, elle invita Charlotte et Simon à l'intérieur où une collation allait être servie. Dès qu'elle eut franchi la porte de la cuisine, Charlotte remarqua le métier à tisser qui occupait une place importante à côté d'un rouet.

– Tu en as un, dit-elle, admirative.

– Bien... oui, fit Agnès. Avec les misères que nous fait l'intendant, il faut bien s'y mettre. Je te montrerai comment on s'en sert.

Comme toujours chez les Gaudry, la réunion fut gaie. On but à la santé de Christine-Charlotte et on avala du gâteau avec des fraises. On parla avec vivacité, sans toujours écouter son voisin, et les enfants gambadèrent dans la maison en criant.

Légèrement abasourdi, Simon glissait de temps à autre un coup d'œil vers Charlotte. Ce premier contact avec une famille canadienne l'étonnait. Manifestement, cette ambiance remuante ne gênait son amie en aucune façon. Elle riait et s'amusait de ces conversations à bâtons rompus.

Se trouvant ainsi à ses côtés, dans l'intimité de sa famille, il se sentait ému. La décision que Charlotte avait prise de le présenter dans son milieu prouvait bien un certain attachement. Il aurait voulu y voir une forme de déclaration. Pourtant rien dans son attitude ne lui permettait de l'interpréter ainsi. Elle le considérait comme un ami, il le savait. Il respectait cette amitié, espérant toujours la voir peu à peu se transformer en un sentiment plus profond. Mais l'attente lui pesait un peu plus chaque jour.

– Ça suffit, lança soudain Agnès.

Interloqués par cette exclamation, tous se turent.

– On ne s'entend plus ici! Les enfants... dehors, ordonna-t-elle sur un ton impérieux. Et souviens-toi, Jacques, je vous interdis de cueillir des pommes. Elles ne sont pas mûres et vous donneraient la colique.

Sans prendre la peine de répondre, les plus vieux se ruèrent à l'extérieur en hurlant, entraînant les deux plus jeunes dans leur sillage.

– Six ans déjà, remarqua Charlotte en suivant sa filleule des yeux.

– Hé oui, fit Agnès. Souviens-toi, ce jour-là, les Iroquois nous inquiétaient… Ce qui d'ailleurs n'a guère changé.

– Qu'est-ce qui vous porte à le croire? demanda Simon qui s'était peu exprimé jusque-là. Vous n'ignorez pas que depuis deux mois on prépare la paix.

– Vous ne les connaissez pas comme nous, intervint Nicolas Gaudry. S'ils voulaient véritablement la paix, les pourparlers ne dureraient pas si longtemps, et ils seraient tous là.

– Mais ils sont au complet, affirma Simon.

– Tous les Iroquois sont représentés?

– Comment, vous ne le saviez pas? Les derniers membres des Cinq-Nations sont arrivés depuis peu et monsieur de Tracy s'attend à signer un traité de paix d'un jour à l'autre.

Un chapelet d'exclamations accueillit cette nouvelle.

– Enfin!

– Trop beau pour être vrai!

– Vivre sans crainte, en toute liberté!

– J'y croirai quand je l'aurai vu.

Chacun y alla de son commentaire enthousiaste ou pessimiste, selon le cas. Nicolas et son frère Jean entamèrent un débat où l'espoir se heurtait à l'incrédulité.

Laissant les hommes à leurs discussions, Agnès fit signe à Charlotte de la suivre. Quand elles furent à l'écart, elle chuchota :

– Il est très bien, ce jeune homme, et beau garçon avec ça!

– Ne te mets pas d'idée en tête, répondit Charlotte sur le même ton. C'est un ami.

– Un ami, un ami… On dit ça au début et puis… un beau jour, on se réveille mari et femme.

Charlotte éclata de rire.

– Il n'en est rien, je t'assure! Au lieu de dire des bêtises, montre-moi plutôt comment on se sert de tes engins.

La jeune femme comprit rapidement le mécanisme du métier à tisser. Passer la navette, pousser le peigne et actionner les lisses lui parut un jeu d'enfant. Plus ardu était l'art de monter les fils de chaîne, ce qu'Agnès lui promit de lui enseigner à la prochaine occasion.

Par contre, l'apprentissage du rouet lui sembla plus difficile. Dès le premier tour de roue, le fil cassa. Charlotte fit un nouvel essai. Le fil se montra épais et lâche.

– Serre les doigts, roule plus serré, fit Agnès.

Intrigué par leurs exclamations, Simon s'approcha et se pencha sur son amie.

– Si tu veux rire de moi, le moment est venu, lança gaiement Charlotte qui s'amusait de son incompétence.

Elle s'efforça à nouveau de suivre les conseils de sa belle-sœur. Le fil s'amincit, devint ténu, puis, soudain, surgit un gros nœud.

– Mon travail est pour le moins original, ironisa-t-elle.

– Tu n'écoutes pas ce que je dis. Serre les doigts, comme si tu voulais retenir tout ton or entre tes mains.

L'apprentie fileuse laissa fuser un nouveau rire.

– Trouve un autre exemple. Je n'ai rien à retenir.

Simon s'attendrit de la voir accepter ses erreurs avec tant de simplicité.

– Molière n'a rien à t'apprendre, lui dit-il. Tu n'as besoin de personne pour te moquer de toi-même.

Touchée par cette remarque, Charlotte lui sourit en toute affection.

Elle allait reprendre le travail quand l'aînée des Gaudry fit irruption.

– Maman, lança-t-elle, très excitée. Les garçons et Christine ont mangé toutes les pommes.

– Ah! les mécréants! rugit Agnès en se précipitant à l'extérieur.

Mais sa colère tomba tout aussi vite, cédant la place à un rire incontrôlable.

– Charlotte, appela-t-elle entre deux hoquets, viens voir. Tu te souviens que je leur avais interdit de cueillir des pommes, n'est-ce pas? dit-elle en indiquant un pommier.

Sa belle-sœur examina l'arbre et constata qu'il était décoré d'une façon inhabituelle. À plusieurs endroits, les branches ne portaient plus que des trognons de pomme.

– Effectivement, ils ne les ont pas cueillies, conclut Agnès en riant aux larmes.

Cet incident mit fin un peu brutalement à la visite chez les Gaudry. On gronda les coupables, et Charlotte ramena un Pierrot contrit.

Cette fois, Simon avait choisi de placer le garçon sur la selle et de marcher à côté du cheval en tenant les rennes, ce qui lui permettait de rester près de Charlotte.

Celle-ci avançait tête baissée.

– Il ne faut pas lui en vouloir, dit Simon à voix basse.

– Je ne lui en veux pas, répondit-elle. J'essaie seulement de ne pas rire.

Ils échangèrent un regard amusé, puis Simon exprima ses impressions sur la visite.

– Ils parlent tous en même temps, et personne n'écoute son voisin.

– Je sais, ça étonne au début. Les Canadiens sont souvent ainsi. Ils sont gais, exubérants, et sans prétention. On ne s'ennuie pas pendant les soirées d'hiver. Les uns chantent, les autres racontent des histoires. Tu verras, ça t'amuseras sûrement.

À peine avait-elle parlé qu'elle se rappela que Simon devait rester en Canada seulement pour un temps limité. Elle s'était habituée à cette amitié qui lui était précieuse, et l'éventualité d'une séparation lui semblait déplaisante.

– Après la signature de la paix, demanda-t-elle, le vice-roi retournera en France?

Simon hocha gravement la tête.

– Quelle décision sera la tienne, partiras-tu avec lui, ou choisiras-tu de demeurer ici?

Embarrassé, le jeune homme conserva le regard rivé sur l'horizon.

– Je l'ignore. Cela dépend moins de moi... que d'une autre personne.

Du coin de l'œil, il observa Charlotte qui ne semblait pas avoir compris l'allusion. Voulant cacher son embarras, il s'appliqua à conseiller Pierre sur la position à prendre sur le cheval.

– Serre les mollets, tiens-toi très droit, un peu à l'arrière, et baisse les talons.

Charlotte glissa un regard oblique vers son compagnon. Elle aimait la façon dont il s'occupait de Pierre. Depuis leur rencontre, Simon leur apportait, à elle et à son fils, tout ce qu'elle avait espéré d'un mariage heureux. Elle comprit à quel point elle s'était attachée à lui.

De retour au château, Simon traversa le parc et se rendit à un endroit qui dominait le fleuve. Il y resta un long moment, ses pensées étant tout occupées par cette journée qu'il venait de vivre auprès de Charlotte. Jamais il ne s'était senti si près d'elle, en parfaite harmonie.

Elle proclamait partout leur amitié. Était-ce réellement son seul sentiment à son égard? À plus d'une reprise, il en avait douté. Ainsi ce trouble qu'il avait cru deviner à l'idée d'une prochaine séparation, pouvait-il l'attribuer à un premier signe d'amour?

Et pourtant... Il connaissait l'attachement qu'elle éprouvait encore pour son défunt mari. Alors quoi? Attendre? Attendre qu'elle oublie le passé et que l'amitié se transforme en amour? Mais le temps pressait, désormais. Il lui faudrait prendre une décision avant le départ du vice-roi.

Le cœur lourd, il allait gagner sa chambre lorsqu'il rencontra son ami Jean Saucier.

– Eh bien, tu en fais, une tête ! lui dit celui-ci. Qu'est-ce qu'il t'arrive?

Après une légère hésitation, Simon se décida à lui confier dans quelle situation il se trouvait.

– Au début, nos relations ont pris la forme de l'amitié, acheva-t-il, et je m'en suis réjoui. Mais aujourd'hui, je ne sais plus que penser. Comment reconnaître ce qui tient de l'amitié ou de l'amour? Je ne veux pas la brusquer. Il lui faut le temps d'oublier, de…

Jean l'interrompit vivement.

– Et de continuer à respecter son veuvage quand tu seras de retour en France?

Il prit le temps de dévisager son ami avant d'ajouter :

– Tu n'as pas le choix, Simon. Tu dois te déclarer. Et sais-tu? Je serais prêt à parier que, de malheureux, tu deviendras le plus heureux des hommes.

Cette conversation eut pour effet d'apaiser Simon. Peu à peu, ses hésitations se dissipèrent. Enfin, il prit une décision : à leur prochaine rencontre, il parlerait.

32

À SON GRAND REGRET, Simon n'eut pas la possibilité de donner suite à sa résolution avant plusieurs jours. Une paix venait d'être signée avec les Iroquois et, très satisfait de cette conclusion, monsieur de Tracy avait décidé de célébrer l'événement par un festin. Chargé d'en organiser le déroulement, Simon fut accaparé par les préparatifs de ces réjouissances.

Un an après les premières festivités, le château Saint-Louis prit de nouveau l'allure d'une cour princière, accueillant tout ce que Québec comptait de haute bourgeoisie. Les invités, venus nombreux, se pressèrent, heureux de participer à une si belle fête.

Charlotte avait apporté un soin particulier à sa toilette. Pour la première fois, elle avait troqué ses habits de deuil contre des vêtements dont la mode s'était répandue à la cour de France. Il s'agissait d'une robe d'un bleu soutenu dont la jupe, ouverte à l'avant, laissait paraître deuxième jupe, parsemée de fleurettes bleues. Ses cheveux relevés très haut sur la tête étaient retenus par des rubans.

Ainsi parée, elle se sentait différente. Envolé, le poids des vêtements noirs! Cette robe légère bruissant à chaque pas lui apportait une joie oubliée depuis longtemps.

Lorsque Simon l'aperçut, il en fut saisi. Depuis le premier jour, il était séduit par les attraits de la jeune femme, mais cette fois elle lui parut éblouissante. La couleur flattait le teint frais de sa peau, avivait les reflets bleutés de sa chevelure et réveillait l'éclat de ses yeux noirs. La poitrine et la nuque dégagées révélaient le port gracieux de la tête. Il en demeura émerveillé. Le sourire éclatant que Charlotte lui adressa acheva de l'émouvoir.

Se dominant, il s'approcha d'elle, et lui prit les mains, qu'il serra entre les siennes.

– Ta beauté m'étourdit, Charlotte, prononça-t-il d'une voix chaude. Je suis profondément heureux de te voir ici ce soir. Sans ta présence, cette fête serait dépourvue d'attrait.

Étonnée par cet accueil inhabituel, la jeune femme sonda le regard de son ami. Elle y trouva une profondeur qui la laissa perplexe.

– Je n'aurai qu'un regret, continua-t-il, celui de ne pouvoir te consacrer chaque instant de cette soirée.

– Enfin, Simon, lâcha-t-elle, déconcertée, que t'arrive-t-il? Me ferais-tu la cour?

Il serra légèrement ses mains, puis, gravement, il répondit :

– Cela se pourrait, en effet.

De surprise, Charlotte entrouvrit les lèvres. Jamais jusqu'à ce jour Simon n'avait eu un autre comportement que celui d'une amitié sincère. Ce changement subit la laissait désemparée. Ne sachant quelle attitude prendre, elle chercha à badiner.

– Que puis-je faire d'une cour que l'on me fait sans être présent?

Le regard du jeune homme se fit intense.

– Crois bien que c'est là un sujet qui me navre. Le temps me semblera long avant de pouvoir te retrouver. J'aimerais t'entretenir de...

Il hésita.

– De tant de choses, acheva-t-il.

– Tu m'abasourdis, Simon, fit-elle, le souffle coupé. Malgré tout, je te dirai que si je suis venue ici ce soir, c'est uniquement pour être près de toi.

Il serra encore ses mains avant de les lui rendre, puis s'éloigna, heureux. Au soulagement de ne pas avoir été éconduit s'ajoutait la dernière phrase de Charlotte. Il ne lui était donc pas indifférent.

Charlotte se dirigea vers un groupe formé par des amis. Plutôt que de se joindre aux familles Morin et Couillard qui déjà occupaient une table, elle voulut éviter toute friction avec Françoise ou Guillemette en préférant la compagnie des Guyon. Chacun dans cette famille l'estimait, et elle s'y sentait à l'aise.

Après les premiers échanges lancés sur un ton joyeux, Charlotte eut du mal à suivre les conversations. Son esprit était entièrement accaparé par l'accueil de Simon. Ce revirement la prenait par surprise. Elle croyait avoir un ami, et elle venait de découvrir un amant. Cette révélation la troublait plus qu'elle ne l'aurait supposé. Qu'on lui fasse la cour n'avait rien de déplaisant en soi. Quelle femme serait indifférente aux attentions soutenues d'un jeune homme tel que Simon Lefebvre de Plainval? Mais elle s'interrogeait sur les causes profondes de son émoi. S'agissait-il d'un sentiment éveillé par la flatterie, ou parce que l'auteur de cette cour était Simon?

Leurs yeux se croisèrent à distance. Au sourire qu'il lui adressa, son cœur bondit. La preuve en était faite, son attachement pour lui avait pris des proportions qu'elle avait ignorées. Certes, Simon joignait l'élégance à un esprit fin et cultivé. Ils partageaient des goûts et des idées qui les avaient déjà rapprochés. Elle ne pouvait discuter avec aucune autre personne comme elle le faisait avec lui.

Charlotte dut reconnaître que Simon tenait une place importante dans sa vie. Cependant, elle demeurait incertaine.

Qu'était donc ce sentiment nouveau qu'elle découvrait avec surprise? L'amour se serait-il infiltré à son insu?

Non! Oublier Joseph, céder sa place à un autre? Non, jamais! Philippe avait raison, elle aurait dû éviter cette amitié avec Simon.

Mais alors, d'où lui venait ce trouble? La déclaration de Simon l'avait bouleversée, elle n'arrivait plus à s'y retrouver.

Lorsque le repas fut terminé, les convives profitèrent de la douce soirée d'été pour faire quelques pas dans le jardin du château. On se regroupa par affinités, marchant sous la lumière généreuse d'une pleine lune.

Enfin dégagé de ses obligations, Simon partit à la recherche de Charlotte. Le voyant approcher, la jeune femme frémit. Elle ne pouvait pas le nier, elle éprouvait du plaisir à se trouver en sa compagnie. La silhouette devenue familière, la démarche sûre l'émouvaient plus qu'elle ne voulait se l'admettre.

Arrivé à sa hauteur, il se pencha sur elle.

– Comme il me tardait de te voir, lui dit-il. Mais ne restons pas ici, j'aimerais te parler en tête à tête.

La prenant par la main, il l'entraîna loin des curieux. Contournant quelques bosquets fleuris, il la conduisit au bord de la falaise.

Même dans l'obscurité, le fleuve exerçait sa magie. La lune inondait le paysage d'une lumière argentée. La Côte-de-Lauzon se découpait contre un ciel clair, tandis qu'une large frange brillante scintillait à la surface de l'eau.

– Je désirais te faire connaître cet endroit, lui dit-il. Bien des fois j'y suis venu en pensant à toi. De me trouver ici en ta compagnie me donne l'impression d'un présent inestimable.

Le cœur battant, Charlotte contempla le fleuve. Il lui avait enlevé Joseph… voici qu'il lui rendait Simon.

Elle se ressaisit, se refusant à céder trop tôt à des sentiments encore incertains.

Devant elle, Simon l'observait d'un regard tendre.

– Je t'ai longtemps caché mes sentiments, reprit-il. Ne m'en veux pas. Je voulais respecter les tourments que tu as vécus, te permettre d'oublier le passé et d'envisager une vie nouvelle. Mais avec cette paix, le temps m'est compté.

– Simon, commença-t-elle. Je m'attendais si peu. Toi, mon ami… Tu as semé le trouble dans mon esprit. C'est trop tôt. Permets-moi de m'habituer, et de prendre le temps de voir clair en moi.

Un sourire joua sur les lèvres du jeune homme.

– Je ferai preuve de patience, quoiqu'il m'en coûte. En attendant, j'aimerais t'offrir ce cadeau en souvenir de cet instant.

Il glissa entre ses mains une cassette en bois sculpté, incrusté d'un mince filet d'or. Ne sachant quelle attitude prendre, Charlotte caressa la surface ouvragée.

– Simon, je ne sais que dire.

– Ouvre-la, l'encouragea-t-il.

Cédant à ses instances, la jeune femme fit jouer le couvercle, et demeura bouche bée. Sur un écrin de velours vert reposait une broche admirable. Une perle baroque était enchâssée dans une monture finement ciselée qui comprenait trois autres perles en pendeloques.

– Cette broche appartenait à ma mère, expliqua-t-il, et je ne m'en suis jamais séparé jusqu'à ce jour. Mais, désormais, je désire que tu la portes, et que tu la conserves quoi qu'il advienne.

Émue, Charlotte admira le bijou.

– Mais c'est trop, Simon, je ne peux pas accepter un tel présent.

– Je t'en prie, Charlotte, ne t'attache pas à des convenances. Comprends-le bien, c'est à moi que tu feras plaisir en l'acceptant.

Il lui sourit chaleureusement.

– Ce n'est qu'un pâle reflet de mes sentiments. Il faut que tu le saches, je t'aime, Charlotte. Je ne vis plus que pour toi. Dis-toi bien que je suis disposé à rester en Canada. Cela dépend de toi, et de toi seule.

Profondément troublée, Charlotte chercha à se maîtriser.

– Tout doux, mon ami, dit-elle d'une voix mal assurée. Ne va pas trop vite. Tu risquerais de m'étourdir, et je ne saurais plus faire le tri dans mes sentiments.

Simon lui sourit.

– Je saurai me montrer patient. Mais n'attends pas qu'un navire me ramène en France.

33

À LA SUITE de cette soirée, Charlotte demeura perplexe. Elle ne pouvait plus nier une forte inclination pour Simon. Pourtant, l'amour qu'elle portait encore à Joseph lui interdisait une nouvelle passion. Elle ne se sentait pas le cœur à désavouer les sentiments qui la liaient malgré elle à son défunt mari, et elle se demandait si elle avait le droit d'accepter les avances de Simon.

Avant qu'elle puisse arriver à une conclusion, un événement d'importance vint bouleverser la vie des habitants de Québec.

Quelques jours à peine après la réception chez le vice-roi, on apprit que six officiers français restés à l'un des forts sur le Richelieu avaient été assassinés par des Iroquois. Outré par cette trahison, le marquis de Tracy fit emprisonner ceux de cette nation qui se trouvaient encore sur place, et la paix fut rompue.

Donnant raison à son intendant, il décida qu'une nouvelle campagne s'imposait. Les trois dirigeants du pays se réunirent afin de discuter des modalités et de bien choisir le moment de cette opération. Si l'hiver était trop rigoureux, au printemps, les eaux trop hautes ne permettraient pas de traverser les rivières. En été, les piqûres des maringouins, très nombreux en cette saison, risquaient d'incommoder les soldats à cause des enflures qu'elles provoquaient. Restait l'automne, mais il fallait faire vite. Les trois hommes se mirent d'accord pour un départ de Québec fixé au 14 septembre.

Les préparatifs furent menés à vive allure. On rassembla trois cents bateaux légers ou canots d'écorce pouvant porter quatre ou cinq hommes chacun. On étudia le parcours à suivre, on veilla aux vivres et aux munitions.

La troupe allait se composer de six cents soldats provenant de toutes les compagnies du régiment de Carignan, de six cents habitants du pays, dont les fameux capots bleus dirigés par Charles Le Moyne, et de cent Algonquins et Hurons. Dans ce pays où deux à trois cents guerriers étaient considérés comme une force importante, ces mille trois cents hommes prenaient l'aspect d'une armée puissante.

Espérant empêcher que monsieur de Courcelles commette les mêmes erreurs que la première fois, et malgré son âge, le marquis de Tracy avait pris, en personne, le commandement de la troupe. Soucieux du confort de ses hommes, il avait demandé à son majordome de l'accompagner afin de veiller sur les provisions et sur la préparation des repas.

Le jour du départ, Simon prit place dans l'un des canots, et se laissa transporter loin de celle qu'il aimait. Par la pensée, il revivait sa dernière entrevue avec Charlotte.

La veille, il était allé lui faire ses adieux. Elle avait blêmi, avant d'articuler d'une voix tremblante :

– Simon, oh! Simon, prends garde.

Bouleversée, elle avait ajouté :

– Je prierai chaque jour pour ta sauvegarde et ton retour.

Simon lui avait souri tendrement.

– Ma douce amie. Tes paroles me sont précieuses.

Il avait pris sa main et l'avait portée à ses lèvres avant d'ajouter :

– Pendant mon absence, réfléchis. À mon retour, j'espère une réponse.

Dans le regard de Charlotte, il avait cru deviner un sentiment profond et plein de promesse, mais il n'avait aucune certitude.

Simon serra les poings en voyant Québec disparaître derrière le Cap-aux-Diamants. Désormais, il fallait qu'il se concentre sur l'expédition, mais il ne pouvait pas chasser Charlotte de son esprit.

Le cheminement fut long, mais l'armée atteignit sans encombre le fort Sainte-Anne à la tête du lac Champlain, où tous les combattants devaient se regrouper. Après un court repos, les hommes se remirent en mouvement, et une flottille composée de trois cents embarcations légères s'engagea sur le lac.

À l'autre extrémité du lac, on mit pied à terre et on s'enfonça dans la forêt. Chargés d'armes et de bagages, les soldats devaient parcourir trente-cinq lieues d'une marche difficile, en suivant des pistes étroites. Les branches s'accrochaient à leurs fardeaux, les retenant ou leur faisant perdre l'équilibre. Peu rompu à de tels exercices, Simon peinait et, le soir venu, il s'écroulait, les muscles endoloris.

Peu avant d'atteindre les villages iroquois, le préposé au ravitaillement vint prévenir Simon que le pain avait verdi et ne pouvait pas être utilisé. Cette fois encore, la famine menaçait. Le majordome s'inquiétait de cette situation, quand un jeune Algonquin lui fit comprendre qu'il connaissait un endroit où l'on pourrait s'alimenter.

Simon en fit part à monsieur de Tracy, en reprenant les paroles de l'Indien.

– Du pain dans les arbres ? En voilà une idée originale! s'exclama le marquis en riant.

Puis, se ravisant, il ajouta :

– Après tout, qu'est-ce qu'on risque? Dis à ton Algonquin de nous y conduire.

L'Indien les guida vers une forêt de châtaigniers chargés de fruits. On s'arrêta pour récolter cette manne inespérée, et l'armée entière mangea des châtaignes à satiété, après les avoir fait griller.

En soirée, on installa un bivouac sous le couvert des arbres. Simon, assis devant le feu du campement, regardait les flammes tout en rêvassant, quand monsieur de Tracy vint s'asseoir à côté de lui.

– Je vous observe depuis notre départ de Québec, lui dit-il. Vous êtes distrait, absent, ce qui ne te ressemble pas. J'ai l'impression que quelque chose vous tracasse. Est-ce la proximité des Iroquois, ou votre nouvelle charge en campagne?

– Rien de tout ça, affirma Simon.

Depuis longtemps, il avait pris l'habitude de se confier au marquis au cours des visites qu'il lui rendait fréquemment à son château de Tracy-le-Mont. Il n'éprouva donc aucune gêne à lui avouer son penchant pour Charlotte et la récente tournure des événements.

– Alors vous êtes amoureux! s'exclama le vice-roi. En voilà une bonne nouvelle! Je me demandais quand vous y viendriez.

– Mais..., commença Simon.

– Ta, ta, ta, l'interrompit son aîné en lui tapant affectueusement le genou. Si vous voulez en croire l'expérience d'un homme qui a longtemps vécu, votre jeune amie était déjà amoureuse sans le savoir, et votre déclaration l'aura touchée. Je sens que votre première occupation, quand nous serons de retour à Québec, sera d'organiser la célébration de votre propre mariage.

Il ne put s'empêcher de rire en voyant le regard béat de son majordome.

– Cessez de vous tourmenter, fit-il, et reposez-vous. Demain nous aurons une longue et dure journée.

Au moment où l'armée approchait du premier bourg iroquois, le temps devint maussade et la pluie se mit à tomber. Désirant mener cette campagne promptement, monsieur de Tracy décida de poursuivre la marche pendant toute la nuit, au son du tambour.

Charles Le Moyne s'empressa d'aller lui parler.

– Monsieur le Marquis, je suis étonné par tout ce bruit. Tenez-vous donc à alerter l'Iroquoisie tout entière? Croyez-en mon expérience, un effet de surprise serait préférable.

– Mon jeune ami, riposta le vice-roi, l'hiver dernier, les intempéries ont fait plus de victimes parmi nos militaires que les Iroquois avec leurs escarmouches. J'entends ne pas subir de telles pertes, cette fois, en évitant que des soldats s'égarent dans la forêt.

– De cette manière, vous aurez conservé tous vos hommes, mais ne trouverez aucun Iroquois.

– Si je trouve leurs villages, cela me suffira.

On atteignit la première bourgade à l'aube. Monsieur de Tracy y dépêcha des éclaireurs. Ils rapportèrent bientôt que l'endroit avait été déserté. Le marquis franchit la palissade, et s'arrêta après quelques pas, étonné par ce qu'il voyait. Alors qu'il s'attendait à trouver de mauvaises huttes de bûcherons, il découvrait des cabanes de menuiserie, longues de cent vingt pieds, régulièrement disposées autour d'une place centrale.

– Jamais plus je n'appellerai ces gens des sauvages, s'exclama-t-il.

Après avoir admiré le hameau, il ordonna d'y mettre le feu ainsi qu'aux champs de culture qui l'entouraient.

Une deuxième bourgade subit le même sort. Lorsque l'armée arriva au troisième village, également abandonné, le jour baissait déjà. Dans la pénombre, une femme indienne s'avança vers le marquis. Elle prétendait être de la nation des Algonquins et avoir été prisonnière des Iroquois. Elle expliqua que tous les habitants de l'endroit se trouvaient à Andaraké, non loin de là.

– Ce village est très grand et très fort, ajouta-t-elle. C'est à Andaraké qu'ils attendent l'homme blanc pour se battre.

Elle glissa sa main dans celle du vice-roi et le tira doucement.

– Viens, dit-elle. Les Iroquois n'attendent pas les hommes blancs pendant la nuit. Je connais la route. Mes yeux pourront voir, même sans la lumière de la lune.

Devant tant d'insistance, le marquis céda et ordonna le départ. En arrivant devant le village, on s'aperçut que, là aussi, les Iroquois avaient pris la fuite.

Il s'agissait d'une place considérable, entourée d'une triple palissade flanquée de quatre bastions. Les guerriers y avaient amassé une importante quantité de vivres et une grande provision d'eau. De toute évidence, l'eau était destinée à éteindre le feu s'il venait à prendre à la palissade ou aux cabanes. Toutes ces précautions prouvaient bien leur intention de se défendre. Et pourtant, l'endroit était désert.

L'explication fut donnée par un vieillard que l'on trouva caché sous un canot d'écorce. Charles Le Moyne, l'ayant interrogé, put traduire la réponse.

– C'est le son des tambours qui leur a fait peur. Ils ont cru qu'il s'agissait de démons, « les démons des Français ». Ils s'étaient préparés à combattre des hommes, mais pas des démons. Voilà pourquoi ils ont fui dans la forêt.

À ces paroles, le marquis ne put s'empêcher de rire.

– J'ignorais que les tambours pouvaient être une arme si puissante. Quoi qu'il en soit, il me semble inutile de poursuivre les Iroquois dans leur retraite. Ils sont plus habiles que nous dans la forêt, et nous leur ferons sans doute autant de mal en détruisant leur village et leurs provisions.

Cette nuit-là, l'armée française mangea à sa faim et dormit au sec dans les cabanes d'Andaraké. Le lendemain, après s'être emparé de provisions suffisantes pour assurer les jours à venir, on mit le feu au village, puis l'ordre du retour fut donné.

Au moment où la colonne s'ébranlait, le marquis se tourna vers Simon et lui déclara :

– Réjouissez-vous, mon garçon. La campagne est terminée. Dans quelques jours, vous serez auprès de votre bien-aimée.

valeurs plus sûres, et la meilleure façon de créer une parfaite harmonie.

– Tu as sans doute raison, mais je me demande si j'arriverai à remplacer Joseph par un autre homme.

Germain se pencha vers sa belle-sœur et posa sa main sur la sienne.

– Charlotte, il ne s'agit pas de le remplacer. Tu étais très attachée à Joseph, et sans doute l'aimes-tu encore. Cependant, lorsqu'une mère a un deuxième enfant, elle n'en aime pas moins le premier. Tu peux les aimer l'un et l'autre. Ouvre ton cœur et laisse-le parler.

Ce soir-là, lorsque Charlotte se retira dans sa chambre, elle prit un livre et en retira des fleurs séchées : le muguet que Joseph lui avait offert le soir de leurs noces. Elle porta les clochettes jaunies à ses lèvres.

– Joseph, je t'aime, murmura-t-elle. Jamais je ne t'oublierai. Je ne te chasse pas. Mon cœur est assez grand, vous pourrez l'habiter tous les deux.

Elle leva les yeux sur le miroir qui se trouvait devant elle. Il lui renvoya le reflet d'une femme encore jeune aux yeux d'un beau noir luisant et à la chevelure sombre et opulente.

– Simon, murmura-t-elle encore, père de Pierre et… mon époux.

Elle ressentit une impression de douceur et de bien-être. Elle sourit à son image dans la glace. L'hésitation avait disparu. Il ne restait plus qu'un merveilleux sentiment de douceur.

Pour la deuxième fois, Charlotte de Poitiers attendit le retour de celui qu'elle aimait.

35

L'AUTOMNE s'étirait, interminable. Et toujours pas de nouvelles des troupes. Depuis bientôt deux mois, Charlotte ne vivait que dans l'attente d'un indice qui lui permettrait de savoir où en était cette campagne et si les hommes allaient bientôt rentrer. Chaque matin, elle se réveillait en se disant : «Aujourd'hui sûrement, on apprendra qu'ils se sont arrêtés au fort Richelieu ou qu'on les a vus aux Trois-Rivières et que, enfin, ils reviennent.» Mais chaque jour se déroulait semblable au précédent, ajoutant une nouvelle déception à celle de la veille.

Toute à ses pensées, elle soupira, incapable de suivre les potins qu'Agnès lui rapportait du marché.

– Et figure-toi, lui disait celle-ci, que Louis Delisle fait un procès à Marie Langlois parce qu'elle a ri quand elle l'a vu glisser sur une épluchure de pomme. Faire un procès pour si peu! Est-ce que tu comprends ça, toi?

Elle s'interrompit, étonnée de ne voir aucune réaction chez sa compagne. De toute évidence, elle n'avait pas entendu un seul mot.

– Charlotte, insista-t-elle.

La jeune femme sursauta.

– Pardonne-moi, je n'écoutais pas.

– C'est bien ce que je vois. Je disais que...

Mais elle s'arrêta de nouveau. Penchant la tête sur le côté d'un air taquin, elle reprit :

– Toi, tu me caches quelque chose. Tu as tout d'une femme amoureuse qui attend le retour de son promis.

En guise de réponse, Charlotte baissa les yeux en rougissant.

– C'est bien ça! s'exclama Agnès. C'est ton jeune homme? Simon ?

Charlotte hocha la tête.

– Et tu ne me disais rien ! Alors ? Eh bien, raconte !

– Agnès, tu as compris mes sentiments avant moi. Je ne sais pas comment j'ai pu être si aveugle. Il m'a demandé de l'épouser et… je ne lui ai pas encore donné ma réponse. Tu avais vu juste. Mais moi, il m'a fallu du temps pour réaliser que l'amitié que j'associais à son attachement n'était autre que de l'amour.

– Et maintenant?

– Puisque je te dis que je l'aime.

– Enfin! s'exclama Agnès. Je savais bien que vous étiez faits l'un pour l'autre. Ah! quel bonheur! Je suis sûre que vous serez pleinement heureux, tous les deux.

– S'il revient…

– Cesse de te tourmenter, veux-tu! Il reviendra. Tu ne peux pas vivre deux fois la même expérience. Ce n'est pas possible.

– Je voudrais tant y croire, murmura-t-elle. S'il lui était arrivé un ennui… Je m'en voudrais de ne pas lui avoir donné ma réponse plus tôt.

Après le départ de sa belle-sœur, Charlotte se rendit à l'hôpital comme chaque jour. Tout en s'occupant des malades, elle se demandait combien de soldats français et de miliciens elle aurait à soigner au retour de cette campagne. Et Simon… serait-il épargné? Ou alors… Elle frissonna et chercha à chasser les pensées qui l'obsédaient.

Mère Marie, qui l'observait, lui serra affectueusement l'épaule.

– Ils ne sauraient tarder indéfiniment. Rassurez-vous, vous serez bientôt renseignée.

Charlotte la regarda avec étonnement.

Mère Marie lui répondit par un sourire attendri.

– Je sais qui vous attendez, et je sais pourquoi. Il y a suffisamment longtemps que je vous connais pour pouvoir lire vos sentiments comme dans un livre ouvert. Croyez-moi, je n'espère rien d'autre que votre bonheur auprès de ce jeune homme.

Réchauffée par l'affection que lui témoignait la religieuse, Charlotte se consacra à ses obligations. Ce n'est que le soir venu, en rentrant chez elle, qu'elle s'abandonnait à ses pensées.

Au moment où elle allait céder à nouveau à ses inquiétudes, un éclaireur annonça l'approche des troupes. Ce fut un seul cri de joie dans toute la bourgade. Les soldats allaient enfin revenir! Toutes celles qui attendaient un mari ou un fils se mirent à surveiller les berges du fleuve, cherchant à reconnaître un mouvement quelconque.

Charlotte alterna entre la joie et la crainte d'une déception. Elle se rendit fréquemment sur la grande place, espérant y déceler une agitation inhabituelle, et il lui fallut fournir un effort pour continuer à soigner les malades.

Deux jours s'écoulèrent dans la fébrilité générale. Puis, en revenant de Sillery où elle avait ausculté une femme enceinte, Charlotte croisa Agnès sur la Grande Allée.

– Mais qu'est-ce que tu fais par ici? lui lança sa belle-sœur. Ne sais-tu donc pas que les troupes sont revenues? Les hommes sont tous sur le parvis de Notre-Dame où monseigneur de Laval célèbre un *Te Deum*.

Charlotte en eut le souffle coupé.

– L'as-tu vu?

– Non, pas lui en particulier, mais ils sont si nombreux…

Charlotte n'entendit pas la fin de la phrase. Laissant Agnès sur place, elle s'éloigna vivement. Le moment tant attendu était enfin arrivé et il lui tardait d'atteindre le parvis. Elle dépassa sa maison sans s'y arrêter.

Elle n'eut aucun mal à le reconnaître de loin… C'était bien lui qui venait dans sa direction.

– Simon! cria-t-elle en se mettant à courir.

Elle ne sentit aucun effort, elle volait à sa rencontre. Ils s'arrêtèrent face à face.

– Simon, reprit-elle sans cacher son émotion. Tu es là, tu es vivant!

Le cœur battant, le jeune homme l'observa. Ce visage levé vers lui, ce regard ardent le bouleversèrent. Il prit ses mains dans les siennes et les serra fortement.

– Charlotte, je lis dans tes yeux tout ce que je désire y voir. Mais je veux l'entendre de ta bouche. Acceptes-tu de partager la vie d'un majordome?

Elle lui sourit en toute confiance.

– Ce n'est pas le métier que j'épouserai, mais l'homme qui m'est précieux. Simon, je t'aime.

Il posa sur sa bouche des lèvres chaudes et tendres. Charlotte s'abandonna à la douceur de ses bras.

* * *

En apprenant que sa mère allait se marier, Pierre manifesta sa joie, car il aimait déjà Simon et n'avait aucun mal à l'accepter comme père. Une question cependant le gênait et qu'il formula sans attendre.

– Est-ce que je devrai l'appeler papa ou Simon?

Charlotte le prit dans ses bras en l'embrassant.

– Tu feras comme bon te semblera, dit-elle.

Se tournant alors vers le nouveau fiancé, il demanda :

– Tu me laisseras monter ton cheval, n'est-ce pas?

Simon éclata de rire.

– C'est que ce cheval ne m'appartient pas, il fait partie de l'écurie du château. Mais je vais te dire : la jument que tu connais bien est grosse. Je ferai en sorte d'obtenir son poulain et je te l'offrirai.

Le petit bondit de joie et s'empressa d'aller en faire part à son cousin Zef Fournier.

La nouvelle fit rapidement le tour de Québec, et chacun s'en réjouit. Anne Bourdon offrit d'organiser la cérémonie, mais elle n'eut pas la possibilité de donner suite à sa proposition, monsieur de Tracy ayant pris le pas sur elle. En apprenant les fiançailles de son protégé, il lui avait souri chaleureusement.

– Je vous l'avais bien dit! Mon garçon, je vous félicite, rien ne saurait me réjouir davantage. Et maintenant, dites-moi, quels sont vos projets? Pour ma part, je n'en vois qu'un seul qui mérite de retenir votre attention. Je vous confie dès aujourd'hui le soin d'organiser ce mariage et la réception, qui auront lieu ici même, bien entendu.

Étonné par cette décision, Simon allait protester, quand le marquis l'interrompit.

– Ta, ta, ta. Si vous l'ignorez, sachez que je vous considère comme mon fils. Il est donc hors de question que cela se passe ailleurs que dans les murs de ce château.

Après un instant de réflexion, il ajouta :

– Il faudra aussi s'occuper de votre avenir, que je désire brillant. Dans l'immédiat, il me plaira de vous offrir en cadeau de noces une somme de huit cents livres d'or. Et dès notre retour en France, je veillerai à vous trouver une charge davantage à la mesure de vos talents.

– Je vous en suis reconnaissant, répondit Simon. Mais je ne peux pas accepter cette dernière proposition, puisque j'ai l'intention de me fixer ici.

– Ici ? fit le vice-roi, pris de court.

Se reprenant, il ajouta :

– Après tout, pourquoi pas ? C'est un beau pays rempli de promesses. Et si vous devez y trouver le bonheur, je n'ai plus rien à dire. Et pourtant, vous me manquerez, mon garçon, non seulement pour la qualité de vos services, mais aussi pour l'affection que je vous porte.

Les préparatifs furent menés rondement. Après la publication des bans, le contrat de mariage fut signé le 10 janvier 1667. Ce fut un grand événement mondain. La fiancée portait un nom illustre, et elle était veuve d'un homme dont la famille était connue et très considérée en Canada. Le fiancé était un des gentilshommes attachés à la maison du vice-roi. Aussi vit-on signer au contrat d'abord le marquis de Tracy, puis le chevalier de Courcelles et Jean Talon. Ensuite ce furent les membres de la famille Hébert, puis les invités.

Après que maître Rageot, notaire royal, eut donné lecture du contrat qui liait Charlotte de Poitiers du Buisson et Simon Lefebvre d'Angers de Plainval sous le régime de la communauté de biens, suivant la coutume de Paris, on passa aux festivités.

Les mariés rayonnaient de bonheur. Charlotte portait une robe de velours grenat. À son corsage luisait une broche composée d'une perle baroque et de trois perles en pendeloques.

S'isolant un instant avec son époux, loin des amis et de la famille, Simon se pencha vers elle et la serra contre lui.

– Je crois rêver, murmura-t-elle.

En guise de réponse, son mari posa sur les siennes des lèvres brûlantes.

– Tu vois, ce n'est pas un rêve. Je te le promets, je ferai en sorte que ce bonheur persiste notre vie durant.

Appendice

Le mariage religieux fut célébré le 11 janvier 1667 et fut béni par l'abbé Germain Morin.

Charlotte et Simon Lefebvre eurent huit enfants, cinq garçons et trois filles. Parmi leurs descendants, à la huitième génération, se trouve Thibaudeau Rinfret, mon grand-père.

Jean-Baptiste de Poitiers revint au Canada en 1670, date à laquelle il épousa Isabelle Jossard, fille du roi, et s'établit à Montréal. Leur descendance nous conduit à Georgine Rolland qui épousa mon grand-père Thibaudeau Rinfret.

Charlotte et Jean-Baptiste de Poitiers sont donc tous les deux mes ancêtres à la dixième génération.

Parmi mes autres ancêtres figurent Claude et Catherine Guyon ainsi qu'Agnès et Nicolas Gaudry, et par conséquent Noël Morin et son épouse Hélène Desportes, qui fut le premier enfant d'ascendance européenne à naître sur le sol canadien.

En 1670, Charlotte Lefebvre échoua dans sa tentative de récupérer les dix arpents que lui avait pris sa belle-sœur.

La même année, Françoise et Guillaume Fournier, après deux tentatives infructueuses, réussirent à obtenir la moitié du fief Saint-Joseph qui n'avait pas été vendue à l'intendant Talon.

Germain Morin, premier prêtre ordonné au Canada, fut également le premier évêque canadien de naissance.

Marie Morin fut la supérieure des hospitalières de Montréal de 1693 à 1696 et de 1708 à 1711.

Catherine Couillard, épouse de Charles Aubert de La Chesnaye, mourut à la naissance de son premier enfant. Charles Aubert se remaria une deuxième fois, puis une troisième fois. De ses trois épouses, il eut dix-huit enfants.

Jean Bourdon mourut en 1668. On lui fit des obsèques dignes d'un procureur du roi.

Le résultat de la campagne dirigée par le marquis de Tracy aboutit à la signature, le 20 juillet 1667, d'une paix qui devait durer vingt ans.

Jean Talon retourna en France en 1668 pour des raisons de santé. Il sera de retour en 1670 pour une période de deux ans. Mais c'est surtout au cours de sa première intendance qu'il accomplit l'essentiel de sa tâche : peupler la colonie et créer une vie économique. Il rentra définitivement en France en novembre 1672, accompagné des plus vifs regrets des habitants du Canada.

À la suite des plaintes contre la direction théocratique de monseigneur de Laval et des jésuites, et fort des renseignements fournis par l'intendant, Louis XIV décida de « balancer l'autorité des premiers ecclésiastiques » du pays et d'y réintroduire les récollets.

Le marquis de Tracy quitta Québec le 28 août 1667. Plus de quatre cents soldats décidèrent de demeurer en Nouvelle-France. Parmi les officiers qui restèrent dans la colonie, notons Chambly, Saurel, Berthier, Contrecœur et Saint-Ours, qui laissèrent leur nom à des villes, et dont la descendance devait par la suite se battre courageusement contre les Anglais.

PRINCIPAUX PERSONNAGES

PERSONNAGES ayant réellement existé :

AUBERT, sieur de La Chesnaye, Charles : ami d'enfance de Charlotte de Poitiers. Arrivé à Québec en 1655 comme employé de la Compagnie de Rouen, agent général de la Compagnie des Indes Occidentales 1666 à 1674.

COUILLARD
Guillaume, arrivé à Québec en 1613, anobli en 1654, décédé.
Guillemette Hébert, son épouse. Dix enfants, dont : Élizabette, cousine de Joseph Hébert. Épouse Jean Guyon. Grégoire, coureur des bois, cousin de Joseph Hébert. Catherine, cousine de Joseph Hébert.

FOURNIER
Guillaume, originaire du Perche. Beau-frère de Charlotte et Joseph Hébert.
Françoise Hébert, son épouse, belle-sœur de Charlotte Hébert.
Leurs enfants :
Marie (dite Mimi, dans le texte).
Agathe.
Jacquette.
Joseph (dit Zef, dans le texte).
Jean.

GARAKONTIÉ : chef iroquois qui a tenté d'amener une paix partielle, et qui négocie un échange de prisonniers avec les Français.

GAUDRY
Nicolas, originaire du Perche, beau-frère de Charlotte et Joseph Hébert.
Agnès Morin, son épouse, belle-sœur de Charlotte Hébert.
Cinq enfants, dont : Christine-Charlotte, filleule de Charlotte Hébert.

GUYON
Jean, originaire du Perche, arrivé à Beauport en 1634, engagé par Robert Giffard.
Mathurine Robin, son épouse.
Sept enfants, dont :
Jean, arpenteur royal. Épouse Élizabette Couillard. Cousin par alliance de Charlotte et Joseph Hébert. À la suite à une entente d'entraide, il travaille conjointement avec Joseph pour les moissons.
Claude, travaille sur les terres de son frère Jean. Il faisait partie de l'entente d'entraide pour les moissons. Épouse Catherine Collin. François, commerçant, associé de Justine Chicoine, ami de Charlotte Hébert.

HALAY, Barbe : possédée et amoureuse de Daniel Vuil.

HEBERT
Louis, émigré en 1617. Épouse Marie Rollet.
Leurs enfants :
Anne décédée vers 1619.
Guillemette, épouse Guillaume Couillard.
Guillaume, décédé en 1639, père de Joseph Hébert.
Hélène Desportes, veuve de Guillaume Hébert, belle-mère de Charlotte Hébert.
Joseph, fils de Guillaume Hébert et Hélène Desportes, épouse Charlotte de Poitiers en 1660.
Françoise, fille de Guillaume Hébert et Hélène Desportes, belle-sœur de Charlotte Hébert. Épouse Guillaume Fournier.
Angélique, fille de Guillaume Hébert et Hélène Desportes, belle-sœur et amie de Charlotte Hébert (dans le texte, épouse Louis Taschereau). Joseph, (le petit Joseph) fils de Joseph et Charlotte Hébert.

HERTEL, François : fils du premier colon trifluvien. Accompagne Joseph Hébert dans sa mission au pays des Iroquois.

LEFEBVRE d'Angers de Plainval, Simon : majordome du vice-roi. Deuxième époux de Charlotte de Poitiers.

MAHEUST, Jacques : dont la concession se trouve en face de celle de Joseph Hébert. À la suite à une entente d'entraide, ils se regroupent pour faire les moissons conjointement. Anne, son épouse.

MORIN
Noël, sieur de Saint-Luc. Deuxième époux d'Hélène Desportes. Beau-père de Charlotte Hébert.
Hélène Desportes, son épouse (veuve de Guillaume Hébert), belle-mère de Charlotte Hébert.
Douze enfants, dont :
Agnès, belle-sœur de Charlotte Hébert. Épouse Nicolas Gaudry.
Germain, prêtre, beau-frère de Charlotte Hébert.
Marie, belle-sœur de Charlotte Hébert.

POITIERS de
Pierre-Charles, sieur du Buisson, capitaine d'infanterie, père de Charlotte, décédé en 1648.
Hélène de Belleau, son épouse, décédée en 1659.
(Les enfants sont fictifs, sauf Jean-Baptiste et Charlotte.)
Charles.
Jean-Baptiste.
Charlotte, née vers 1640.
Antoinette.

Philippe.
Hortense.
Catherine.
Anne.

SAUCIER, Jean : lieutenant des gardes du vice-roi.

VUIL, Daniel : huguenot, considéré comme sorcier.

CLERGÉ :

LAVAL, François de Montmorency, évêque de Pétré : premier évêque de Québec, arrivé en 1659.

LALEMANT, père : supérieur des jésuites.

LE MOYNE, père : jésuite qui partit en mission chez les Iroquois afin de négocier un échange de prisonniers.

MARIE de Saint-Boniface, mère : religieuse hospitalière, supérieure jusqu'en 1660, puis de nouveau à l'automne 1663.

AUTORITÉ CIVILE :

BOURDON, Jean : procureur au Conseil, compromis dans la traite des pelleteries.

BOURDON, Anne : son épouse, se considère comme la mère de Charlotte Hébert.

COURCELLES, Daniel de Rémy : gouverneur de la Nouvelle-France, arrivé à Québec en 1665.

d'ARGENSON, Pierre de Voyer, vicomte : gouverneur de la Nouvelle-France de juillet 1658 à 1661.

d'AVAUGOUR, Pierre du Bois, baron : gouverneur de la Nouvelle-France de 1661 à 1663.

MAISONNEUVE (de), Paul Chaumedy : fondateur et gouverneur de Ville-Marie (Montréal).

MANCE, Jeanne : fondatrice de l'Hôtel-Dieu de Ville-Marie (Montréal).

MESY, (de) Saffray : gouverneur de la Nouvelle-France en 1663, mort à Québec en mars 1665.

PÉRONNE du Mesnil, Jean : avocat au parlement de Paris, enquêteur pour le compte des Cent-Associés.

ROUER de Villeray, Louis : membre du Conseil, compromis dans la traite des pelleteries.

RUETTE d'Auteuil (de), Denys-Joseph, gendre d'Anne Bourdon, membre du Conseil, compromis dans la traite des pelleteries. Claire-Françoise, son épouse et fille de madame Bourdon, habite en France.

TALON, Jean : premier intendant de la Nouvelle-France.

TRACY (de), Alexandre de Prouville, marquis : vice-roi de la Nouvelle-France de 1664 à 1667.

PERSONNAGES FICTIFS :

BIBAUT, Antoine : employé par Charlotte Hébert.

CHICOINE, Justine : associée de François Guyon, se considère comme une mère pour Charlotte Hébert.

CREVIER, Béranger : fermier et homme à tout faire de Joseph et Charlotte Hébert. Épouse Marine.

DELAGE, Jacques : militaire et ami de Philippe de Poitiers.

JEANNETTE : domestique de Charlotte Hébert.

JOLICŒUR, Mathieu : compagnon de Grégoire Couillard.

LOUISE de la Sainte-Croix, mère : religieuse hospitalière.

MARINE : épouse de Béranger Crevier, fermier des Hébert.

NOÉMIE : cuisinière de Joseph et Charlotte Hébert.

OTSINONANNHONT, Étienne : Huron, ami de Joseph Hébert.

OTTAHOWARA : fils de Tikanoa et Étienne Otsinonannhont.

POITIERS, Pierre : fils adoptif de Charlotte Hébert.

TASCHEREAU, Louis : époux d'Angélique Hébert et beau-frère de Charlotte Hébert. Père de Louis-Guillaume.

TIKANOA : Huronne et amie de Charlotte Hébert. Épouse Étienne Otsinonannhont. Mère de Ottahowara.

BIBLIOGRAPHIE

Au Perche des Canadiens Français, œuvre collective sous la Direction régionale des affaires culturelles de Normandie, édition : Pays d'Accueil du Perche, 1991.

Registres de paroisses, Archives provinciales de Montréal.

Thomas B. Costain, *Blanc et Or, Le Régime français au Canada*, traduit par Charles-Marie Boissonnault, Doubleday Canada Limited, T.H. Best Printing Company Limited, Canada, 1959.

Raymond Delage, *Le Pays renversé*, Boréal, Montréal, 1991.

Raymond Douville et Jacques-Donat Casanova, *La Vie quotidienne en Nouvelle-France*, Hachette, Paris, 1964.

Institut généalogique Drouin, Armoiries de l'honorable Thibaudeau Rinfret.

Saint-Denys Duchesnay et Rolland Dumais, *Les Mammifères de mon pays*, Éditions de l'Homme, 1969, Montréal.

Ernst P. et Tiouli Hanquet, *Anthologie de Chants*, Édition Le Lasso.

Jean-Baptiste Antoine Ferland, *Cours d'Histoire du Canada*, S.R. Publishers Ltd., Johnson Reprint Corporation, Mouton & Co., N.V., 1969.

Cyrille Gelinas, *Le rôle du fort de Chambly dans le développement de la Nouvelle-France*, édition : Direction des lieux et des parcs historiques nationaux, Parcs Canada, Environnement Canada, 1983.

Jean Hamelin, œuvre collective sous la direction de, *Histoire du Québec*, Éditions France-Amérique, 1976.

Henry Harald Hansen, *Histoire du costume*, Éditions Flammarion, Paris, 1956.

René Jette, *Dictionnaire généalogique des familles du Québec*, Les Presses de l'Université de Montréal, 1983.

Robert Lacour-Gayet, *Histoire des États-Unis – des origines à la fin de la guerre civile*, Fayard, 1976.

Roland Lamontagne, *Succès de l'intendance de Talon*, Éditions Leméac, 1964.

Gustave Lanctot, *Histoire du Canada*, Librairie Beauchemin Limitée, vol. 1 et 2, Montréal, 1964.

Yves Moquin, œuvre collective sous la direction de, *Nos Racines, l'histoire vivante des Québécois*, Livre-Loisirs ltée, 1983.

Relations des Jésuites, de 1647 à 1655, tome 4, de 1656 à 1665, tome 5, Éditions du Jour, 1972.

Marcel Trudel, *Catalogue des immigrants*, Cahiers du Québec, 1983 (Collection Histoire).

Marcel Trudel, *Histoire de la Nouvelle-France*, III, La Seigneurie des Cent-Associés, Les ?vénements, Fides, 1979.

Marcel Trudel, *Le terrier du Saint-Laurent*, Éditions de l'Université d'Ottawa, 1973, 618 p. : ill. (Cahiers du Centre de recherche en civilisation canadienne-française, n° 6).

André Vachon, œuvre collective écrite sous la direction de, *Dictionnaire biographique du Canada*, vol. II, General Editor : David M. Hayne, Les Presses de l'Université Laval et University of Toronto Press.

IMPRIMÉ AU CANADA